Nuestros amigos

WRITING AND CONSULTING STAFF
CENTER FOR CURRICULUM DEVELOPMENT

RESEARCH AND WRITING

Writers MANUEL G. SANDOVAL
GUILLERMO LAWTON ALFONSO
GUILLERMO SEGREDA
Consulting Editor MARINA LIAPUNOV
Consulting Linguist JAMES W. HARRIS, Massachusetts Institute of Technology
Editor JORGE GARCIA-RODRIGUEZ

CONSULTANTS

General Consultants NELSON BROOKS, New Haven, Conn.
PIERRE J. CAPRETZ, Yale University
Culture Consultant RUTH PEÑAHERRERA de NORTON, Southwest Missouri State University
Greenwood Laboratory School
Springfield, Mo.

TEACHER CONSULTANTS SAM BUTLER, Cherry Creek Senior High School
Englewood, Colo.
MARIO FIERROS, Cortez High School
Phoenix, Ariz.
FIORINA MARTINEZ, South Shore High School
Brooklyn, N.Y.
MARTHA D. STROTHER, Highland Park Middle School
Dallas, Tex.
JACK THAYER, Rolling Hills High School
Rolling Hills Estates, Calif.
HENRY P. ZIEGLER, Princeton High School
Cincinnati, Ohio

Nuestros amigos

Spanish 1

HARCOURT BRACE JOVANOVICH

New York Chicago San Francisco Atlanta Dallas *and* London

PICTURE CREDITS

Positions are shown in abbreviated form, as follows: *t,* top; *c,* center; *b,* bottom; *l,* left; *r,* right.

FOREIGN LANGUAGE AND YOU

All photos by HBJ Photo except: Page xvii Robert Frerck; xviii *tr* Dominican Tourist Information Center; xvix *tr* Gerhard Gscheidle/HBJ Photo; *cl* Ingeborg Lippmann/HBJ Photo; *bl* Frerck; *br* Luis Villota; xx *tl* Lippmann/HBJ Photo; xxi *tl* Courtesy of the Museo Nacional de Antropología de México; *tr* Frerck; *cl* Dominican Tourist Information Center; *cr* Gscheidle/HBJ Photo; *bl* Menzel; xxii *tr* Jack Loughhead; *bl, br* Courtesy TWA; xxiii *t* Eric Kroll/Taurus Photo; xxv *b* Robert Weinreb/Bruce Coleman, Inc.; xxviii *b* Courtesy Random House Inc., Modern Library Edition; xxxii *t* Ernest Sandow/Rapho/Photo Researchers; © Courtesy of the United Nations; *bl* C. Sentenio/Taurus Photo.

TEXT PHOTOS

All photos by Gerhard Gscheidle/HBJ Photo except: Page 1 *t* HBJ Photo; *b* Arturo Salinas/HBJ Photo; 2 *r* HBJ Photo; 3 *tl* HBJ Photo; *tr, cl* Salinas/HBJ Photo; 5 Loughhead; 10 *cr* HBJ Photo; 13 *bl* HBJ Photo; 17 *l, lc* HBJ Photo; 21 Pictures in order from *tl* to *br:* HBJ Photo; HBJ Photo; Zaldúa/HBJ Photo; Salinas/HBJ Photo; HBJ Photo; Díaz/HBJ Photo; HBJ Photo; Gscheidle/HBJ Photo; Díaz/HBJ Photo; Gscheidle/HBJ Photo; HBJ Photo; Zapata/HBJ Photo; 22 *tr* HBJ Photo; 23 *l* HBJ Photo; 33 *t* HBJ Photo; *b* Salinas/HBJ Photo; 39 Salinas/HBJ Photo; 45, 46, 49 HBJ Photo; 52 Salinas/HBJ Photo; 57 HBJ Photo; 58, 59, 61 Salinas/HBJ Photo; 62 *t* HBJ Photo; *br* Salinas/HBJ Photo; 66, 68 Salinas/HBJ Photo; 69 Loughhead; 72 Salinas/HBJ Photo; 75, 79, 83, 86 *t, cr, bl* HBJ Photo; *cl, c* Lippmann/HBJ Photo; *br* Zaldúa/HBJ Photo; 90 HBJ Photo; 94 *tl* Lippmann/HBJ Photo; *tr, bl* HBJ Photo; *br* Zapata/HBJ Photo; 95 *l* HBJ Photo; *r* Salinas/HBJ Photo; 97, 98 HBJ Photo; 99 Loughhead; 101, 104, 107 *tl, tr, cl, c, cr, bl, br* HBJ Photo; *tc, bc* San Diego Zoo; 109 S.P.A.D.E.M.; 113 *tl* Frerck; *bc* Spanish National Tourist Office; 141, 142, 144, 147, 148 HBJ Photo; 151 Robin Lehrer; 156 Lippmann/HBJ Photo; 162 *t* Salinas/HBJ Photo; *b* HBJ Photo; 166, 168 Salinas/HBJ Photo; 173, 174, 177, 183, 184, 188 Lippmann/HBJ Photo; 209 HBJ Photo; 213 *tc, cr, bl, bc* Adele Schnapp; 225, 226, 229, 231 Salinas/HBJ Photo; 235 *cl, r* HBJ Photo; 236, 237 *tc, b,* 240, 242, 244 *t, c,* 245 HBJ Photo; 247 *tl* Courtesy of Opryland Productions; *tr* Focus on Sports; *bl* from the television series KOJAK courtesy of Universal City Studios; *br* Karen Collidge/Taurus Photo; 248 *tl* HBJ Photo; *br* Salinas/HBJ Photo.

PLATES

All photos by Gscheidle/HBJ Photo except Plate 1 *t* Menzel; *b* Leo de Wys, Inc.; Pl. 2 *t* HBJ Photo; *cl* Menzel; *cr* HBJ Photo; *bl* Eduardo Bermúdez; *br* Frerck; Pl. 3 *cl* HBJ Photo; *bl* Bermúdez *; br* Oscar Buitrago; Pl. 4 from *tl* to *br* HBJ Photo; HBJ Photo; Bermúdez; HBJ Photo; HBJ Photo; Gscheidle/HBJ Photo; HBJ Photo; Gscheidle/HBJ Photo; Gscheidle/HBJ Photo; Gscheidle/HBJ Photo; Menzel; Menzel; Pl. 5 *tl, tr* Frerck; *bl, cr* Menzel; *br* Zaldúa/HBJ Photo; Pl. 6 *t, cr, cl, br* HBJ Photo; *bl* Bermúdez; Pl. 7 *tl* HBJ Photo; *tr* Menzel; *b* Frerck; Pl. 8 HBJ Photo; Pl. 9 from *tl* to *br* HBJ Photo; HBJ Photo; HBJ Photo; HBJ Photo; HBJ Photo; Gscheidle/HBJ Photo; Gscheidle/HBJ Photo; HBJ Photo; HBJ Photo; HBJ Photo; Gscheidle/HBJ Photo; Gscheidle/HBJ Photo; Lippmann/HBJ Photo; Gscheidle/HBJ Photo; Pl. 10 *tl, tr, bl, br* HBJ Photo; Pl. 11 *tl* Frerck; *tr, cl, bl* HBJ Photo; *cr, br* Lippmann/HBJ Photo; Pl. 12 *tl* Frerck; *tr, cl, bl* HBJ Photo; *cr* Salinas/HBJ Photo; *br* Menzel; Pl. 13 *t* Frerck; *c, bl* HBJ Photo; Pl. 14 *tl, tr, bcl, bl, br* HBJ Photo; *tcl* Frerck; Pl. 15 *tl, tr, cl, br* HBJ Photo; *tcr, bcr* Menzel; Pl. 16 *cl* HBJ Photo; *tr, br* Menzel; *bl* Salinas/HBJ Photo; Pl. 17 HBJ Photo; Pl. 18 *t* Víctor Minca; *c, b* HBJ Photo; Pl. 19 from *tl* to *br* HBJ Photo; Díaz/HBJ Photo; HBJ Photo; HBJ Photo; Gscheidle/HBJ Photo; HBJ Photo; Díaz/HBJ Photo; HBJ Photo; HBJ Photo; Menzel; Díaz/HBJ Photo; HBJ Photo; Pl. 20 from *tl* to *br* HBJ Photo; HBJ Photo; HBJ Photo; Menzel; Díaz/HBJ Photo; HBJ Photo; HBJ Photo; HBJ Photo; HBJ Photo; HBJ Photo; HBJ Photo; Pl. 21 *tl, tr* Díaz/HBJ Photo; *tc* Bermúdez; *cl, bc, c, cr* HBJ Photo; *br* Lippmann/HBJ Photo; Pl. 22 from *tl* to *br* Frerck; Lippmann/HBJ Photo; HBJ Photo; Frerck; Frerck; HBJ Photo; HBJ Photo; Pl. 23, Pl. 24 *tl, cl* HBJ Photo; *tr* Bob Davis/courtesy Dentsu Corp. of America; *br* Menzel; Pl. 25 Salinas/HBJ Photo; Pl. 26 *cr, br, bl* HBJ Photo; Pl. 27 *tr, cl, br* HBJ Photo; Pl. 28 *tl, tr* Lippmann/HBJ Photo; *bcr* Frerck; all other photos HBJ Photo; Pl. 29 *tl, bl* HBJ Photo; *cl* Lippmann/HBJ Photo; *tr* Schnapp; *br* Frerck; Pl. 30 *tl, cl* HBJ Photo; *tr* Davis/courtesy Dentsu Corp. of America; *bl, br* Salinas/HBJ Photo; Pl. 31 from *tl* to *br* HBJ Photo; Salinas/HBJ Photo; Salinas/HBJ Photo; HBJ Photo; HBJ Photo; HBJ Photo; HBJ Photo; Zaldúa/HBJ Photo; HBJ Photo; Gscheidle/HBJ Photo; Pl. 32 *tl, cl* HBJ Photo; *tr, b* Lippmann/HBJ Photo; *cr* Salinas/HBJ Photo.

ART CREDITS

Page 5, 7, 11, 14, 15, 19, 24, 27, 30, 34, 35, 51, 66, b71, 73, 77, 87, 91, 103, 122, 135, 147, 148, 153, 163, b 179, 185, 195, 218, 253 Len Ebert; 25, 29, 37, 41, 50, *t* 71, 80, 93, 106, 115, 126, 136, 163, *t* 179, 197, 230, 251 Sven Lindman; 9, 18, 42, 138, 193 Lois Ehlert; 65, 141, 225 Al Lorenz; 203, 205, 212, 239 Don Crews; 85, 89 Courtesy of the Olympic Committee of Mexico; 151, 155 Courtesy of Spanish National Tourist Office. All other maps and mechanical art by HBJ Art.

HBJ photographers: Oscar Buitrago, Glen Cloyd.

Use of SCRABBLE® Brand Crossword Game, courtesy of Selchow and Righter Co. of Bayshore, N.Y. Owner of Registered Trade Mark SCRABBLE® in U.S. and Canada. Board design © 1948 and 1954. Selchow and Righter reprint with permission.

Acknowledgments

We wish to express our gratitude to the girls and boys pictured in this book, to their parents for their cooperation, to the merchants who let us use their premises, and to the many people who assisted us in making this project possible.

Our Friends: Some of our friends have been renamed in the units. In the list that follows, the fictional names appear in parentheses next to the real names. Ana Garrido (Santos), Units 1, 3, 5, 6, 24; Luis Aguirre (Pepe Olivares), Units 1, 3, 4, 6, 11, 24; Luis Soto (Paco González) and his friends and family, Units 1, 2, 3, 6, 13, 24; Lupe Ayala, Units 1, 3, 4, 6, 24; Alejandra Encinas and her friends Chucho and Rosario, Units 3, 6, 12, 19; Toni Medina, Units 3, 10; Susana Aponte and her friend Manuel, Unit 6; Homero and Marisa Gutiérrez (Puente), Units 7, 16; Miguel Yánez and friends, and Fernando and Constanza Otero, Unit 8; Javier Acebo, Tito García and friends, Unit 9; Roberto Mercado, Unit 10; Pilar Vega, Marta Zorrilla (Marisol), and Alfredo Alberdi (Santi), Unit 11; Jorge Luis and Ignacio Guerra (Dicky and Jorge), Ana Portuondo (Elena), Vivian Gispert (Lourdes), Unit 14; Rocío Machado, Soledad Bermejo, Javier, Miguel, and Manuel Guzmán, Unit 15; Sebastián Gil (Andrés Barroso) and friends Carlos and Pedro, Unit 17; Mercedes Fernández, Ignacio Fagalde, Petra and Aida Ocaña, Unit 18; Miguelina Peña (Mayra), Julia Contreras, Soraida Parradilla (Rosa), Eduardo Hernández Sánchez (Oscar) and their friends, Unit 20; Xochi and Kiko Ochoa, Diego Sánchez, Unit 22.

Teachers: Melania González and Luz María Sandoval (Cuernavaca, Mexico), Lucía Herrero-González (Mexico City); don Félix Revilla (Madrid, Spain); and Juan Manuel Dorta Duque, S. J. (Miami, Florida).

Our special thanks to the familia Encinas (Mexico City); familias González and Sandoval (Cuernavaca, Mexico), José and Betsy Padín and familia Beverly (Bayamon, Puerto Rico); Sras. de Portuondo, Guerra, and Pantín (Miami, Florida); familias Bousquet and Gómez-Acebo (Madrid, Spain); and the Club de ciclismo Mauricio Báez (Santo Domingo, Dominican Republic).

Contents

● *basic material*
▲ *grammar*
■ *materials for fun and cultural awareness*
▼ *reference*

PHOTO ESSAY   **Landscape** Plates 1–8

Contents   ix

Foreign Language and You

When you study a foreign language, your own world expands. Knowing the language of another country provides you with the means to explore that country—a country that is somehow not so foreign anymore.

CIRCUITOS - TOURS	Días Days	OPERACION OPERATION	SALIDAS DEPART	CLASE «A» DOBLE			
				Ptas.	$	Ptas.	$
Salidas desde/from MADRID							
AÑO SANTO COMPOSTELANO	4	1.4 - 31.10	Jue.-Thu.	4.500	78.94	—	—
PAIS VASCO-PICOS DE EUROPA	5	1.4 - 31.10	Sáb.-Sat.	8.500	149.12	9.750	171.05
GALICIA	5	1.4 - 31.10	Dom.-Sun.	8.700	152.63	9.950	174.56
CORNISA CANTABRICA-PICOS DE EUROPA	6	1.4 - 31.10	Sáb.-Sat.	10.950	192.10	12.450	218.42
PICOS DE EUROPA y GALICIA	7	1.4 - 31.10	Lun.-Mon.	12.500	219.29	14.250	250.—
GALICIA	7	12 Abril/April 12 Mayo a/to Sept.	Lun.-Mon.	10.900	191.22	12.650	221.93
ANDORRA y PIRINEOS	8	Jun. a/to Sept.	Sáb.-Sat.	12.900	226.32	14.900	261.40
CANTABRICO Y GALICIA	9	1.4 - 31.10	Sáb.-Sat.	16.500	289.47	18.750	328.95

SALIDAS: De nuestra TERMINAL, Avda. José Antonio, 68 (entrada por García Molinas).
DEPARTURES: From our TERMINAL, Avda. José Antonio, 68 (entering García Molinas).

En Toledo...
Cigarral Hotel **MONTE-REY**
Teléfono 220950
GRAN RESTAURANT

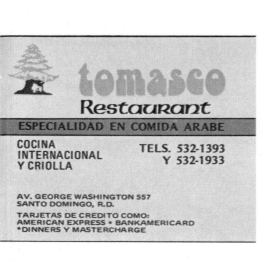

When you know the language of another country, you can enjoy the experiences that the country has to offer. You can go to a restaurant and order a delicious meal. You can explore cities and the countryside on your own. You can enjoy the country—not just as a tourist, but the way the natives do. You can learn about their values—what they like and what is important to them.

Knowing a foreign language makes the culture of the country accessible to you. You can shop at stores and marketplaces. You can take part in cultural experiences: theaters, museums, monuments. You can learn about the history of a cathedral, or why a set of ruins is so prized. You can talk to the local people and find out how they feel about their culture, history, and traditions.

For many jobs, knowing a second language is helpful; for others it is essential. Tour guides, travel agents, and airlines personnel use their foreign language skills on a daily basis in order to communicate with customers and clients, as well as to make arrangements with the people they work with in other countries.

Knowing Spanish helps a reporter covering a Hispanic parade in New York City,

…a real estate agent showing houses and apartments to Spanish-speaking clients,

…a hotel manager with international customers.

**El Nuevo
Departamento de Policía
de la Ciudad de
Nueva York
Miles de Personas
Ayudando a
Millones de Personas**

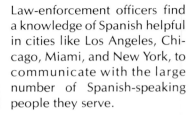

Law-enforcement officers find a knowledge of Spanish helpful in cities like Los Angeles, Chicago, Miami, and New York, to communicate with the large number of Spanish-speaking people they serve.

Firefighters can use their knowledge of a foreign language in emergency situations. But it is also helpful in the many community programs sponsored by the fire department that deal with Spanish-speaking youth groups.

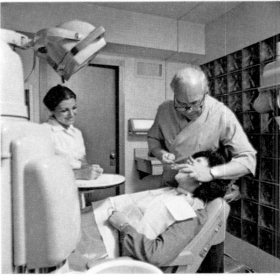

A dentist uses Spanish to communicate with his Spanish-speaking patients.

Corporate lawyers use foreign languages to conduct international business.

Many people make a career of teaching foreign languages.

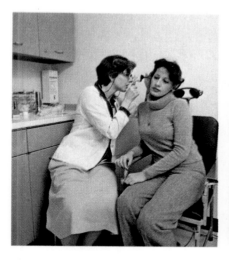

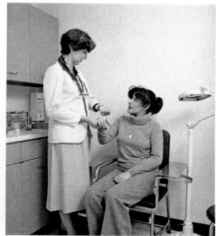

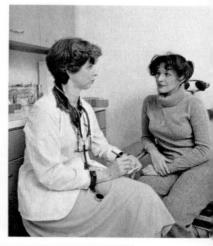

SPANISH VOCABULARY
FOR CLINICAL SERVICE

1. What is your name?
   ¿Cómo se llama usted?

2. Do you have your clinic card?
   ¿Tiene usted la tarjeta de la clínica?

3. Are you working?
   ¿Está usted trabajando?

Knowledge of foreign languages is helpful to persons in the health-care professions. Doctors, nurses, and hospital workers who take responsibility for the patients' well-being often need to obtain information from patients who do not speak English. When a doctor can speak to a patient in the patient's native language, it makes an important contribution to the doctor-patient relationship.

Large bookstores carry many books published in other countries and languages. Persons working in a bookstore find a knowledge of foreign languages useful in dealing with customers and foreign suppliers.

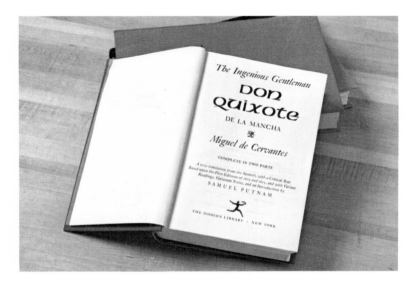

A thorough knowledge of the language and the culture is essential to translators.

Librarians find that knowing foreign languages is helpful in their job.

Bilingual secretaries are very much in demand.

Book editors use their knowledge of foreign languages to check the materials to be published. Foreign languages and a knowledge of cultural values are helpful to writers, editors, designers, photographers, and artists.

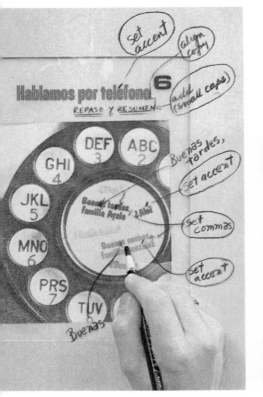

Ms. Barbara A. Schifani, assistant treasurer at a major New York bank, uses Spanish to assist many of the people who come to her at the bank.

International trade—import and export—makes use of foreign languages.

A knowledge of Spanish is helpful to people taking surveys in large cities.

There are many international organizations that require interpreters, both in the United States and abroad.

Knowing a foreign language can help in getting a job in the international commodities and money markets.

Spanish is useful to M. Pierre Malvé, head of a delegation to the UN.

Nuestros amigos hablan español

1
Ana Santos, 13 años.
Ella es de Colombia.

2
Pepe Olivares, 14 años.
Él es de España.

3
Paco González, 14 años.
Él es de Puerto Rico.

4
Lupe Ayala, 15 años.
Ella es de México.

These boys and girls come from all over the world, and they all speak Spanish. Pepe, who lives in Spain, is European. Ana, from Colombia, and Lupe, from Mexico, are both Latin Americans. Paco, who is from Puerto Rico, is a citizen of the United States.

Although our friends live in countries that are far apart, they share similar customs as well as the same language. Of course, their customs are not exactly the same and neither is their Spanish. If you listen to them, you will hear some differences in their vocabulary and pronunciation. But these differences are not very great. If Lupe, Ana, Paco, and Pepe were to meet someday, they would have little difficulty understanding each other.

2 ¿Cómo se llama él? ⊗

El chico   La chica

A: ¿Cómo se llama el chico?
B: El chico se llama Pepe Olivares.
A: ¿Cómo se llama la chica?
B: La chica se llama Ana Santos.
A: ¿Ana Santos?
B: Sí.

3 Contesten las preguntas.   *Answer the questions.*

¿Cómo se llama el chico?   El chico se llama Pepe Olivares.
¿Cómo se llama la chica?   La chica se llama Ana Santos.
¿Cómo se llama el chico de Puerto Rico?   El chico de Puerto Rico se llama Paco Gon-
                                                 zález.
¿Cómo se llama la chica de México?   La chica de México se llama Lupe Ayala.

4 PRÁCTICA ORAL   *Oral Practice* ⊗

5 ¿Cómo te llamas tú? ⊗

The following chart shows the usual way to ask and to give someone's name in Spanish.

¿Cómo se llama él?	Él se llama Pepe.
¿Cómo se llama ella?	Ella se llama Ana.
¿Cómo te llamas tú?	Yo me llamo...

6 Nombres de chicos ⊗   Nombres de chicas ⊗

Alfonso	Francisco	Manuel	Alicia	Gloria	Pilar
Antonio	Gonzalo	Miguel	Ana	Guadalupe	Ramona
Carlos	Guillermo	Pablo	Carmen	Inés	Rosario
Diego	Jaime	Pedro	Cristina	Luisa	Rosita
Eduardo	José	Ramón	Dolores	Margarita	Soledad
Felipe	Juan	Tomás	Elena	María	Teresa
Fernando	Luis	Víctor	Eva	Marta	Victoria

These are some popular Spanish names. Do you know any others? Our friend Paco's name is a nickname for Francisco. Pepe is a nickname for Jose, and Lupe is short for Guadalupe.

7 Contesten las preguntas. ⊗

1
¿Cómo se llama ella?
Ella se llama Ana.

2
¿Cómo se llama él?
Él se llama Pepe.

3
¿Cómo se llama él?

¿Cómo se llama ella?

¿Cómo te llamas tú?   Yo me llamo...

8 ¿De dónde es ella? ⊗

A: ¿De dónde es la chica?
B: La chica es de México.
A: ¿De dónde es el chico?
B: El chico es de Puerto Rico.
A: ¿Es Ana de Colombia?
B: Sí.
A: ¿Es Pepe de los Estados Unidos?
B: No, él es de España.

1
La chica

2
El chico

9 Contesten las preguntas.

¿De dónde es el chico?   El chico es de Puerto Rico.
¿De dónde es la chica?   La chica es de México.
¿Es Ana de Colombia?   Sí.
¿Es Pepe de los Estados Unidos?   No, él es de España.

10 PRÁCTICA ORAL ⊗

11 ¿De dónde eres tú? ⊗

The following chart shows the usual way to ask and to tell where someone is from.

¿De dónde es él?	Él es de Puerto Rico.
¿De dónde es ella?	Ella es de México.
¿De dónde eres tú?	Yo soy de los Estados Unidos.

Nuestros amigos hablan español   **3**

12 Contesten las preguntas. ⊗

¿De dónde es Pepe? ¿De España?
¿De dónde es Lupe? ¿De México?
¿De dónde es Paco? ¿De Puerto Rico?
¿De dónde es Ana? ¿De Colombia?
¿De dónde eres tú? ¿De los Estados
   Unidos?

Sí, él es de España.
Sí, ella es de México.

13 ¿Sí o no?   *Yes or no?* ⊗

¿Es Pepe de España?
¿Es Lupe de Colombia?
¿Es Paco de Puerto Rico?
¿Es Ana de México?
¿Eres tú de los Estados Unidos?

Sí.
No, Lupe es de México.

14 EJERCICIO ESCRITO   *Written Exercise*

Write the answers to Exercises 12 and 13.

15 ¿De qué país es él? ⊗

¿De qué país es Pepe?
Pepe es de España.

ESPAÑA

el país

¿De qué país es Lupe?
Lupe es de México.

MÉXICO

el país

16 PRÁCTICA ORAL ⊗

17 Contesten las preguntas. ⊗

¿De dónde es Paco?
¿De qué país es Paco?
¿De dónde es Ana?
¿De qué país es Ana?
¿De dónde es Pepe?
¿De qué país es Pepe?
¿De dónde es Lupe?
¿De qué país es Lupe?

Él es de Puerto Rico.
Él es de Puerto Rico.
Ella es de Colombia.
Ella es de Colombia.

¿De dónde eres tú?
¿De qué país eres tú?

LOS ESTADOS UNIDOS

18 ¿Cuántos años tiene ella? ⊗

A: ¿Cuántos años tiene Lupe?
B: Lupe tiene quince años.
A: ¿Y Ana?
B: Ella tiene trece años.
A: ¿Cuántos años tiene Paco?
B: Paco tiene catorce años.
A: ¿Y Pepe?
B: Él tiene catorce años también.

1

19 Contesten las preguntas.

¿Cuántos años tiene Lupe?
¿Y Ana?
¿Cuántos años tiene Paco?
¿Y Pepe?

Ella tiene quince años.
Ella tiene trece años.
Él tiene catorce años.
Él tiene catorce años también.

20 Los números del 0 al 20 ⊗

| cero | uno | dos | tres | cuatro | cinco | seis |

| siete | ocho | nueve | diez | once | doce | trece |

| catorce | quince | dieciséis | diecisiete | dieciocho | diecinueve | veinte |

21 PRÁCTICA ORAL ⊗

22 EJERCICIO DE COMPRENSIÓN *Listening Comprehension Exercise* ⊗

	0	1	2	3	4	5	6	7	8	9	10	11	12	13	14
números	9														

23 ¿Cuántos años tienes tú? ⊗

The following chart shows the usual way to ask and to give someone's age.

¿Cuántos años tiene él?	Él tiene doce años.
¿Cuántos años tiene ella?	Ella tiene trece años.
¿Cuántos años tienes tú?	Yo tengo...años.

24 Contesten las preguntas.

¿Cuántos años tiene el chico de España?
  (14)

Él tiene catorce años.

¿Cuántos años tiene la chica de Colombia?
  (13)

Ella tiene trece años.

¿Cuántos años tiene Paco? (14)

¿Cuántos años tiene Lupe? (15)

¿Cuántos años tienes tú? (¿?)

25 ¿Sí o no?

¿Tiene Paco catorce años?

Sí.

¿Tiene Pepe trece años?

No, Pepe tiene catorce años.

¿Tiene Lupe quince años?

¿Tiene Ana once años?

¿Tienes tú doce años?

26 EJERCICIO DE CONVERSACIÓN *Conversation Exercise*

Pregunten a sus amigos: *Ask your friends:*
1. ¿Cómo te llamas tú?
2. ¿De dónde eres tú?
3. ¿De qué país eres tú?
4. ¿Cuántos años tienes tú?

27 EJERCICIO ESCRITO

Look at the photographs on page 1, and then write the answers to the following questions.
Photo 2
1. ¿Cómo se llama el chico?
2. ¿De dónde es el chico?
3. ¿Cuántos años tiene el chico?
Photo 4
4. ¿Cómo se llama la chica?
5. ¿De dónde es la chica?
6. ¿Cuántos años tiene la chica?

Photo 3
7. ¿Cómo se llama él?
8. ¿De qué país es él?
9. ¿Cuántos años tiene él?
Photo 1
10. ¿Cómo se llama ella?
11. ¿De qué país es ella?
12. ¿Cuántos años tiene ella?

13. ¿Cómo te llamas tú?
14. ¿De qué país eres tú?
15. ¿Cuántos años tienes tú?

28 Una canción ⊗

Here is a song that many Spanish-speaking youngsters sing when they are learning numbers.

Dos   y dos son°cua-tro; cua-tro y dos son seis;   Seis   y dos son o-cho y o-cho die - ci - séis.

Es-tos°son los pa-res°, no-nes° yo   no   sé°;   Y el nú-me-ro ce-ro°, quién sa- be   qué   es°.

6   NUESTROS AMIGOS

29 Un juego

Can you match these names of places in the United States to a picture on the map?
1. Los Angeles (California) 2. Casa Grande (Arizona) 3. Los Gatos (California) 4. Mesa (Arizona) 5. Matador (Texas) 6. Raton (New Mexico) 7. Las Cruces (New Mexico) 8. El Cajon (California)

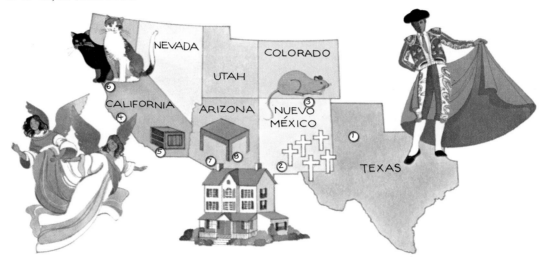

PALABRAS ADICIONALES *Additional words:* una canción: *a song;* son: *are;* éstos: *these;* los pares: *even numbers;* nones: *odd numbers;* yo no sé: *I don't know;* quién sabe qué es: *who knows what it is;* un juego: *a game;* los ángeles: *the angels;* casa grande: *big house;* los gatos: *the cats;* mesa: *table;* matador: *matador (bullfighter);* ratón: *mouse;* las cruces: *the crosses;* el cajón: *the large box;* nuevo: *new*

30 PARA REFERENCIA *For Reference*

1	**Nuestros amigos hablan español.**	*Our friends speak Spanish.*
1.1	Ana Santos, 13 años. Ella es de Colombia.	*Ana Santos, 13 years old. She is from Colombia.*
1.2	Pepe Olivares, 14 años. Él es de España.	*Pepe Olivares, 14 years old. He is from Spain.*
1.3	Paco González, 14 años. Él es de Puerto Rico.	*Paco Gonzalez, 14 years old. He is from Puerto Rico.*
1.4	Lupe Ayala, 15 años. Ella es de México.	*Lupe Ayala, 15 years old. She is from Mexico.*

2 ¿Cómo se llama él?
A: ¿Cómo se llama el chico?
B: El chico se llama Pepe Olivares.
A: ¿Cómo se llama la chica?
B: La chica se llama Ana Santos.
A: ¿Ana Santos?
B: Sí.

What's his name?
What's the boy's name?
The boy's name is Pepe Olivares.
What's the girl's name?
The girl's name is Ana Santos.
Ana Santos?
Yes.

5 ¿Cómo te llamas tú?
¿Cómo se llama él? Él se llama Pepe.
¿Cómo se llama ella? Ella se llama Ana.
¿Cómo te llamas tú? Yo me llamo...

What's your name?
What's his name? His name is Pepe.
What's her name? Her name is Ana.
What's your name? My name is...

6 Nombres de chicos   Nombres de chicas

Names of boys   Names of girls.

8 ¿De dónde es ella?
A: ¿De dónde es la chica?
B: La chica es de México.
A: ¿De dónde es el chico?
B: El chico es de Puerto Rico.
A: ¿Es Ana de Colombia?
B: Sí.
A: ¿Es Pepe de los Estados Unidos?
B: No, él es de España.

Where's she from?
Where's the girl from?
The girl is from Mexico.
Where's the boy from?
The boy is from Puerto Rico.
Is Ana from Colombia?
Yes.
Is Pepe from the United States?
No, he's from Spain.

11	**¿De dónde eres tú?**	Where are you from?
	¿De dónde es él? Él es de Puerto Rico.	Where's he from? He's from Puerto Rico.
	¿De dónde es ella? Ella es de México.	Where's she from? She's from Mexico.
	¿De dónde eres tú? Yo soy de los Estados Unidos.	Where are you from? I'm from the United States.

15	**¿De qué país es él?**	What country is he from?
	¿De qué país es Pepe?	What country is Pepe from?
	Pepe es de España.	Pepe is from Spain.
	¿De qué país es Lupe?	What country is Lupe from?
	Lupe es de México.	Lupe is from Mexico.

18	**¿Cuántos años tiene ella?**	How old is she?
	A: ¿Cuántos años tiene Lupe?	How old is Lupe?
	B: Lupe tiene quince años.	Lupe is fifteen years old.
	A: ¿Y Ana?	And Ana?
	B: Ella tiene trece años.	She's thirteen years old.
	A: ¿Cuántos años tiene Paco?	How old is Paco?
	B: Paco tiene catorce años.	Paco is fourteen years old.
	A: ¿Y Pepe?	And Pepe?
	B: Él tiene catorce años también.	He's fourteen years old too.

| 20 | **Los números del 0 al 20** | The numbers from 0 to 20 |

23	**¿Cuántos años tienes tú?**	How old are you?
	¿Cuántos años tiene él?	How old is he?
	Él tiene doce años.	He's twelve years old.
	¿Cuántos años tiene ella?	How old is she?
	Ella tiene trece años.	She's thirteen years old.
	¿Cuántos años tienes tú?	How old are you?
	Yo tengo...años.	I'm...years old.

31   VOCABULARIO[1]   *Vocabulary*

1–7	**Colombia** *Colombia*	**él es** *he is*	**el** *the*
	España *Spain*	**ella es** *she is*	**la** *the*
	México *Mexico*		
	Puerto Rico *Puerto Rico*	**de** *from*	**¿Cómo se llama él?** *What's his name?*
		nuestros *our*	**Él se llama Pepe.** *His name is Pepe.*
	los **amigos** *friends*	**sí** *yes*	**¿Cómo se llama ella?** *What's her name?*
	los **años** *years(old)*	**nombres de chicas** *names of*	**Ella se llama Ana.** *Her name is Ana.*
	la **chica** *girl*	*girls*	**¿Cómo te llamas tú?** *What's your name?*
	el **chico** *boy*	**nombres de chicos** *names of*	**Yo me llamo...** *My name is...*
	el **español** *Spanish*	*boys*	**Nuestros amigos hablan español.** *Our*
	los **nombres** *names*		*friends speak Spanish.*

8–17	los **Estados Unidos** *the United*	**yo soy** *I am*	**¿dónde?** *where?*
	States	**tú eres** *you are*	**¿de dónde?** *from where?*
	el **país** *country*		**¿De dónde es ella?** *Where is she from?*
		los *the*	**¿qué?** *what?*
		no *no*	**¿de qué?** *from what?*
			¿De qué país es él? *What country is*
			he from?

18–27	los **números** *numbers*	**también** *too, also*	**¿Cuántos años tiene ella?** *How old is she?*
	los **números del 0 al 20** *the*	**y** *and*	**Ella tiene 15 años.** *She's 15 years old.*
	numbers from 0 to 20 (see p. 5)		**¿Cuántos años tienes tú?** *How old are you?*
			Yo tengo...años. *I'm...years old.*

[1]The Spanish words and phrases that appear in dark type are the ones you have to know. You are not responsible for the Spanish words and phrases that appear in light type; you should be able to recognize them if they appear again, but you will not be required to use them.

La familia de Paco 2

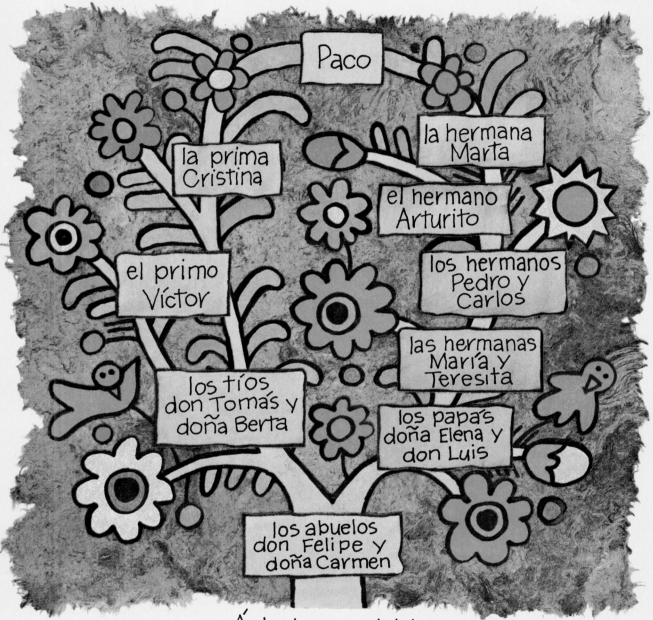

Paco

la hermana Marta

la prima Cristina

el hermano Arturito

el primo Víctor

los hermanos Pedro y Carlos

las hermanas María y Teresita

los tíos don Tomás y doña Berta

los papás doña Elena y don Luis

los abuelos don Felipe y doña Carmen

Árbol genealógico

2 In this unit you are going to meet Paco Gonzalez's family. You will meet his mother and father, his six brothers and sisters, an aunt, an uncle, a few cousins, and his grandparents. And this is only part of his family! Large families with many children, like Paco's family, are very common in Spanish-speaking countries. But smaller families are found too. However, when Paco says "my family," he is not only talking about his mom, dad, brothers, and sisters. He's also including his aunts and uncles, cousins, grandparents, and even close friends. As you can imagine, a family get-together (and these are frequent) is usually quite an event!

La hermana de Paco

El hermano de Paco

La familia de Paco

¿Quiénes son ellos?

3 ¿Quién es ella? ⊗

A: ¿Quién es la chica?
B: Ella es la hermana de Paco.
A: ¿Y quién es el chico?
B: Él es el hermano de Paco.

A: ¿Quiénes son los chicos?
B: Yo no sé.
A: ¿Y las chicas?
B: Yo no sé.

4 Contesten las preguntas.

1. ¿Quién es el chico?
2. ¿Y quién es la chica?

3. ¿Quiénes son las chicas?
4. ¿Y los chicos?

5 PRÁCTICA ORAL ⊗

6 GENDER AND NUMBER

Lean los siguientes ejemplos. *Read the following examples.* ⊗

chico   chica

What do these two words mean? How are they different?

chicos   chicas

What do these two words mean? How are they different?

7 Lean el siguiente resumen. *Read the following summary.*

In Spanish, a word that names a male (**chico**) belongs to the masculine gender. A word that names a female (**chica**) belongs to the feminine gender.

If a word names one person (**chico, chica**) it is singular. If a word names two or more persons (**chicos, chicas**) it is plural.

Later in this unit you will see that Spanish words naming places and things also have masculine or feminine gender and singular or plural number.

GENDER

Masculine — chico
Feminine — chica

NUMBER

Singular — chico
Plural — chicos

8 Den género y número. *Give gender and number.*

1. hermano   *masculine, singular*
2. chica
3. Ana
4. Paco
5. chicos
6. hermanas

9 Los hermanos y las hermanas de Paco ☺

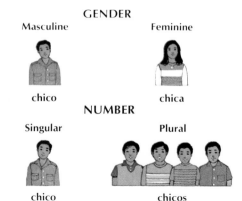

1 Arturito es el hermano de Paco. Él es de San Juan, la capital de Puerto Rico.

2 Marta es la hermana de Paco. Ella es de San Juan también.

3 Pedro y Carlos son los hermanos de Paco. Ellos son de Puerto Rico también.

4 María y Teresita son las hermanas de Paco. Ellas son de San Juan.

PRÁCTICA ORAL ⊗

FOUR USES OF de

1. You have seen the word **de** meaning *from* in Unit 1.
   Ana es de Colombia.   Pepe es de España.

2. A second use of **de** corresponds to the English word *of*.
   San Juan es la capital de Puerto Rico.   Washington es la capital de los EE.UU.[1]

3. Spanish also uses **de** to express possession. In English we use *'s*, as in the phrases "Paco's brother" and "Paco's house." The *'s* form does not exist in Spanish. "Paco's brother" and "Paco's house" are expressed as **el hermano de Paco** (*the brother of Paco*) and **la casa de Paco** (*the house of Paco*).

4. **De él** means *his.*   Doña Elena es la mamá **de él.** *Doña Elena is his mother.*
   De ella means *her(s).*   Doña Elena es la mamá **de ella.** *Doña Elena is her mother.*

¿Sí o no? ⊗

¿Son Pedro y Carlos de España?   No, Pedro y Carlos son de Puerto Rico.
¿Es Ana de Colombia?
¿Son María y Teresita de México?
¿Es Pepe de España?

Contesten usando "de."   *Answer using "de."* ⊗

¿Es Arturito el hermano de Lupe?   No, Arturito es el hermano de Paco.
¿Es Marta la hermana de Pepe?
¿Es San Juan la capital de Colombia?
¿Es Washington la capital de México?

Contesten las preguntas.

Look at the photographs on page 11 and answer the following questions.
Photo 1 ¿Quién es él?   Él es el hermano de Paco.
          ¿De dónde es él?   Él es de San Juan.
Photo 4 ¿Quiénes son las chicas?   Las chicas son...
          ¿De dónde son las chicas?
Photo 3 ¿Quiénes son ellos?
          ¿De dónde son ellos?
Photo 2 ¿Quién es ella?
          ¿De dónde es ella?

¿Quién eres tú?
¿De dónde eres tú?

¿?

[1]**EE.UU.** is an abbreviation for **Estados Unidos.**

La familia de Paco

La familia y el perro

La casa y el carro

La ciudad de San Juan

El Viejo San Juan

15 ¿De quién? ⊗

A: ¿De quién es la casa?
B: De la familia de Paco.
A: ¿Y de quién es el carro?
B: De la familia de Paco también.

A: ¿De qué ciudad son ellos?
B: De San Juan.
A: ¿La capital de Puerto Rico?
B: Sí.

16 Contesten las preguntas.

1. ¿Es la casa de la familia de Paco?
2. ¿De quién es el carro?

3. ¿De dónde son ellos?
4. ¿Es San Juan la capital de México?

17 PRÁCTICA ORAL ⊗

FORMING PLURALS

hermana   hermanas   país   países

18

Lean los siguientes ejemplos. ⊗

herman**o**   hermano**s**   herman**a**   hermana**s**

Which word is singular in the first pair? Which is plural? How do you form the plural? In the second pair, which word is singular? Which is plural? How do you form the plural?

país   país**es**   ciuda**d**   ciudad**es**

Which word is singular in the first pair? Which is plural? How is the plural formed? In the second pair, which is singular? Which is plural? How is the plural formed?

19

Lean el siguiente resumen.

If a word ends in a vowel (**a, e, i, o,** or **u**), then you form the plural by adding **-s** to the singular form.

familia   familias   carro   carros

If a word ends in a consonant (any letter except **a, e, i, o,** or **u**), then you form the plural by adding **-es** to the singular form.

país   países   ciudad   ciudades

20

Den la forma plural. *Give the plural form.* ⊗

hermano	hermanos	casa	capital	ciudad
país		carro	chico	hermana

21

NOUNS AND THEIR DEFINITE ARTICLES

Singular		Plural	
Definite Article	Noun	Definite Article	Noun
el	hermano	**los**	hermanos
el	país	**los**	países
el	carro	**los**	carros
la	hermana	**las**	hermanas
la	ciudad	**las**	ciudades
la	casa	**las**	casas

1. A word that names a person (**hermano, hermana**), a place (**país, ciudad**), or a thing (**carro, casa**) is called a noun. In Spanish every noun has a gender: either masculine gender or feminine gender. It is also either singular or plural.

2. Most nouns ending in **-o** in the singular and **-os** in the plural are masculine nouns (**carro, carros**). Most nouns ending in **-a** in the singular and **-as** in the plural are feminine nouns (**casa, casas**).

3. The Spanish form of the definite article *the* depends on the gender and number of the noun it is used with:

    el is used with a *masculine singular* noun   **el hermano**   **el carro**
    la is used with a *feminine singular* noun   **la hermana**   **la casa**
    los is used with a *masculine plural* noun   **los hermanos**   **los carros**
    las is used with a *feminine plural* noun   **las hermanas**   **las casas**

la casa

las casas

el carro

los carros

4. Many Spanish nouns do not end in **-o** or **-a**. **País** and **ciudad** are two examples you have seen. One good way to remember the gender of this type of noun is to learn the noun with its singular definite article: **el país, la ciudad.**

22 EJERCICIO ESCRITO

¿El, la, los o las?

Which definite article goes in each space?
1. Paco es ____ chico de San Juan.
2. San Juan es ____ capital de Puerto Rico.
3. ____ casa es de ____ familia de Paco.
4. ____ carro es de ____ familia también.
5. Marta y María son ____ hermanas de Paco.
6. ____ chicas son de San Juan.
7. Pedro y Arturito son ____ hermanos de Paco.
8. ____ chicos son de ____ ciudad también.

23 Contesten las preguntas.

Look at the photographs on page 13 and answer the following questions.
Photo 1
1. ¿De quién es el perro?
Photo 2
2. ¿De quién es el carro?

Photos 3 and 4
3. ¿De qué ciudad es la familia de Paco?
4. ¿Es San Juan la capital de Puerto Rico?

5. ¿De qué ciudad eres tú?
6. ¿Es Washington la capital de los Estados Unidos?

1

Los papás

2

Los abuelos

24 Los papás y los abuelos de Paco ⊗

A: Oye — ¿quién es el señor?
B: Él es don¹ Luis, el papá de Paco González.
A: ¡Oh! ¿Y quién es la señora?
B: Ella es la mamá de Paco, doña Elena.
A: ¿Cuántos abuelos tiene Paco?

B: Él tiene solamente dos — los papás de doña Elena.
A: ¿Cómo se llama la abuela?
B: Doña Carmen.
A: ¿Y el abuelo?
B: Don Felipe.

25 Contesten las preguntas.

1. ¿Quién es la señora?
2. ¿Cómo se llama el papá de Paco?
3. ¿Cuántos abuelos tiene Paco?

4. ¿Son ellos los papás de don Luis?
5. ¿Cómo se llama el abuelo de Paco?
6. ¿Y la abuela?

26 PRÁCTICA ORAL ⊗

27 NOUNS REFERRING TO PEOPLE

1. Many pairs of Spanish nouns referring to people end in **-o** for males and **-a** for females. You have seen several examples:

   el chico — la chica   **el hermano — la hermana**   **el abuelo — la abuela**

2. Nouns that refer to males are masculine, and nouns that refer to females are feminine no matter what ending they have.

   el papá   la mamá

3. In Spanish, the masculine plural of nouns is often used to talk about both genders together. For example, **hermanos** (the plural of **hermano**) may simply refer to *brothers*, but it is also used to refer to *brothers and sisters together*.

   ¿Cuántos hermanos tiene Paco?   Paco tiene **seis hermanos: tres hermanos y tres hermanas.**

   In the same way, the word **abuelos** may refer either to *grandfathers* or *grandparents*. The word **papás** is usually used to refer to *parents (mother and father together)*.

¹**Don** and **doña** are titles of respect that are used with a man's or a woman's first name. They are not capitalized unless they begin a sentence.

28 EJERCICIO ESCRITO

Write the following sentences supplying the missing words.

Pedro y Marta son __los__ __hermanos__ de Paco.

1. Don Luis y doña Elena son _____ _____ de Paco.   2. Don Felipe y doña Carmen son _____ _____ de doña Elena.   3. Ellos son _____ _____ de Paco.   4. Paco tiene seis _____: tres hermanos y tres hermanas.

29 Los tíos y los primos de Paco ⊗

Paco tiene solamente un[1] tío y una tía: tío Tomás y tía Berta.

Paco tiene muchos primos. Un primo se llama Víctor y una prima se llama Cristina.

30 PRÁCTICA ORAL ⊗

31 ¿Quiénes son ellos? ⊗

Don Luis es el papá de Paco. ¿Y doña Elena?
Don Felipe es el abuelo de Paco. ¿Y doña Carmen?
Don Tomás es el tío de Paco. ¿Y doña Berta?
Carlos es el hermano de Paco. ¿Y Marta?

Doña Elena es la mamá de Paco.

32 EJERCICIO DE COMPRENSIÓN ⊗

	0	1	2	3	4	5	6	7	8	9	10
Male											
Female	✓										
More than one person											

[1]The number one (**uno**) becomes **un** before a masculine singular noun. Before a feminine singular noun it is **una.**

La familia de Paco   **17**

tiene, tienes, tengo

33

In Unit 1 you saw a special use of the words **tiene, tienes,** and **tengo** to talk about age.

¿Cuántos años **tiene** Paco?   Él **tiene** catorce años.

However, **tiene, tienes,** and **tengo** are forms of the verb **tener,** *to have.* The verb forms **tiene, tienes,** and **tengo** usually correspond to the words *has* or *have* in English.

¿Cuántos abuelos **tiene** Paco?   Él **tiene** dos.

¿Cuántos hermanos	**tiene**	él?	Él	**tiene**	dos hermanos.
¿Cuántos hermanos	**tiene**	ella?	Ella	**tiene**	un hermano.
¿Cuántos hermanos	**tienes**	tú?	Yo	**tengo**	. . . .

34

¿Tienes tú hermanos y primos? ⊗

Yo tengo muchos hermanos.
Tú tienes muchos hermanos.
Él tiene muchos hermanos.
Ella tiene muchos hermanos.

Yo tengo muchos primos también.

35

Contesten las preguntas.

¿Quién es el papá de Paco?
¿Cómo se llama la mamá de Paco?
¿Cuántos abuelos tiene Paco?
¿Cómo se llama la abuela de Paco?
¿Es don Felipe el abuelo de Paco?
¿Cuántos tíos tiene Paco?
¿Es doña Berta la mamá de Paco?
¿Quién es el tío de Paco?
¿Tiene Paco muchos primos?
¿Cómo se llama el primo de Paco?
¿Es Pedro el hermano de Paco? ¿Y Arturito?
¿Es Berta la hermana de Paco? ¿Y Marta?
¿Cuántos hermanos tiene Paco?
¿Quién es la prima de Paco?

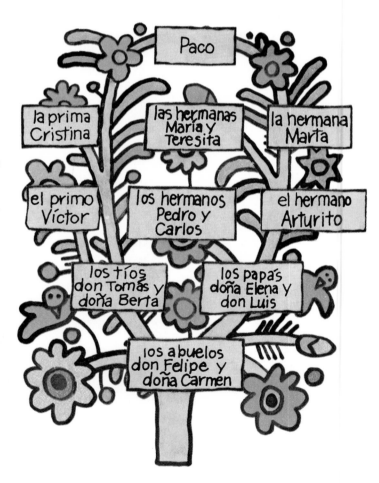

36 ¿Y tú?

¿De qué ciudad eres tú?
¿Cuántos años tienes tú?
¿Tienes tú hermanos? ¿Cuántos?

¿Tienes tú abuelos? ¿Cuántos?
¿Tienes tú tíos? ¿Cuántos?
¿De qué ciudad son ellos?

37 EJERCICIO ESCRITO

Write the answers to the questions in Exercise 35.

38 EJERCICIO DE CONVERSACIÓN

Ask one of your classmates the questions in Exercise 36.

39 MI FAMILIA

En mi casa
Somos nueve.
Muy felices,
Nunca tristes.

Los abuelos
Y los padres,
¡Cinco hijos!
¿No son muchos?

Luis y Toño
Son los hijos.
Luz y Magda
Son dos hijas.

Yo me llamo
Rosa Soto,
Y mi casa
Es tu casa.

PALABRAS ADICIONALES: en: *in;* mi: *my;* somos: *we are;* muy: *very;* felices: *happy;* nunca: *never;* tristes: *sad;* padres: *parents;* hijos: *children;* ¿no son muchos?: *isn't that a lot?;* hijos: *sons;* hijas: *daughters;* tu: *your*

40 PARA REFERENCIA

1	**La familia de Paco**	*Paco's family*
3	**¿Quién es ella?**	*Who is she?*
	A: ¿Quién es la chica?	*Who is the girl?*
	B: Ella es la hermana de Paco.	*She's Paco's sister.*
	A: ¿Y quién es el chico?	*And who is the boy?*
	B: Él es el hermano de Paco.	*He's Paco's brother.*
	A: ¿Quiénes son los chicos?	*Who are the boys?*
	B: Yo no sé.	*I don't know.*
	A: ¿Y las chicas?	*And the girls?*
	B: Yo no sé.	*I don't know.*
3.1	La hermana de Paco	*Paco's sister*
3.2	El hermano de Paco	*Paco's brother*
3.3	¿Quiénes son ellos?	*Who are they?*
9	**Los hermanos y las hermanas de Paco**	*Paco's brothers and sisters*
9.1	Arturito es el hermano de Paco. Él es de San Juan, la capital de Puerto Rico.	*Arturito is Paco's brother. He's from San Juan, the capital of Puerto Rico.*
9.2	Marta es la hermana de Paco. Ella es de San Juan también.	*Marta is Paco's sister. She's from San Juan too.*
9.3	Pedro y Carlos son los hermanos de Paco. Ellos son de Puerto Rico también.	*Pedro and Carlos are Paco's brothers. They're also from Puerto Rico.*
9.4	María y Teresita son las hermanas de Paco. Ellas son de San Juan.	*Maria and Teresita are Paco's sisters. They are from San Juan.*

15	**¿De quién?**	*Whose?*
	A: ¿De quién es la casa?	*Whose house is that?*
	B: De la familia de Paco.	*Paco's family's.*
	A: ¿Y de quién es el carro?	*And whose car is that?*
	B: De la familia de Paco también.	*Paco's family's too.*
	A: ¿De qué ciudad son ellos?	*What city are they from?*
	B: De San Juan.	*From San Juan.*
	A: ¿La capital de Puerto Rico?	*The capital of Puerto Rico?*
	B: Sí.	*Yes.*
15.1	La familia y el perro	*The family and the dog*
15.2	La casa y el carro	*The house and the car*
15.3	La ciudad de San Juan	*The city of San Juan*
15.4	El Viejo San Juan	*Old San Juan*
24	**Los papás y los abuelos de Paco**	*Paco's parents and grandparents*
	A: Oye— ¿quién es el señor?	*Hey— who is the gentleman?*
	B: Él es don Luis, el papá de Paco González.	*He's don Luis, Paco Gonzalez's father.*
	A: ¡Oh! ¿Y quién es la señora?	*Oh! And who is the lady?*
	B: Ella es la mamá de Paco, doña Elena.	*She's Paco's mother, doña Elena.*
	A: ¿Cuántos abuelos tiene Paco?	*How many grandparents does Paco have?*
	B: Él tiene solamente dos—los papás de doña Elena.	*He has only two—doña Elena's parents.*
	A: ¿Cómo se llama la abuela?	*What's his grandmother's name?*
	B: Doña Carmen.	*Doña Carmen.*
	A: ¿Y el abuelo?	*And his grandfather's?*
	B: Don Felipe.	*Don Felipe.*
24.1	Los papás	*The parents*
24.2	Los abuelos	*The grandparents*
29	**Los tíos y los primos de Paco**	*Paco's aunts, uncles, and cousins*
29.1	Paco tiene solamente un tío y una tía: tío Tomás y tía Berta.	*Paco has only one uncle and one aunt: Uncle Tomas and Aunt Berta.*
29.2	Paco tiene muchos primos. Un primo se llama Víctor y una prima se llama Cristina.	*Paco has many cousins. One cousin's name is Victor and another cousin's name is Cristina.*

41   VOCABULARIO

1—14

la **capital** *capital*	ellos **son** *they are*	**de** *of*
las **chicas** *girls*		**ellos** *they*
los **chicos** *boys*	los **abuelos** *grandparents*	**las** *the*
la **familia** *family*	el **árbol genealógico** *family tree*	
la **familia de Paco** *Paco's family*	los **papás** *parents*	**¿quién?** *who?*
la **hermana** *sister*	la **prima** *female cousin*	**¿quiénes?** *who? (plural)*
las **hermanas** *sisters*	el **primo** *male cousin*	**¿quién es?** *who is?*
el **hermano** *brother*	los **tíos** *aunt and uncle*	**¿quiénes son?** *who are?*
los **hermanos** *brothers*		**Yo no sé.** *I don't know.*

15—23

el **carro** *car*	la **ciudad** *city*	**¿de quién?** *whose?*
la **casa** *house*	el **perro** *dog*	**viejo** *old*

24—38

la **abuela** *grandmother*	**tener** *to have*	**¿cuántos?** *how many?*
el **abuelo** *grandfather*	yo **tengo** *I have*	**muchos** *many*
los **abuelos** *grandparents; grandfathers*	tú **tienes** *you have*	**¡oh!** *oh!*
los **hermanos** *brothers and sisters*	él **tiene** *he has*	**oye** *hey*
la **mamá** *mother*		**solamente** *only*
el **papá** *father*	**don** *title of respect used with a man's first name*	**un/una** *one*
los **papás** *parents*	**doña** *title of respect used with a woman's first name*	
la **prima** *female cousin*		
el **primo** *male cousin*		
los **primos** *cousins*	**el señor** *gentleman, Mr.*	
la **tía** *aunt*	**la señora** *lady, Mrs.*	
el **tío** *uncle*		
los **tíos** *aunts and uncles*		

¿ Cómo somos ? 3

1 Más amigos ⊗

Alejandra es una chica de México. Ella tiene doce años y es delgada, morena y muy bonita.

Toni es un chico puertorriqueño de Nueva York. Él tiene trece años y es muy guapo.

2 Contesten las preguntas.

1. ¿Cómo se llama la chica?
2. ¿De dónde es la chica?
3. ¿Cuántos años tiene ella?
4. ¿Es Alejandra muy bonita?

5. ¿Cómo se llama el chico?
6. ¿De dónde es el chico?
7. ¿Cuántos años tiene él?
8. ¿Es Toni muy guapo?

3 PRÁCTICA ORAL ⊗

4 ¿Cómo es él? ⊗

A: ¿Cómo es Paco, rubio?
B: No, él es un chico moreno.
A: ¿Es él feo?
B: ¡Paco no es feo! Él es muy guapo.
A: ¿Tiene Paco el pelo largo?
B: No, él no tiene el pelo largo.
A: ¿Es él alto o bajo?
B: Él es alto y fuerte.

Paco y un amigo, Julio.

5 Contesten las preguntas.

1. ¿Es Paco un chico rubio?
2. ¿Es él un chico guapo?
3. ¿Tiene él el pelo largo?

4. ¿Es él alto?
5. ¿Es él fuerte?
6. ¿Cómo se llama el amigo de Paco?

6 PRÁCTICA ORAL ⊗

7 Y los otros amigos, ¿cómo son? ⊗

1. Ana no es fea. Ella es muy bonita. Ella no es muy alta, pero no es muy baja tampoco. Ella es morena y no tiene el pelo largo.
2. Lupe es simpática y muy inteligente. Ella tiene el pelo negro y corto.
3. Pepe es un chico moreno y delgado. Él no es feo y es muy inteligente también.

8 PRÁCTICA ORAL ⊗

9   TWO USES OF no

You have seen the word **no** used simply to say *no*.

¿Es Pepe de los Estados Unidos?　　{ **No.**
　　　　　　　　　　　　　　　　　　No, él es de España.

In this lesson the word **no** is used twice in certain sentences. The first **no** in these sentences means *no*. The second one, which is used before the verb, means *not*.

¿Tiene Paco el pelo largo?　　**No,** él **no tiene** el pelo largo.

¿Tienes tú nueve hermanos?	{	**No.**
		No, yo tengo tres hermanos.
		No, yo no tengo nueve hermanos.

10 ¿Cómo es Paco? ⊗

¿Es Paco rubio?　　　　　　　　　　　　No, Paco no es rubio.
¿Es Paco feo?
¿Es Paco bajo?
¿Tiene Paco el pelo largo?

11 Contesten las preguntas.

Try to give three different negative answers to each question.
¿Es Toni feo?　　　　　　　　　　　No.
　　　　　　　　　　　　　　　　　　No, Toni es guapo.
　　　　　　　　　　　　　　　　　　No, Toni no es feo.

¿Tiene Alejandra el pelo rubio?
¿Es Paco bajo?
¿Tiene Ana el pelo rubio?
¿Tienes tú el pelo negro?

12 ¿Quiénes son las chicas? ⊗

A: ¿Quiénes son ellas?
B: Alejandra y una amiga.
A: ¿Alejandra? Ah sí—la chica de México. Pero ¿quién es la chica de la blusa amarilla?
B: Yo no sé. Ella es bonita, ¿no?
A: Sí, ella es una chica muy guapa.

Alejandra y una amiga

13 Contesten las preguntas.

1. ¿Quiénes son las chicas?
2. ¿Quién es Alejandra?
3. ¿Cómo se llama la amiga de Alejandra?
4. ¿Tiene la amiga una blusa amarilla?
5. ¿Cómo es la amiga de Alejandra, bonita o fea?

14 PRÁCTICA ORAL ⊗

15

INDEFINITE ARTICLES

Indefinite Article	Masculine Noun	Indefinite Article	Feminine Noun
un	chico	**una**	chica
un	carro	**una**	blusa

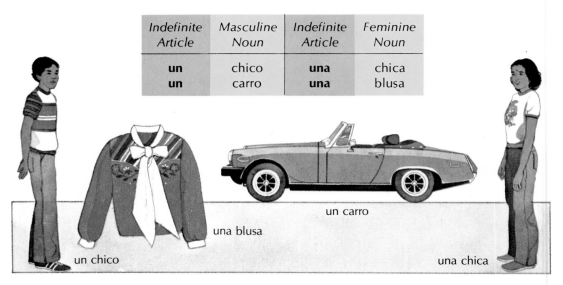

un chico

una blusa

un carro

una chica

As you saw in Unit 2, the definite article *the* has four forms in Spanish: **el, la, los,** and **las.** The form of the definite article depends on the gender and number of the noun it is used with.

The singular indefinite article *a/an* has two forms in Spanish: **un** and **una. Un** is used with *masculine singular nouns,* and **una** is used with *feminine singular nouns.*

16 ¿Un o una?

Which indefinite article goes in each space?

1. Alejandra es _____ chica de México.   2. Ella tiene _____ amiga bonita.   3. La amiga tiene _____ blusa amarilla.   4. Paco es _____ chico de Puerto Rico.   5. _____ hermana de Paco se llama Marta.   6. _____ amigo de Paco se llama Julio.   7. Pedro es _____ hermano de Paco.   8. Lupe es _____ chica de México también.

17 EJERCICIO ESCRITO

Write out the sentences in Exercise 16.

18 ¿Cómo son ustedes? ⊗

19 Contesten las preguntas.

1. ¿Cómo son los tres chicos?
2. ¿Son ellos bajos?
3. ¿Son los cinco compañeros altos?
4. ¿Son ellos inteligentes?
5. ¿Son las cuatro amigas inteligentes también?
6. ¿Son ellas bonitas?
7. ¿Y cómo son ustedes?

20 PRÁCTICA ORAL ⊗

SUBJECT PRONOUNS AND THE VERB ser

This chart shows the subject pronouns you have seen and the forms of the verb **ser**, *to be.*

| Singular | | Plural | |
Subject Pronoun	Verb Form	Subject Pronoun	Verb Form
yo	soy	nosotros	somos
		nosotras	somos
tú	eres	ustedes	son
él	es	ellos	son
ella	es	ellas	son

1. In Spanish there are two subject pronouns corresponding to the English *we:* **nosotros** and **nosotras.** There are also two subject pronouns for *they:* **ellos** and **ellas.**
   a. **Nosotras** and **ellas** are the feminine plural forms. They are used when referring to a group of females only.
   b. **Nosotros** and **ellos** are the masculine plural forms. They are used when referring to a group of males, or when referring to a mixed group of males and females.

2. Spanish also has a plural for the word *you:* **ustedes.** It is used only when *you* refers to more than one person. (**Uds.** is the abbreviation for **ustedes.**)

3. Every verb form goes with a particular subject pronoun. **Soy** is used with the subject pronoun **yo, somos** is used with the subject pronoun **nosotros (-as),** and so on.

4. Giving the different forms of a verb is called conjugating the verb.

22 **Contesten usando los pronombres.** *Answer using the pronouns.* ⊗

¿Es Lupe una chica simpática?   Sí, ella es una chica simpática.

1. ¿Es Toni un chico feo?   4. ¿Son Ana y Lupe inteligentes?
2. ¿Es Alejandra bonita?   5. ¿Son ustedes de los Estados Unidos?
3. ¿Son Pepe y Paco morenos?   6. ¿Eres tú fuerte?

23 **¿De dónde son ellos?** ⊗

Ella es de México.   Ellas son de México también.
Tú eres de Colombia.   Ustedes son de Colombia también.
Yo soy de los Estados Unidos.
Él es de España.

24 **EJERCICIO DE COMPRENSIÓN** ⊗

	0	1	2	3	4	5	6
Singular							
Plural	✓						

25 EJERCICIO ESCRITO

Write the following sentences, supplying the correct form of the verb **ser** *for each.*

1. Él_____ muy guapo. 2. Ella_____ una chica muy bonita. 3. Nosotros_____ de los Estados Unidos. 4. Ellos_____ de los Estados Unidos también. 5. El chico_____ un amigo de Paco. 6. Tú_____ muy alto. 7. Yo_____ inteligente. 8. Ustedes_____ amigos de Pepe. 9. Lupe_____ una chica simpática. 10. Yo_____ simpática también. 11. Nosotros no_____ amigos. 12. Tú_____ una chica muy fuerte.

26 ¿De qué color es? ⊗

A: ¿De qué color es la camisa de Pepe?
B: Es una camisa azul.
A: ¿Y los pantalones?
B: Azules también.
A: ¿De qué color es el vestido de la chica?
B: No es un vestido. Es un suéter verde y amarillo y pantalones verdes.

Pepe con una hermana

27 Contesten las preguntas.

1. ¿Tiene Pepe una camisa verde?
2. ¿De qué color son los pantalones de Pepe?
3. ¿Quién es la chica?

4. ¿Tiene ella un vestido azul?
5. ¿De qué color es el suéter de la chica?
6. Y los pantalones de la chica, ¿de qué color son?

28 PRÁCTICA ORAL ⊗

29 Más colores ⊗

la chaqueta azul

la corbata blanca y roja

el cinturón negro

el abrigo morado

los zapatos pardos

la gorra verde

la falda amarilla

30 PRÁCTICA ORAL ⊗

31 DESCRIPTIVE ADJECTIVES: AGREEMENT AND POSITION

Lean los siguientes ejemplos. ⊗

| el chico alto | la chica alta |
| los chicos altos | las chicas altas |

Which are the nouns in the above phrases? Do the words **alto** and **alta** tell us something about the nouns **chico** and **chica?** Do they describe the nouns in some way? How are **alto** and **alta** different from each other? Why do you think they are different? How do **alto** and **alta** change when they describe a plural noun?

| el vestido verde | la gorra verde |
| los vestidos verdes | las gorras verdes |

Does the word **verde** change when it describes a feminine noun? What is the last letter of the word **verde?** How does the word **verde** change when it describes a plural noun?

| el zapato azul | la chaqueta azul |
| los zapatos azules | las chaquetas azules |

Does the word **azul** change when it describes a feminine noun? What letter does the word **azul** end with? How does the word **azul** change when it describes a plural noun?

32 Lean el siguiente resumen.

Words that tell us something about a noun, that describe or modify a noun in some way, are called *adjectives*. The following chart gives some examples of nouns with adjectives.

Masculine			Feminine		
Article	Noun	Adjective	Article	Noun	Adjective
el	chico	alto	la	chica	alta
los	chicos	altos	las	chicas	altas
el	vestido	verde	la	gorra	verde
los	vestidos	verdes	las	gorras	verdes
el	zapato	azul	la	chaqueta	azul
los	zapatos	azules	las	chaquetas	azules

1. An adjective agrees in gender and number with the noun it modifies.

2. Adjectives that end in **-o** when they describe a masculine singular noun end in **-a** when they describe a feminine singular noun.

3. Adjectives that end in **-e** with a masculine singular noun stay the same with a feminine singular noun. The same is true for most adjectives that end in a consonant.

4. Adjectives form the plural the same way nouns do: words that end in a vowel add **-s,** and words that end in a consonant add **-es.**

5. *Descriptive adjectives usually go after the nouns they modify.*

33 ¿Cómo es ella? ⊙

Paco es alto. ¿Y Lupe?　　　　　　　　Lupe es alta también.
Pepe es delgado. ¿Y Ana?
Toni es moreno. ¿Y Alejandra?
El chico es simpático. ¿Y la chica?
Don Luis es fuerte. ¿Y doña María?

34 ¿Y cómo son ellos? ⊙

La chica es alta.　　　　　　　　　　　Las chicas son altas.
Él es guapo.
Yo soy moreno y fuerte.
Tú eres inteligente y simpática.
Ella es muy bonita.

35 ¿Y cómo son ellos? ⊙

 Lola, ¿cómo eres tú? ¿Morena y alta?

 No, yo soy rubia. Yo no soy muy alta, pero soy fuerte.

 Y tú, Tato, ¿eres tú rubio también?

 No, yo soy moreno. Yo no soy alto, pero soy fuerte.

When you speak to another person, be sure to use adjectives of the correct gender: masculine for boys and feminine for girls.

(Speaking to a boy) Tú eres **alto.**　　　*(Speaking to a girl)* Tú eres **alta.**

When you describe yourself, make sure that the adjectives you use have the correct gender: masculine if you are a boy, feminine if you are a girl.

(Boy) Yo soy **moreno.**　　　*(Girl)* Yo soy **morena.**

36 PRÁCTICA ORAL ⊙

37 ¿Cómo eres tú?

Preguntas para una chica: *Questions to ask a girl:*
¿Eres tú rubia o morena? ¿Eres tú alta o baja? ¿Eres tú guapa? ¿Eres tú inteligente? ¿Tienes tú el pelo negro? ¿Tienes tú el pelo largo o corto?

Preguntas para un chico: *Questions to ask a boy:*
¿Eres tú rubio o moreno? ¿Eres tú alto o bajo? ¿Eres tú guapo? ¿Eres tú inteligente? ¿Tienes tú el pelo negro? ¿Tienes tú el pelo largo o corto?

¿Cómo somos?　　**29**

38 EJERCICIO DE COMPRENSIÓN ⊗

	0	1	2	3	4	5	6	7
Boy								
Girl	✓							
More than one person								

39 EJERCICIO DE COMPOSICIÓN   *Composition Exercise*

Write three or four sentences describing yourself or one of your friends.

40 EJERCICIO DE CONVERSACIÓN

Pregunten a sus compañeros: *Ask your classmates:*

1. ¿Cómo te llamas tú?
2. ¿De dónde eres tú?
3. ¿Cuántos años tienes tú?
4. ¿Cuántos hermanos tienes tú?

5. ¿Eres tú moreno (-a) o rubio (-a)?
6. ¿Eres tú alta (-o) o baja (-o)?
7. ¿Tienes tú el pelo largo o corto?
8. ¿Tienes tú el pelo negro o rubio?

41 ¿De qué color es tu ropa? ⊗

azul
amarillo
verde
rojo
anaranjado
rosado
morado
blanco
negro
pardo

Yo uso un suéter anaranjado y mahones azules. También tengo una gorra morada y tenis blancos y negros.

Yo uso una blusa rosada y una falda verde oscuro. También uso calcetines blancos y zapatos negros.

1. ¿De qué color es la blusa de la chica?
2. ¿De qué color es la falda de la chica?
3. ¿De qué color es el suéter?
4. ¿Y los mahones?

5. ¿Tienes un vestido o una falda?
6. ¿De qué color es el vestido (la falda)?
7. ¿Tienes una camisa o un suéter?
8. ¿De qué color es?

PALABRAS ADICIONALES: tu: *your*; la ropa: *clothing*; uso: *am wearing*; anaranjado, -a: *orange*; los mahones: *jeans*; los tenis: *sneakers*; rosado, -a: *pink*; oscuro: *dark*; los calcetines: *socks*

PARA REFERENCIA

¿Cómo somos?
Más amigos

1.1 Alejandra es una chica de México. Ella tiene doce años y es delgada, morena y muy bonita.

1.2 Toni es un chico puertorriqueño de Nueva York. Él tiene trece años y es muy guapo.

4 **¿Cómo es él?**
A: ¿Cómo es Paco, rubio?
B: No, él es un chico moreno.
A: ¿Es él feo?
B: ¡Paco no es feo! Él es muy guapo.
A: ¿Tiene Paco el pelo largo?
B: No, él no tiene el pelo largo.
A: ¿Es él alto o bajo?
B: Él es alto y fuerte.

4.1 Paco y un amigo Julio

7 **Y los otros amigos, ¿cómo son?**
Ana no es fea. Ella es muy bonita. Ella no es muy alta, pero no es muy baja tampoco. Ella es morena y no tiene el pelo largo.
Lupe es simpática y muy inteligente. Ella tiene el pelo negro y corto.
Pepe es un chico moreno y delgado. Él no es feo y es muy inteligente también.

12 **¿Quiénes son las chicas?**
A: ¿Quiénes son ellas?
B: Alejandra y una amiga.
A: ¿Alejandra? Ah sí — la chica de México. Pero ¿quién es la chica de la blusa amarilla?
B: Yo no sé. Ella es bonita, ¿no?
A: Sí, ella es una chica muy guapa.

12.1 Alejandra y una amiga

18 **¿Cómo son ustedes?**
18.1 Tres chicos
Nosotros somos altos, morenos y guapos. ¿Cómo son ustedes?

18.2 Cinco compañeros
Nosotros somos bajos, delgados y muy inteligentes. ¿Y ustedes?

18.3 Cuatro amigas
Nosotras también somos inteligentes. Además, somos bonitas y muy simpáticas. ¿Cómo son ustedes?
Ustedes

18.4 ¿Cómo somos nosotros?

26 **¿De qué color es?**
A: ¿De qué color es la camisa de Pepe?
B: Es una camisa azul.
A: ¿Y los pantalones?
B: Azules también.
A: ¿De qué color es el vestido de la chica?
B: No es un vestido. Es un suéter verde y amarillo y pantalones verdes.

26.1 Pepe con una hermana

35 **¿Y cómo son ellos?**
—Lola, ¿Cómo eres tú? ¿Morena y alta?
—No, yo soy rubia. Yo no soy muy alta, pero soy fuerte.
—Y tú, Tato, ¿eres tú rubio también?
—No, yo soy moreno. Yo no soy alto, pero soy fuerte.

What are we like?
More friends
Alejandra is a girl from Mexico. She's twelve years old, and she's thin, dark-haired, and very pretty.
Toni is a Puerto Rican boy from New York. He's thirteen years old and he's very handsome.

What is he like?
What is Paco like? Is he blond?
No, he's dark.
Is he ugly?
Paco isn't ugly! He's very handsome.
Does Paco have long hair?
No, he doesn't have long hair.
Is he tall or short?
He's tall and strong.
Paco and a friend Julio

And the other friends, what are they like?
Ana is not ugly. She's very pretty. She isn't very tall, but she isn't very short either. She's dark and doesn't have long hair.
Lupe is nice and very intelligent. She has black short hair.
Pepe is a dark-haired, thin boy. He isn't bad-looking and he's very intelligent too.

Who are the girls?
Who are they?
Alejandra and a friend.
Alejandra? Oh yes — the girl from Mexico. But who is the girl in the yellow blouse?
I don't know. She's pretty, isn't she?
Yes, she's a very good-looking girl.
Alejandra and a girlfriend

What are you like?
Three boys
We're tall, dark, and handsome. What are you like?

Five pals (boys and girls)
We're short, thin, and very intelligent. And you?

Four girlfriends
We're also intelligent. Besides, we're pretty and very nice. What are you like?
You
What are we like?

What color is it?
What color is Pepe's shirt?
It's a blue shirt.
And his pants?
Blue too.
What color is the girl's dress?
It's not a dress. It's a green and yellow sweater and green pants.
Pepe with a sister

And what are they like?
Lola, what are you like? Dark and tall?
No, I'm blond. I'm not very tall, but I'm strong.
And you, Tato, are you blond too?
No, I'm dark. I'm not tall, but I'm strong.

VOCABULARIO

1–11

Nueva York *New York*	**alto/alta** *tall*	**¿Cómo es él?** *What is he like?*
el **pelo** *hair*	**bajo/baja** *short (height)*	**¿Cómo somos?** *What are we like?*
	bonita *pretty*	**¿Cómo son?** *What are they like?*
otros *other*	**corto** *short (length)*	
	delgado/delgada *thin*	**más** *more*
	feo/fea *ugly, bad-looking*	**no** *not*
	fuerte *strong*	**o** *or*
	guapo *handsome, good-looking*	**pero** *but*
	inteligente *intelligent*	**tampoco** *either*
	largo *long*	**un** *a/an (masc.)*
	moreno/morena *dark-skinned, dark-haired, dark*	**una** *a/an (fem.)*
	muy *very*	
	negro *black*	
	puertorriqueño *Puerto Rican*	
	rubio/rubia *blond, fair*	
	simpática *nice*	

12–17

la **blusa** *blouse*	**amarilla** *yellow*	**de** *in*
	guapa *pretty, good-looking*	**ellas** *they (feminine only)*
		ah *ah*
		¿no? *isn't she?*

18–25

el **compañero, -a**[1] *pal*	**ser** *to be*	**nosotras** *we (feminine only)*
	nosotros somos *we are*	**nosotros** *we*
	además *besides*	**ustedes** *you (plural)*
		¿Cómo son ustedes? *What are you like?*

26–40

el **abrigo** *coat*	**es** *it is*	**¿Cómo eres tú?** *What are you like?*
la **camisa** *shirt*		**¿de qué color es?** *what color is it?*
el **cinturón** *belt*	**azul** *blue*	
el **color** *color*	**blanco, -a**[2] *white*	**con** *with*
la **corbata** *tie*	**morado, -a** *purple*	
la **chaqueta** *jacket*	**pardo, -a** *brown*	
la **falda** *skirt*	**rojo, -a** *red*	
la **gorra** *cap*	**verde** *green*	
los **pantalones** *pants*		
el **suéter** *sweater*		
el **vestido** *dress*		
el **zapato** *shoe*		

[1]Spanish nouns that refer to people and will be listed as in section **18–25** above: el **compañero, -a** *pal*. The gender and number of the article used must agree with the gender and number of the noun: **el** compañer**o**, **la** compañer**a**. The plural forms of nouns will not be listed unless (a) the noun is used only in the plural in this text (as in **los pantalones**), or (b) the noun has a different meaning in the plural than in the singular (**abuelos** *grandparents*).

[2]Adjectives ending in **-o/os** in the masculine and **-a/as** in the feminine will be listed as in section **26-40**.

escuelas 4

En el colegio Simón Bolívar hay un patio pequeño y muy bonito. El colegio es para chicos solamente y ellos no usan uniforme.

La escuela Benito Juárez es una escuela muy grande y moderna de México. Aquí los estudiantes usan uniforme.

2 *Schools in Spain and Latin America are not very different from our own. Many students attend private schools, usually called* **colegios.** *Others go to public schools, called* **escuelas.**
As in the United States, schools are often named after famous people. Benito Juarez (1806 – 1872) was president of Mexico around the time of Abraham Lincoln. Simon Bolivar **"Libertador"** *(1783 – 1830) was a hero of the Spanish American independence movement.*

3 PRÁCTICA ORAL ⊗

4 Buenos días ⊗

MAESTRO	Hola.
ALUMNO	Buenos días, señor. Perdón, ¿es usted el maestro de inglés?
MAESTRO	Sí. Yo soy el señor Colón. Y tú, ¿cuál es tu nombre?
ALUMNO	José Olivares.
MAESTRO	Tú eres un alumno nuevo, ¿no?
ALUMNO	Sí, señor. ¿Es su clase de inglés difícil?
MAESTRO	Para algunos, quizá—para otros es muy fácil.

5 Contesten las preguntas.

1. ¿Cómo se llama el maestro?
2. ¿Es él el maestro de español?
3. ¿Cómo se llama el alumno?

4. ¿Es él un alumno nuevo?
5. ¿Es difícil la clase de inglés?

6 ¿Y tú?

1. ¿Eres tú alumno (-a) de español?
2. ¿Cómo se llama tu maestro (-a) de español?

3. ¿Cómo se llama tu maestro (-a) de inglés?
4. ¿Es tu clase de español muy difícil?

7 PRÁCTICA ORAL ⊗

8 tú y usted

Lean los siguientes ejemplos. ⊗

Eva, ¿de dónde eres **tú?**

¿Cuántos hermanos tienes **tú?**

Señor Ríos, ¿de dónde es **usted?**

¿Cuántos hermanos tiene **usted?**

When the young man above speaks to another young person, what word does he use for *you?* When he speaks to an adult, what word does he use for *you?* Can you tell why he uses two different subject pronouns?

9 Lean el siguiente resumen.

1. Spanish has two words for *you* in the singular: **tú** and **usted.**
2. **Tú** is called the *familiar you.* It is the form you use when speaking to a friend or to a member of your family.
3. **Usted** is called the *polite you.* It is the form you use when speaking to a stranger or to an adult outside your family, such as your teacher. (**Ud.** is the abbreviation for **usted.**)
4. The verb form you use with **usted** is the same as the one you use with **él** and **ella.**

él **es**	ella **es**	usted **es**
él **tiene**	ella **tiene**	usted **tiene**

10 ustedes

Ustedes is the plural for both **tú** and **usted.** It is used when *you* refers to *more than one person.* **Ustedes** is both familiar and polite.

11 ¿Cómo hablan ustedes? *How do you speak?* ⊗

Tú eres de los Estados Unidos.
Tú tienes el pelo negro.
Tú eres alta y bonita.
Tú tienes una blusa blanca.
Tú eres muy fuerte.

Usted es de los Estados Unidos.
Usted tiene el pelo negro.

12 Ustedes son alumnos. ⊗

Tú y él son alumnos.
Tú y ella son amigos.
Usted y ella son maestras.
Tú y él son estudiantes de español.
Usted y él son hermanos.

Ustedes son alumnos.
Ustedes son amigos.

13 EJERCICIO ESCRITO Y ORAL

Write the following questions in the polite form, then ask your teacher the questions.

1. ¿Cómo te llamas tú?
2. ¿De qué país eres tú?

3. ¿Cuántos alumnos tienes tú?
4. ¿Tienes tú muchos amigos?

¿USTED?

14 La maestra de historia ⊗

Raúl, Miguel y Pepe hablan.
PEPE   Hola, ¿qué tal?
RAÚL   Bien, ¿y tú?
PEPE   Regular. ¿Tienen ustedes
        clase ahora?
MIGUEL Sí, tenemos clase de historia.
PEPE   ¿Con cuál maestro?
RAÚL   Con la señorita Pereda.
PEPE   Ella es mi maestra también.
        Ella es estricta, pero su
        clase es muy interesante.

15 Contesten las preguntas.

1. ¿Qué clase tienen Miguel y Raúl?
2. ¿Cómo se llama la maestra?

3. ¿Es la maestra muy estricta?
4. ¿Es la clase interesante?

16 ¿Y tú?

1. ¿Tienes tú clase de historia?
2. ¿Quién es tu maestra (-o)?

3. ¿Es ella (él) muy estricta (-o)?
4. ¿Es tu clase interesante?

17 PRÁCTICA ORAL ⊗

18 THE VERB tener

The following chart shows how to conjugate the verb **tener,** *to have,* in the present.

	Singular Verb Forms			Plural Verb Forms	
Yo	**tengo**	un maestro.	Nosotros	**tenemos**	un maestro.
Tú	**tienes**	un maestro.	Nosotras	**tenemos**	un maestro.
Usted	**tiene**	un maestro.	Ustedes	**tienen**	un maestro.
Él	**tiene**	un maestro.	Ellos	**tienen**	un maestro.
Ella	**tiene**	un maestro.	Ellas	**tienen**	un maestro.

Notice that in the singular, **usted, él,** and **ella** take the same verb form: **tiene.** In the plural, **ustedes, ellos,** and **ellas** have the same verb form: **tienen.**

19 ¿Qué tienes tú ahora? ⊗

¿Tienes tú clase de inglés ahora?
¿Tienen ustedes clase de inglés ahora?
¿Tiene usted clase de inglés ahora?

Sí, yo tengo clase de inglés ahora.
Sí, nosotros...

20 ¿Qué tienen ellos ahora? ⊗

¿Tiene él clase de historia ahora?
¿Tiene ella clase de historia ahora?
¿Tienen ellos clase de historia ahora?
¿Tienen ellas clase de historia ahora?

Sí, él tiene clase de historia ahora.
Sí, ella tiene clase de historia ahora.

21 ¿Cómo es tu maestra? ⊗

T
A
T
O

Y

L
O
L
A

22 PRÁCTICA ORAL ⊗

23

mi — tu — su

Lean los siguientes ejemplos. ⊗

Mi maestra de matemáticas es muy joven.
Y **tú,** ¿cómo es **tu** maestra?

In the sentences above, what is the meaning of the possessive word **mi?** What is the meaning of the possessive word **tu?** What does the subject pronoun **tú** mean? Are **tu** and **tú** spelled differently?

Mi maestra es muy joven y **su** clase es interesante.
Él es estricto y **su** clase es muy aburrida.
Señor Vega, **su** clase es muy interesante.

How many times does the possessive word **su** appear in these sentences? What is the English equivalent of the first **su?** and of the second **su?** and of the third?

Escuelas   37

24 Lean el siguiente resumen.

The following chart shows the possessives in the singular.

Mi	hermano es estudiante.	*My brother is a student.*
Tu	hermano es estudiante	*Your (fam.) brother is a student.*
Su	hermano es estudiante.	⎰*His brother is a student.* ⎱*Her brother is a student.* ⎰*Your (pol.) brother is a student.*

1. The possessive word **tu** is *familiar* for **your.** You use the word when speaking to the same people you call **tú:** your friends and members of your family.

2. The possessive **tu** *(your)* does not have a written accent like the subject pronoun **tú** *(you).*

3. You have discovered three possible English equivalents for the possessive word **su**: *his, her,* and *polite your.* The sentence **Su clase es muy interesante** may mean that *his* class, *her* class, or *your* class is very interesting.

4. **Su,** when it means *your,* is a polite form. It is used when you are speaking to the same people you call **usted:** strangers and adults outside your family.

25 Pepe habla con amigos. ⊗

Mi hermana es estudiante. ¿Y tu hermana?   Mi hermana es estudiante también.
Mi papá es maestro. ¿Y tu papá?
Mi amiga es inteligente. ¿Y tu amiga?
Mi clase es interesante. ¿Y tu clase?

26 Nuestras clases favoritas   *Our favorite classes*   ⊗

¿Tiene Pepe clase de inglés?   Sí, es su clase favorita.
¿Tienes tú clase de español?   Sí, es mi clase favorita.
¿Tiene Alejandra clase de química?
¿Tienes tú clase de matemáticas?
¿Tiene la maestra clase de inglés?

27 EJERCICIO ESCRITO

Rewrite each of the following sentences, changing all the nouns, pronouns, and adjectives to the masculine. Remember that singular possessives do not change gender.

Ella y su amiga son estudiantes.

1. Tú y tu hermana son muy altas.
2. Mi abuela, mi mamá y yo somos de los Estados Unidos.
3. Usted y su amiga son maestras.

Él y su amigo son estudiantes.

4. Mi prima y yo tenemos el pelo negro.
5. Ella y su amiga tienen clase aquí.
6. Usted y la maestra de historia son jóvenes.

28 En la casa de Tere hablan inglés. ⊗

LUPE Tere habla inglés muy bien. Ella contesta todas las preguntas y nunca estudia. Ella es muy inteligente.

EVA Sí, pero en su casa hablan inglés.

LUPE ¿Ah, sí?

EVA Sí. Su papá es mexicano pero su mamá es americana.

LUPE Entonces es muy fácil para Tere.

EVA Seguro. Pero tú no hablas mal. Y yo también hablo un poco.

LUPE Es verdad. Tú y yo practicamos mucho.

29 Contesten las preguntas.

1. ¿Con quién habla Lupe?
2. ¿Quién habla inglés muy bien?
3. ¿Es Tere inteligente?
4. ¿Estudia Tere mucho?
5. ¿Qué habla Tere en su casa?
6. ¿Es fácil o difícil el inglés para Tere?
7. ¿Habla Lupe inglés bien o mal?
8. ¿Y Eva?

30 ¿Y tú?

1. ¿Hablas tú inglés bien o mal?
2. ¿Hablas tú español bien o mal?
3. ¿Es tu papá americano? ¿Y tu mamá?
4. ¿Hablas tú español con tu amiga (-o)?
5. ¿Hablas tú español con tu maestro (-a)?
6. ¿Hablas tú español o inglés en la clase de español?
7. ¿Qué hablas tú con tus amigos?

31 PRÁCTICA ORAL ⊗

THE PRESENT OF hablar AND estudiar

hablar		
(Yo)	**hablo**	inglés.
(Tú)	**hablas**	inglés.
(Usted) (Él) (Ella)	**habla**	inglés.
(Nosotros) (Nosotras)	**hablamos**	inglés.
(Ustedes) (Ellos) (Ellas)	**hablan**	inglés.

estudiar		
(Yo)	**estudio**	inglés.
(Tú)	**estudias**	inglés.
(Usted) (Él) (Ella)	**estudia**	inglés.
(Nosotros) (Nosotras)	**estudiamos**	inglés.
(Ustedes) (Ellos) (Ellas)	**estudian**	inglés.

1. The forms **hablar,** *to speak,* and **estudiar,** *to study,* are called *infinitives.* The infinitive is the form of the verb found in the dictionary.

2. The infinitive without the **-ar** ending is the *stem* of the verb. The stem of **hablar** is **habl-.** The stem of **estudiar** is **estudi-.**

3. You conjugate most verbs whose infinitive ends in **-ar** by adding the endings **-o, -as, -a, -amos,** or **-an** to the stem.
   If you add **-o** to the stem **habl-** you get **hablo,** *I speak.*
   If you add **-as** to the stem **habl-** you get **hablas,** *you speak,* and so on.

4. It is not always necessary to use the subject pronouns in Spanish. This is because the subject is expressed in the verb ending.
   Hablamos español bien.   *We speak Spanish well.*
   Subject pronouns are used:
   a. when you want to emphasize the subject.
   Yo hablo español.   *I (not you or he) speak Spanish.*
   b. when you have to be sure the subject is clear.
   Él habla inglés, pero **ella** habla español.   *He speaks English, but she speaks Spanish.*

5. **Hablar** and **estudiar** are two of the several **-ar** verbs you have seen. Others are **practicar,** *to practice,* **usar,** *to wear,* **contestar,**[1] *to answer,* and **preguntar,** *to ask.* All of these **-ar** verbs are conjugated like **hablar** and **estudiar.**

33 EJERCICIO DE COMPRENSIÓN ⊗

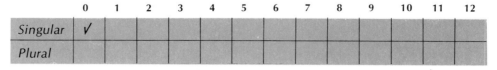

	0	1	2	3	4	5	6	7	8	9	10	11	12
Singular	√												
Plural													

[1]You have seen command forms of **contestar** and **preguntar** (**contesten** and **pregunten**) in the instructions for some of the exercises.

34 ¿Qué hablan ustedes? ⊛

¿Hablan ustedes español?
¿Hablan ellos español?
¿Hablamos nosotros español?
¿Hablan ellas español?

Sí, nosotros hablamos español un poco.

35 Lupe habla con Eva. ⊛

Yo hablo mucho español. ¿Y ella?   Ella habla mucho español también.
1. Yo estudio inglés con el señor López. ¿Y tú?   2. Yo uso uniforme en la escuela. ¿Y ellos?
3. Yo practico español con la maestra. ¿Y ustedes?   4. Yo contesto las preguntas de la maestra. ¿Y él?

36 Contesten las preguntas de la maestra.

¿Tienen ustedes clase de español?   Sí, nosotros tenemos clase de español.
¿Dónde practican ustedes español?   Nosotros practicamos español en la clase.
¿Estudian ustedes con la maestra?
¿Contestan ustedes las preguntas?
¿Usan ustedes uniforme en la escuela?
¿Qué hablan ustedes en la clase?

37 EJERCICIO DE CONVERSACIÓN

Ask a classmate these questions.
1. ¿Qué clases tienes tú?   2. ¿Tienes tú clase de química? ¿De historia?   3. ¿Cómo se llama tu maestro (-a) de español?   4. ¿Es tu maestro (-a) muy estricto (-a)?   5. ¿Practicas tú español con tu maestro (-a)?   6. ¿Estudias tú con un amigo o con una amiga?   7. ¿Usas tú uniforme en la escuela?   8. ¿Hablas tú español o inglés con tu familia?   9. ¿Hablas tú español bien?

38 EJERCICIO ESCRITO

Write the answers you would give to the questions in Exercise 37.

NOTE: The Spanish alphabet has 28 letters. The letter **W** does not appear in this alphabet because it is not used in Spanish words.

40 El alfabeto ⊛

a	a	**f**	efe	**l**	ele	**p**	pe	**u**	u
b	be	**g**	ge	**ll**	elle	**q**	cu	**v**	ve
c	ce	**h**	hache	**m**	eme	**r**	ere	**x**	equis
ch	che	**i**	i	**n**	ene	**rr**	erre	**y**	i griega
d	de	**j**	jota	**ñ**	eñe	**s**	ese	**z**	zeta
e	e	**k**	ka	**o**	o	**t**	te		

41 PARA REFERENCIA

Escuelas

1 En el colegio Simón Bolívar hay un patio pequeño y muy bonito. El colegio es para chicos solamente y ellos no usan uniforme.
La escuela Benito Juárez es una escuela muy grande y moderna de México. Aquí los estudiantes usan uniforme.

4 **Buenos días**
MAESTRO Hola.
ALUMNO Buenos días, señor. Perdón, ¿es usted el maestro de inglés?
MAESTRO Sí. Yo soy el señor Colón. Y tú, ¿cuál es tu nombre?
ALUMNO José Olivares.
MAESTRO ¿Tú eres un alumno nuevo, no?
ALUMNO Sí, señor. ¿Es su clase de inglés difícil?
MAESTRO Para algunos, quizá—para otros es muy fácil.

14 **La maestra de historia**
Raúl, Miguel y Pepe hablan.
PEPE Hola, ¿qué tal?
RAÚL Bien, ¿y tú?
PEPE Regular. ¿Tienen ustedes clase ahora?
MIGUEL Sí, tenemos clase de historia.
PEPE ¿Con cuál maestro?
RAÚL Con la señorita Pereda.
PEPE Ella es mi maestra también. Ella es estricta, pero su clase es muy interesante.

21 **¿Cómo es tu maestra?**
TATO Mi maestra de matemáticas es muy joven y su clase es interesante. ¿Cómo es tu maestra?
LOLA Yo tengo un maestro. Él es estricto y su clase es aburrida. Él es mi maestro de química también.
LOLA ¡Señor Vega! ¡Qué tal! Su clase es muy interesante.
MAESTRO ¡Gracias, señorita!
TATO ¿Es él tu maestro?
LOLA No, pero él es muy simpático.

28 **En la casa de Tere hablan inglés.**
LUPE Tere habla inglés muy bien. Ella contesta todas las preguntas y nunca estudia. Ella es muy inteligente.
EVA Sí, pero en su casa hablan inglés.
LUPE ¡Ah, sí?
EVA Sí. Su papá es mexicano pero su mamá es americana.
LUPE Entonces es muy fácil para Tere.
EVA Seguro. Pero tú no hablas mal. Y yo también hablo un poco.
LUPE Es verdad. Tú y yo practicamos mucho.

Schools
In the Simon Bolivar school, there is a small and very pretty courtyard. The school is for boys only, and they do not wear uniforms.
The Benito Juarez school is a very large and modern school in Mexico. Here the students wear uniforms.

Good morning
Hi.
Good morning, sir. Excuse me, are you the English teacher?
Yes. I'm Mr. Colon. And what's your name?

Jose Olivares.
You're a new student, aren't you?
Yes sir. Is your English class difficult?
For some, perhaps—for others it's very easy.

The history teacher
Raul, Miguel, and Pepe are talking.
Hi, how are you?
Fine, and you?
So-so. Do you have class now?
Yes, we have history.
With which teacher?
With Miss Pereda.
She's my teacher too. She's strict but her class is very interesting.

What's your teacher like?
My math teacher is very young and her class is interesting. What's your teacher like?
I have a male teacher. He is strict and his class is boring. He is also my chemistry teacher.

Mr. Vega! How are you! Your class is very interesting.
Thank you, Miss!
Is he your teacher?
No, but he's very nice.

In Tere's house they speak English.
Tere speaks English very well. She answers all the questions and never studies. She's very intelligent.

Yes, but they speak English at her home.
Oh, really?
Yes. Her father is Mexican, but her mother is American.

Then it's very easy for Tere.
Of course. But you don't speak it badly. And I speak a little too.
That's true. You and I practice a lot.

VOCABULARIO

1–13

el **alumno, -a**   student
la **clase**   class
el **colegio**   school
la **escuela**   school
el **estudiante**   male student
la **estudiante**   female student
el **inglés**   English
el **maestro, -a**   teacher
el **patio**   courtyard
el **señor**   sir, mister
el **uniforme**   uniform

algunos, -as   some
otros, -as   others

hay   there is
usan   they wear

aquí   here

difícil   difficult
fácil   easy
grande   large, big
moderno, -a   modern
nuevo, -a   new
pequeño, -a   small, little
quizá   perhaps

su   your (polite)
tu   your (familiar)
usted   you (polite)

buenos días   good morning
¿Cuál es tu nombre?   What's your name?
gracias   thank you
hola   hi, hello
perdón   excuse me

en   in
para   for

14–27

la **historia**   history
las **matemáticas**   math
la **química**   chemistry
la **señorita**   Miss

estudias   you (fam.) study
hablan   they are speaking, they speak
tenemos   we have

aburrido, -a   boring
ahora   now
bien   fine, well
estricto, -a   strict
interesante   interesting
joven, jóvenes   young
regular   so-so

mi   my
su   her, his

¿cuál?   which (one)?
¿qué tal?   how are you?

si   if

28–40

el **alfabeto**   alphabet
la **pregunta**   question

contestar[1]   to answer
estudiar   to study
hablar   to talk, to speak
practicar   to practice
preguntar   to ask
usar   to wear

americano, -a   American
mexicano, -a   Mexican
mal   badly
mucho   a lot
nunca   never
poco   little
todos, -as   all

entonces   then
es verdad   that's true
seguro   of course
un poco   a little

[1] Only the infinitive form will be listed for regular verbs.

El horario de Ana 5

2 Ana tiene un horario muy fuerte. Ella tiene clases seis días a la semana: lunes, martes, miércoles, jueves, viernes y sábado, por la mañana y por la tarde. Sus materias son muchas y muy difíciles, pero ella estudia y prepara su tarea todos los días. Su clase favorita es la clase de inglés. ⊗

3 Contesten las preguntas.

1. ¿Cómo es el horario de Ana?
2. ¿Cuántos días a la semana tiene Ana clases?·
3. ¿Qué días de la semana tiene clases Ana?

4. ¿Tiene Ana muchas materias?
5. ¿Son las materias de Ana fáciles?
6. ¿Qué prepara Ana todos los días?
7. ¿Cuál es la clase favorita de Ana?

4 Ana tiene muchas materias. ⊗

SOLEDAD   Ana, ¿cuántas materias tienes tú?
ANA   Ocho.
SOLEDAD   Son muchas. Yo tengo solamente cinco.
ANA   ¡Qué suerte!
SOLEDAD   ¿Tienes tú clase de matemáticas con el señor Soto?
ANA   Sí.
SOLEDAD   ¿A qué hora?
ANA   A las ocho en punto.
SOLEDAD   ¿A qué hora termina la clase?
ANA   A las nueve menos cuarto.

Ana conversa con Soledad.

5 Contesten las preguntas.

1. ¿Con quién conversa Ana?
2. ¿Cuántas materias tiene Ana?
3. ¿Tiene Soledad ocho materias también?
4. ¿Tiene Ana clase de matemáticas?

5. ¿Cómo se llama el maestro de matemáticas?
6. ¿A qué hora es la clase de Ana?
7. ¿A qué hora termina la clase?

6 ¿Y tú?

1. ¿Cuántas materias tienes tú?
2. ¿Quién es tu maestro (-a) de inglés?
3. ¿Qué días tienes tú clase de español?

4. ¿Tienes tú clase de matemáticas?
5. ¿Cómo se llama tu maestro(-a) de matemáticas?

7 PRÁCTICA ORAL ⊗

8 Los números del 21 al 100

21 veintiuno
22 veintidós
23 veintitrés
24 veinticuatro
25 veinticinco

26 veintiséis
27 veintisiete
28 veintiocho
29 veintinueve
30 treinta

31 treinta y uno
32 treinta y dos
40 cuarenta
41 cuarenta y uno
50 cincuenta

60 sesenta
70 setenta
80 ochenta
90 noventa
100 cien

9 Lean estos números en español. *Read these numbers in Spanish.* ⊗

| 87 | 99 | 23 | 46 | 65 | 78 | 90 | 35 | 29 | 48 | 100 | 56 | 67 | 24 | 98 |
| 83 | 75 | 33 | 76 | 48 | 63 | 39 | 79 | 30 | 50 | 43 | 80 | 25 | 60 | 42 |

10 EJERCICIO ESCRITO

Write out the numbers in Exercise 9, in Spanish.

11 ¿A qué hora? ⊗

¿A qué hora es tu clase?

A la una en punto.

¿A qué hora es la clase de inglés?

A la una y diez.

¿A qué hora tiene ella clase?

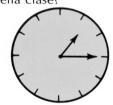

A la una y cuarto.

¿A qué hora tienes tú educación física?

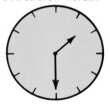

A la una y media.

¿A qué hora termina la clase?

A las dos menos veinte.

¿A qué hora tienes tú clase de español?

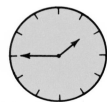

A las dos menos cuarto.

¿A qué hora tiene él clase de biología?

A las dos menos cinco.

¿A qué hora tienen ustedes clase de historia?

A las dos en punto.

12 PRÁCTICA ORAL ⊗

TALKING ABOUT TIME

The usual way to give the time is to give the hour first and then the minutes past or before that hour.

For minutes past the hour (up to and including half past), use **y** between the hour and the minutes. For example: **A las dos y veinticinco**   *At twenty-five past two.* For "a quarter past the hour," use **y cuarto: A las tres y cuarto**   *At a quarter past (after) three.* For "half past," use **y media: A la una y media**   *At half past one.*

For minutes before the hour (after half past), use **menos** between the hour and the minutes. For example: **A las tres menos diez**   *At ten to three.* For "a quarter to the hour," use **menos cuarto: A las dos menos cuarto**   *At a quarter to two.*

Notice that *one o'clock* is **la una,** but <u>for all other hours</u> **las** is used: **las dos, las tres**   *two o'clock, three o'clock.*

14   **Den la hora.**   *Give the time.* ☻

¿A qué hora tiene Paco clase de historia?

¿A qué hora tiene él clase de inglés?

¿A qué hora tiene Lupe su clase de biología?

¿A qué hora es la clase de español?

¿A qué hora tienen ellos educación física?

¿A qué hora es la clase de matemáticas?

¿A qué hora tienes tú clase de español?

15   **EJERCICIO DE COMPRENSIÓN** ☻

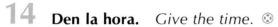

¿A qué hora?	2:30										
	0	1	2	3	4	5	6	7	8	9	10

16 La maestra pasa lista. ⊗

MAESTRA	Buenos días, alumnas. ¿Cómo están ustedes?
ALUMNAS	Estamos bien, gracias.
ALUMNA	Y usted señorita, ¿cómo está?
MAESTRA	Muy bien. Atención, por favor: María Acosta.
ALUMNA	¡Presente!
MAESTRA	Olga Alonzo.
ALUMNA	¡Presente!
MAESTRA	Rosa Brenes.
ALUMNA	¡Presente!

¿Están todas presentes?

MAESTRA	Consuelo Campos.
ALUMNA	¿Cuál?
MAESTRA	Consuelo Campos Flores.
ALUMNA	¡Presente!
MAESTRA	Consuelo Campos Gil. ¿Campos Gil? ¿Dónde está ella?
ALUMNA	Consuelo está ausente hoy. Ella está enferma.
MAESTRA	Alicia Esquivel.
ALUMNA	...¡Aquí estoy! ¡Presente!

Alicia siempre llega tarde; nunca llega temprano.

17

Spanish last names often seem very long. This is because a Spanish-speaking youngster usually uses both parts of the family name. The first part is the father's last name, and the second is the mother's maiden name. Sometimes, in informal use, the mother's maiden name is dropped. That is what the teacher in the preceding dialog does. But since there are two girls in the class named Consuelo Campos, she uses their mothers' maiden names to make clear which girl is being called.

18 Contesten las preguntas.

1. ¿Cómo están las alumnas?
2. ¿Cómo está la maestra?
3. María Acosta, ¿está ella presente? ¿Y Olga Alonzo? ¿Y Rosa Brenes?
4. ¿Está Consuelo Campos Flores presente?

5. ¿Dónde está Consuelo Campos Gil?
6. ¿Está ella enferma?
7. ¿Llega Alicia Esquivel siempre temprano o tarde?

19 ¿Estás tú bien?

1. ¿Cómo estás tú?
2. ¿Cómo está tu maestro (-a)?
3. ¿Está tu maestro (-a) enfermo (-a) hoy?

4. ¿Está tu amigo (-a) presente o ausente?
5. ¿Llegas tú siempre temprano o tarde?

20 PRÁCTICA ORAL ⊗

21   THE VERB estar

The verb *to be* has two equivalents in Spanish: **ser** and **estar**. You already know the forms of **ser**. Following are the forms of **estar** in the present.

(Yo)	**estoy**	aquí.	(Nosotros) (Nosotras)	**estamos**	bien.
(Tú)	**estás**	enferma.			
(Usted) (Él) (Ella)	**está**	en Colombia.	(Ustedes) (Ellos) (Ellas)	**están**	ausentes.

The verbs **ser** and **estar** have different uses. You cannot substitute one for the other. **Estar** is used to talk about where someone is (location).

        ¿Dónde estás tú?   Yo **estoy en mi casa.**

Estar is also used to talk about how someone is feeling.

        ¿Cómo está Consuelo?   Ella **está enferma.**

22   ¿Dónde estás tú? ⊗

¿Dónde estás tú? ¿Aquí?   Yo estoy aquí.
¿Dónde está Consuelo? ¿Ausente?
¿Dónde están Rosa y Alicia? ¿En la casa?
¿Dónde están ustedes? ¿En la clase?
¿Dónde estás tú? ¿En la escuela?

23   ¿Cómo estás tú? ⊗

¿Cómo estás tú?   Yo estoy bien, gracias.
¿Cómo está tu mamá?
¿Cómo están los alumnos?
¿Cómo están ustedes?
¿Cómo está Rosa?

24   ¿Dónde están mis papeles? ⊗

Tato, tus papeles están aquí. ¿Pero dónde están mis papeles?

¡No sé dónde están sus papeles! Los papeles sobre el escritorio son de Lola y sus amigas.

¿Y los papeles en tu pupitre?

Son de Luis y sus amigos.

25 **¿Qué más hay en la clase?** *What else is there in the classroom?* ⊗

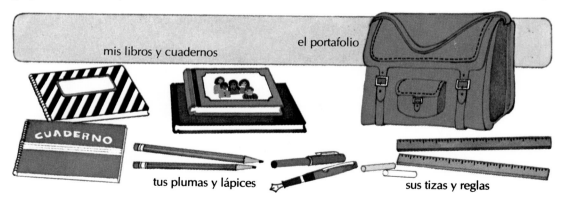

mis libros y cuadernos

el portafolio

CUADERNO

tus plumas y lápices

sus tizas y reglas

26 PRÁCTICA ORAL ⊗

27

mis — tus — sus

Lean los siguientes ejemplos. ⊗

Tato, **tus** papeles están aquí.

¿Dónde están **mis** papeles?

In the preceding examples, what does the possessive word **tus** mean? and the possessive word **mis?** Are these two words singular or plural? How can you tell they are plural?

Sus papeles no están aquí, señor Soto.

Los papeles son de Lola y **sus** amigas.

Los papeles son de Luis y **sus** amigos.

How many times does the possessive word **sus** appear in these sentences? What is the English equivalent of the first **sus?** of the second **sus?** of the third? Is **sus** singular or plural? How do you know?

28 ### Lean el siguiente resumen.

The following chart shows the possessives in the plural.

Mis	amigos están aquí.	*My friends are here.*
Tus	amigos están aquí.	*Your (fam.) friends are here.*
Sus	amigos están aquí.	⎰ *His friends are here.* *Her friends are here.* ⎱ *Your (pol.) friends are here.*

1. Possessives agree in number with the noun that follows. For example, in the phrase **sus amigos, sus** is plural because **amigos** is plural. In the phrase **tus libros, tus** is plural because **libros** is plural.

2. Like the singular possessive **su,** the plural **sus** has three possible English equivalents: *his, her,* and *(polite) your.*

29 Ana pregunta a sus compañeros. *Ana asks her classmates* ⊗

¿Dónde están los libros de Olga?　　　Sus libros están aquí.
¿Dónde están las plumas de María?
¿Dónde están tus lápices?
¿Dónde están mis papeles?
¿Dónde están los cuadernos de la maestra?

30 Pepe pregunta a su amigo. ⊗

¿Es José el amigo de Ana?　　　　　No, no es su amigo.
¿Es doña María la maestra de Raúl?　　No, no es su maestra.
¿Es tu libro?
¿Es mi cuaderno?
¿Son José y Víctor mis amigos?
¿Son tus papeles?
¿Son los lápices de Miguel?
¿Son las plumas de la maestra?

31 ¿Adónde van los chicos? ⊗

Cuando el recreo termina, todos los estudiantes van a la clase. Julio va a la clase también, pero primero conversa con Eva y
Raquel.

　JULIO　¿Adónde van ustedes ahora?
　EVA　Primero vamos a la clase de fran-
　　　　cés y después al laboratorio.
RAQUEL　Y tú, ¿adónde vas?
　JULIO　Yo voy a la clase de música. (Julio
　　　　mira su reloj.) ¡Ya es tarde!
　EVA　Bueno, hasta luego.
　JULIO　¡Adiós!

En el laboratorio de lenguas

32 Contesten las preguntas.

1. ¿Adónde van los estudiantes cuando el recreo termina?
2. ¿Va Julio a la clase también?
3. ¿Con quién conversa Julio?
4. ¿Adónde van Raquel y Eva primero? ¿Y después?
5. ¿A qué clase va Julio?
6. ¿Qué mira Julio? ¿Es tarde o temprano?

33 ¿Y tú?

1. ¿Vas tú a la clase de español?
2. ¿Vas tú al laboratorio de lenguas ahora?
3. ¿Van tus amigos al laboratorio también?
4. ¿Adónde vas tú después?

34 PRÁCTICA ORAL ⊗

35

THE VERB ir

This chart shows the forms of **ir** in the present. **Ir** is the infinitive form of *to go*.

(Yo)	**voy**	a la clase.	(Nosotros) (Nosotras)	**vamos**	a la capital.
(Tú)	**vas**	a la casa.			
(Usted) (Él) (Ella)	**va**	a la escuela.	(Ustedes) (Ellos) (Ellas)	**van**	a la ciudad.

There are two main types of verbs in Spanish: *regular* and *irregular*. In a regular verb, the stem does not change, and the endings follow a predictable pattern. For example, **hablar, estudiar,** and the other **-ar** verbs that you saw in Unit 4 keep their stems and follow the **-ar** pattern of endings. In an irregular verb, the stem may change or the endings may not follow a predictable pattern, or both. The verb **ir,** like **ser, tener,** and **estar,** is irregular.

36

¿Adónde van ellos ahora? ☺

¿Van ustedes a la escuela?
¿Vas tú a la capital?
¿Va Ana a la ciudad?
¿Van ellos a la clase de francés?
¿Va él a la casa de Julio?

Sí, nosotros vamos ahora.

37

Julio y Raquel conversan. ☺

Eva va a la ciudad. ¿Y tú?
Nosotros vamos a la clase tarde. ¿Y él?
Ana va a la escuela temprano. ¿Y ellas?
Tú vas a la clase después. ¿Y yo?

Yo voy a la ciudad también.

38

THE CONTRACTION al

The word **al** is a contraction of the words **a** and **el**. **A** and **el** always contract when they come together in a sentence.

$$a + el \rightarrow al$$

Vamos **al** laboratorio.
Ellos van **al** colegio.

The preposition **a** does not contract with the other three forms of the definite article.

39

EJERCICIO ESCRITO

¿Al o a la?

1. María y Ana van ____ colegio. 2. Nosotros vamos ____ casa de Ana. 3. Yo voy ____ laboratorio de lenguas. 4. Ustedes van ____ escuela. 5. Ella va ____ recreo. 6. Nosotras vamos ____ capital.

40 Un examen de geografía *A geography test* ⊗

Look at the map of South America below and answer the following questions.
1. ¿Cuántos países hay en Sudamérica? 2. ¿En cuántos países hablan español? 3. ¿Cuáles son sus·capitales? 4. ¿Qué país tiene dos capitales? 5. ¿Cuál es el océano al este de Sudamérica? 6. ¿Y al oeste? 7. ¿Cuál es el río más largo? 8. ¿Cuáles son las montañas más altas?

PALABRAS ADICIONALES: hay: *there are;* Sudamérica: *South America;* el océano: *ocean;* el este: *east;* el oeste: *west;* el río: *river;* más largo: *longest;* sus: *their;* las montañas: *mountains;* el norte: *north;* el sur: *south;* mar: *sea;* el Ecuador: *equator;* el Trópico de Capricornio: *Tropic of Capricorn;* la Cordillera de los Andes: *the Andes Mountain Range*

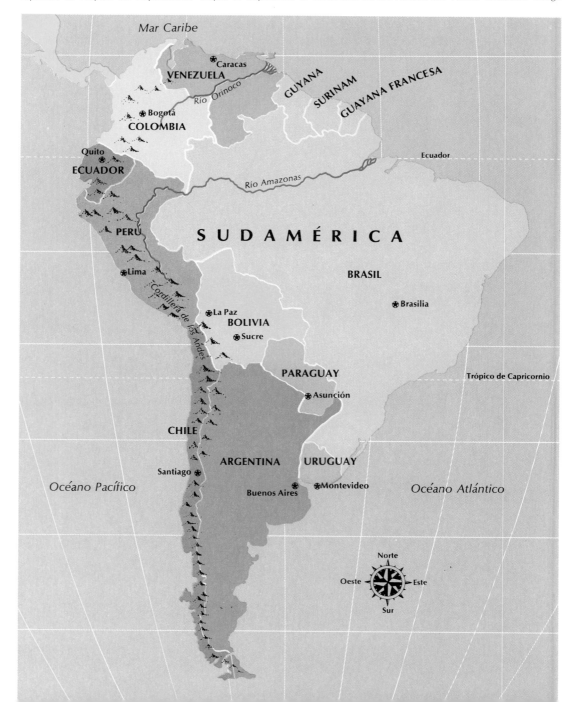

EJERCICIO DE CONVERSACIÓN

El maestro o la maestra pregunta.

1. ¿Cómo estás tú hoy?   2. ¿Vas tú a la escuela temprano?   3. ¿Van tus hermanos a tu colegio?   4. Y tus amigos, ¿van ellos a tu colegio?   5. ¿Cuántas materias tienes tú?   6. ¿Tienes tú clase de historia?   7. ¿Cuántos días a la semana tienes tú clase de español?   8. ¿A qué hora?

EJERCICIO DE COMPOSICIÓN

Write the answers to the questions in Exercise 41.

PARA REFERENCIA

2
El horario de Ana
Ana tiene un horario muy fuerte. Ella tiene clases seis días a la semana: lunes, martes, miércoles, jueves, viernes y sábado, por la mañana y por la tarde. Sus materias son muchas y muy difíciles, pero ella estudia y prepara su tarea todos los días. Su clase favorita es la clase de inglés.

Ana's schedule
Ana has a very heavy schedule. She has classes six days a week: Monday, Tuesday, Wednesday, Thursday, Friday, and Saturday, in the morning and in the afternoon. She has many subjects and they are very difficult, but she studies and prepares her homework every day. Her favorite class is English.

4
Ana tiene muchas materias.

SOLEDAD	Ana, ¿cuántas materias tienes tú?	*Ana, how many subjects do you have?*
ANA	Ocho.	*Eight.*
SOLEDAD	Son muchas. Yo tengo solamente cinco.	*That's a lot. I only have five.*
ANA	¡Qué suerte!	*How lucky!*
SOLEDAD	¿Tienes tú clase de matemáticas con el señor Soto?	*Do you have math with Mr. Soto?*
ANA	Sí.	*Yes.*
SOLEDAD	¿A qué hora?	*At what time?*
ANA	A las ocho en punto.	*At eight sharp.*
SOLEDAD	¿A qué hora termina la clase?	*What time is the class over?*
ANA	A las nueve menos cuarto.	*At a quarter to nine.*

4.1 Ana conversa con Soledad.
Ana chats with Soledad.

8
Los números del 21 al 100
The numbers from 21 to 100

16
La maestra pasa lista.

MAESTRA	Buenos días, alumnas. ¿Cómo están ustedes?	*Good morning, students. How are you?*
ALUMNAS	Estamos bien, gracias.	*We're fine, thank you.*
ALUMNA	Y usted señorita, ¿cómo está?	*And how are you ma'am?*
MAESTRA	Muy bien. Atención, por favor: María Acosta.	*Very well. Let me have your attention, please: Maria Acosta.*
ALUMNA	¡Presente!...	*Present! (Here!)...*
MAESTRA	... Consuelo Campos.	*Consuelo Campos.*
ALUMNA	¿Cuál?	*Which one?*
MAESTRA	Consuelo Campos Flores.	*Consuelo Campos Flores.*
ALUMNA	¡Presente!	*Present!*
MAESTRA	Consuelo Campos Gil. ¿Campos Gil? ¿Dónde está ella?	*Consuelo Campos Gil. Campos Gil? Where is she?*
ALUMNA	Consuelo está ausente hoy. Ella está enferma.	*Consuelo is absent today. She's sick.*
MAESTRA	Alicia Esquivel.	*Alicia Esquivel.*
ALUMNA	... ¡Aquí estoy! ¡Presente!	*...Here I am! Present!*

16.1 ¿Están todas presentes?
Is everyone present?

16.2 Alicia siempre llega tarde; nunca llega temprano.
Alicia always arrives late; she never arrives early.

24 **¿Dónde están mis papeles?**
Where are my papers?

24.1 Tato, tus papeles están aquí. ¿Pero dónde están mis papeles?
Tato, your papers are here. But where are my papers?

24.2 ¡No sé dónde están sus papeles! Los papeles sobre el escritorio son de Lola y sus amigas.
I don't know where your papers are! The papers on the desk belong to Lola and her friends.

24.3 ¿Y los papeles en tu pupitre?
And the papers on your desk?

24.4 Son de Luis y sus amigos.
They belong to Luis and his friends.

25 **¿Qué más hay en la clase?**
  —el portafolio
  —mis libros y cuadernos
  —tus plumas y lápices
  —sus tizas y reglas

What else is there in the classroom?
the briefcase
my books and notebooks
your pens and pencils
his (or her, or your) chalks and rulers

31 **¿Adónde van los chicos?**
Cuando el recreo termina, todos los estudiantes van a la clase. Julio va a la clase también, pero primero conversa con Eva y Raquel.
  JULIO ¿Adónde van ustedes ahora?
    EVA Primero vamos a la clase de francés y después al laboratorio.
RAQUEL Y tú, ¿adónde vas?
  JULIO Yo voy a la clase de música. (Julio mira su reloj.) ¡Ya es tarde!
    EVA Bueno, hasta luego.
  JULIO ¡Adiós!

Where are the kids going?
When recess ends, all the students go to class. Julio is going to class too, but first he chats with Eva and Raquel.
Where are you going now?
First we're going to French and then to lab.

Where are you going?
I'm going to music. (Julio looks at his watch.) It's late.

Well, see you later.
Bye!

31.1 En el laboratorio de lenguas

In the language laboratory

44 VOCABULARIO

1–15
la **biología**   biology
el **día**   day
el **dibujo**   drawing
la **educación física**   physical education, gym class
la **geografía**   geography
la **hora**   time
el **horario**   schedule
el **laboratorio**   laboratory
las **manualidades**   arts and crafts
la **mañana**   morning
la **materia**   subject
el **recreo**   recess
la **semana**   week
la **tarde**   afternoon
la **tarea**   homework, assignment

los **números del 21 al 100**   numbers from 21 to 100 (see p. 47)

conversar   to chat, to talk
preparar   to prepare
terminar   to end

favorito, -a   favorite
fuerte   heavy, difficult
libre   free

sus   her

el **lunes**   Monday
el **martes**   Tuesday
el **miércoles**   Wednesday
el **jueves**   Thursday
el **viernes**   Friday
el **sábado**   Saturday

¿a qué hora?   at what time?
a la una   at one o'clock
a las ocho   at eight o'clock
en punto   sharp, on the dot
menos cuarto   a quarter to (the hour)
menos veinte   twenty to
y cuarto   a quarter after
y diez   ten after
y media   half past

por la mañana   in the morning
por la tarde   in the afternoon
seis días a la semana   six days a week
todos los días   every day

¿cuántas?   how many?
¡qué suerte!   how lucky!

16–30
el **cuaderno**   notebook
el **escritorio**   (teacher's) desk
el **lápiz (los lápices)**[1]   pencil
el **libro**   book
la **lista**   roll, attendance list
el **papel**   paper
la **pluma**   pen
el **portafolio**   briefcase
el **pupitre**   pupil's desk
la **regla**   ruler
la **tiza**   chalk
  todos, -as   everyone, all

estar   to be
  estoy   I am
llegar   to arrive
pasar lista   to call the roll

ausente   absent
enfermo, -a   ill, sick
hoy   today
presente   present
siempre   always
tarde   late
temprano   early

mis   my
tus   your (familiar)
sus   his; your (polite)

atención   let me have your attention
¿cómo?   how?
por favor   please
¿qué más?   what else?

en   on
sobre   on, on top of

31–42
el **francés**   French
la **lengua**   language
la **música**   music
el **reloj**   watch, clock

ir   to go
  voy, vas, va,⎫   forms of
  vamos, van⎭   verb **ir**
mirar   to look at

después   then, afterwards
primero   first

¿adónde?   where?

adiós   good-bye, bye
bueno   well, OK
cuando   when
hasta luego   see you later
Ya es tarde.   It's late.

[1]Notice that the plural of **lápiz** has a spelling change. The final **z** changes to **c**: **lápices**.

¿Bueno?

¿Diga?

¿Aló?
¿Quién habla?

Buenas tardes, familia Ayala

Buenas noches, familia González

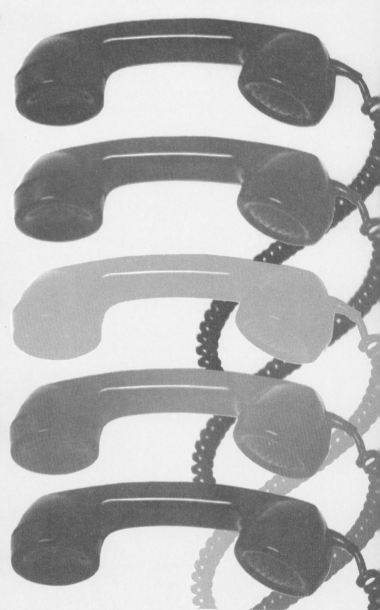

2   **¿Bueno?** *is a usual way to answer the phone in Mexico.* **¿Diga?** *is used in Spain;* **¿Aló?** *is used in other countries.* **Buenas tardes** *is generally used until dark. In some countries it is used until the hour of the evening meal, which may be quite late.* **Buenas noches** *can mean either ''good evening'' or ''good night.''*

3 Una conversación por teléfono ⊗

El teléfono suena en la casa de Lupe. Su madre, la señora Ayala, contesta y dice:

SEÑORA ¿Bueno?
SUSANA ¿Señora Ayala? Buenos días, señora. Habla Susana.
SEÑORA ¡Ah, Susana! ¿Cómo estás tú?
SUSANA Bien, gracias. ¿Y usted cómo está?
SEÑORA Yo estoy un poco cansada pero bien.
SUSANA Perdone, señora, ¿está Lupe?
SEÑORA Sí, ella está en el otro cuarto. ¡Lupe! Es Susana.

Susana habla con la madre de Lupe.

Lupe toma el receptor y saluda.

4 Contesten las preguntas.

1. ¿Qué suena en la casa de Lupe?
2. ¿Quién contesta el teléfono?
3. ¿Qué dice la señora Ayala?
4. ¿Qué dice Susana?
5. ¿Cómo está la señora Ayala?
6. ¿Qué pregunta Susana?

5 PRÁCTICA ORAL ⊗

6 THE VERBS ser AND estar

Both **ser** and **estar** mean *to be*. You already know that they are not interchangeable. The following summary shows the uses of **ser** and **estar** you have seen.

1. **Estar** is used:
   a. to talk about where someone or something is (location).

¿Dónde está Lupe?	Ella **está en el otro cuarto.**
¿Dónde están los papeles?	Los papeles **están aquí.**

   b. to talk about how someone is feeling or how someone's health is at a particular moment.

¿Cómo está Ana?	Ella **está bien.**
¿Cómo está Pepe?	Él **está enfermo.**

2. **Ser** is used:
   a. to talk about where someone is from (origin).

¿De dónde es Lupe?	Ella **es de México.**

   b. To describe what someone is like: either physical features (tall, thin, etc.) or personality (nice, strict, etc.).

¿Cómo es Paco?	Él **es muy alto.**
¿Cómo es la maestra?	Ella **es estricta.**

   c. to tell who someone is.

¿Quién es don Luis?	Él **es el papá de Paco.**

   d. to talk about time.

¿Qué hora es?	**Son las tres y media.**

7 ¿De dónde son ellos? ¿Dónde están ellos? ⊗

¿De dónde es Lupe Ayala?
¿Dónde está Lupe?
¿De dónde son ustedes?
¿Dónde están ustedes?
¿De dónde es Ana Santos?
¿Dónde está Ana?

Lupe es de México.
Lupe está en México.

8 ¿Cómo son ellos? ¿Cómo están ellos? ⊗

¿Cómo son Ana y Lupe? ¿Bonitas?
¿Cómo están Ana y Lupe? ¿Muy bien?
¿Cómo eres tú? ¿Fuerte?
¿Cómo estás tú? ¿Bien?
¿Cómo es tu papá? ¿Estricto?
¿Cómo está tu papá? ¿Cansado?

Sí, ellas son bonitas.
Sí, Ana y Lupe están muy bien.

9 EJERCICIO ESCRITO

¿Ser o estar?

1. ¿De dónde _____ Paco y Arturito?
2. Ellos _____ en San Juan ahora.
3. Yo no _____ muy estricto.
4. ¿Dónde _____ todos los alumnos?
5. Tú _____ un alumno inteligente.
6. ¿ _____ la maestra en su casa?
7. ¿Cómo _____ tus padres? ¿Estrictos?
8. ¿Cómo _____ tus hermanos? ¿Enfermos?
9. Uno de los alumnos _____ ausente.
10. Nosotros _____ muy cansados hoy.

10 Lupe y Susana hablan de sus planes. ⊗

Lupe toma el teléfono y ella dice:

LUPE Susana, ¿qué tal?
SUSANA Hola, Lupe—¿estás tú ocupada?
LUPE No, yo espero una llamada de Manuel. Nosotros vamos a un baile.
SUSANA ¿De veras? ¿Cuándo?
LUPE El viernes a las siete; con María, Marta y sus dos amigos.
SUSANA ¡Qué bien! ¿Quiénes son los amigos?
LUPE Yo no sé cómo se llaman ellos, pero son dos chicos que siempre andan con las chicas.
SUSANA ¡Ah sí! Miguel y Pablo. Ellos son muy guapos.
LUPE ¿Por qué no llamas tú a tu amigo Mario y vamos todos al baile?
SUSANA ¿Estás tú loca? ¡Mario no baila! Él solamente habla mucho.

Manuel marca el número de Lupe...

...pero la línea está ocupada.

Hablamos por teléfono   59

11 Contesten las preguntas.

1. ¿Qué dice Lupe cuando toma el teléfono?
2. ¿Qué pregunta Susana?
3. ¿Adónde van Lupe y Manuel? ¿Cuándo?
4. ¿Con quiénes van María y Marta al baile?
5. ¿Quiénes son los dos chicos?
6. ¿Por qué no va Susana al baile con Mario?

12 ¿Y tú?

1. ¿Cómo contestas tú el teléfono?
2. ¿Hablas tú mucho por teléfono?
3. ¿Bailas tú?
4. ¿Estás tú muy ocupado (-a) hoy?

13 PRÁCTICA ORAL ⊛

14 Palabras interrogativas *Question Words*

¿Qué?
¿Cómo?
¿Por qué?
¿Cuál?
¿Quiénes?

¿Dónde?
¿Cuándo?
¿Quién?
¿Cuáles?
¿Cuántos?

1. **¿Cómo?** has several English equivalents:
   a. **¿Cómo te llamas tú?** *What is your name?*
   b. **¿Cómo estás tú hoy?** *How are you today?*
   c. **¿Cómo es Lupe?** *What does Lupe look like?*
2. **¿Dónde?** can be used by itself, with **de,** or with **a.** You have seen:
   a. **¿Dónde?** with **estar: ¿Dónde está Lupe?**
   b. **¿De dónde?** with **ser: ¿De dónde es Ana?**
   c. **¿Adónde?** with **ir: ¿Adónde va Paco?**
3. **¿Quién?** has the plural form **quiénes. Quiénes** is used with a plural verb form.
   ¿Quiénes hablan español?
   ¿De quién asks about ownership or possession.
   ¿De quién es el libro?
4. **¿Cuál?** has the plural form **cuáles.** Like **quiénes, cuáles** is used with a plural verb form.
   ¿Cuáles son los chicos?
5. **¿Cuántos?** has the feminine form **cuántas. ¿Cuántos libros tienes tú? ¿Cuántas chicas van?**
6. *Question words always have a written accent.*

15 ¿Cuál es la pregunta? ⊛

These are answers. What's the question?

Pepe está ausente hoy.   **¿Quién** está ausente hoy?

1. Paco tiene **catorce años.**   2. Lupe es **de México.**   3. El papá de Paco **se llama don Luis.**
4. Él es **el maestro de francés.**   5. Ana no es **rubia.**   6. Las chicas van **al colegio.**

16 EJERCICIO ESCRITO

Fill in with the appropriate question word.

1. ¿_____ es mi libro? ¿El rojo?
2. ¿_____ vas tú? ¿A México?
3. ¿_____ chicas están aquí? ¿Tres?
4. ¿_____ es Paco? ¿De Puerto Rico?
5. ¿_____ van al baile? ¿Ellos?
6. ¿_____ está tu mamá? ¿Cansada?

17 La charla termina.

SUSANA   Lupe, yo llamo porque necesito el teléfono de Pilar.
LUPE   Sí, un momento. (Lupe va y busca el número.) Aquí está el número. Es el 2-24-41-07.
SUSANA   Bueno, Lupe, gracias. Hablamos mañana.
LUPE   Hasta mañana, adiós.
SUSANA   Hasta luego.

Mientras tanto, el padre de Lupe llama, pero el teléfono todavía está ocupado.

18 PRÁCTICA ORAL ⊗

19 -ar VERBS

The following chart lists the infinitives of the regular **-ar** verbs you have seen so far. These verbs are all conjugated in the present like **hablar.** (See Unit 4.)

bailar *to dance*	**llamar** *to call*	**preguntar** *to ask*
buscar *to look for*	**llegar** *to arrive*	**preparar** *to prepare*
contestar *to answer*	**marcar** *to dial*	**saludar** *to say hello*
conversar *to chat*	**mirar** *to look at*	**terminar** *to end, finish*
esperar *to wait for*	**necesitar** *to need*	**tomar** *to pick up, take*
estudiar *to study*	**practicar** *to practice*	**usar** *to wear*

20 Susana dice. ⊗

Nosotros estudiamos mucho. ¿Y ellos?   Ellos no estudian mucho.
Tú preguntas mucho. ¿Y nosotros?
Yo practico mucho. ¿Y ustedes?
Él habla mucho. ¿Y ellas?

21 Manuel pregunta. ⊗

¿Llegas tú de la capital temprano?   Yo llego de la capital tarde.
¿Prepara él la tarea temprano?
¿Termina ella la clase temprano?
¿Estudio yo temprano?

22 EJERCICIO DE COMPRENSIÓN ⊗

	0	1	2	3	4	5	6	7	8	9	10
Verb form											
Infinitive	√										

Hablamos por teléfono   61

23 Despedidas ⊗

24 EJERCICIO DE CONVERSACIÓN

Talk with one of your classmates on a make-believe telephone. Below are some subjects you can talk about. Be sure to begin each conversation with the appropriate greeting and to exchange **saludos** *and* **despedidas.**

1. Tú llamas a un amigo o una amiga. Su padre contesta. Tú preguntas si tu amigo (-a) está en su casa. El padre dice ''él (ella) no está.''

2. Tú llamas a un amigo o una amiga. Él o ella contesta. Tú preguntas si él o ella estudia. Tu amigo (-a) dice ''yo estudio _____.'' Ustedes hablan de la escuela (qué materias tienen, qué maestros, cómo son las clases, etc.).

3. Un alumno nuevo (o una alumna nueva) está en la clase. Tú y tu amigo (-a) hablan de cómo se llama él o ella, de dónde es, cómo es, etc.

4. Tú y tu amigo o amiga hablan de Paco y su familia. Ustedes hablan de cómo son Paco y sus hermanos, sus papás y sus primos.

25 EJERCICIO DE COMPOSICIÓN

Write out one of the conversations you practiced in Exercise 24.

[1]**Chao** comes from the Italian word *ciao*. It is a popular way for young people to say good-bye.

26 Directorio telefónico

Pick a few of the following names and pretend you are phoning them. Pronounce each name first and then say the phone number as you dial.

PALABRAS ADICIONALES: el directorio telefónico: *telephone directory;* la botica, la droguería, la farmacia: *drugstore*

27 PARA REFERENCIA

1 **Hablamos por teléfono.**
Repaso y resumen
Saludos
¿Bueno?
¿Diga?
¿Aló? ¿Quién habla?
Buenas tardes, familia Ayala.
Buenas noches, familia González.

We talk on the telephone.
Review and summary
Greetings
Hello?
Hello?
Hello? Who's speaking?
Good afternoon, Ayala family.
Good evening, Gonzalez family.

3 **Una conversación por teléfono**
El teléfono suena en la casa de Lupe.
Su madre, la señora Ayala, contesta y dice:
SEÑORA   ¿Bueno?
SUSANA   ¿Señora Ayala? Buenos días, señora. Habla Susana.
SEÑORA   ¡Ah, Susana! ¿Cómo estás tú?
SUSANA   Bien gracias. ¿Y usted cómo está?
SEÑORA   Yo estoy un poco cansada pero bien.
SUSANA   Perdone, señora, ¿está Lupe?
SEÑORA   Sí, ella está en el otro cuarto.
         ¡Lupe! Es Susana.
3.1 Susana habla con la madre de Lupe.
3.2 Lupe toma el receptor y saluda.

A telephone conversation
The phone rings in Lupe's house.
Her mother, Mrs. Ayala, answers and says:
Hello?
Mrs. Ayala? Good morning ma'am. This is Susana.

Ah, Susana! How are you?
Fine, thank you. And you?
I'm a little tired but well.
Excuse me, ma'am. Is Lupe in?
Yes, she's in the other room.
Lupe! It's Susana.
Susana talks with Lupe's mother.
Lupe picks up the receiver and says hello.

	10	**Lupe y Susana hablan de sus planes.**	*Lupe and Susana talk about their plans.*
		Lupe toma el teléfono y ella dice:	*Lupe takes the phone and says:*
	LUPE	Susana, ¿qué tal?	*Susana, how are you?*
	SUS.	Hola, Lupe— ¿estás tú ocupada?	*Hi, Lupe. Are you busy?*
	LUPE	No, yo espero una llamada de Manuel. Nosotros vamos a un baile.	*No, I'm waiting for a call from Manuel. We're going to a dance.*
	SUS.	¿De veras? ¿Cuándo?	*Really? When?*
	LUPE	El viernes a las siete; con María, Marta y sus dos amigos.	*Friday at seven o'clock with Maria, Marta, and their two friends.*
	SUS.	¡Qué bien! ¿Quiénes son los amigos?	*How nice! Who are their friends?*
	LUPE	Yo no sé cómo se llaman ellos, pero son dos chicos que siempre andan con las chicas.	*I don't know what their names are, but they're two boys who always go around with the girls.*
	SUS.	¡Ah sí! Miguel y Pablo. Ellos son muy guapos.	*Oh yes! Miguel and Pablo. They're very good-looking.*
	LUPE	¿Por qué no llamas tú a tu amigo Mario y vamos todos al baile?	*Why don't you call your friend Mario and we'll all go to the dance?*
	SUS.	¡Estás tú loca? ¡Mario no baila! Él solamente habla mucho.	*Are you crazy? Mario doesn't dance! He just talks a lot.*
10.1		Manuel marca el número de Lupe…	*Manuel dials Lupe's number...*
10.2		…pero la línea está ocupada.	*...but the line is busy.*

	17	**La charla termina.**	*The chat ends.*
	SUS.	Lupe, yo llamo porque necesito el teléfono de Pilar.	*Lupe, I'm calling because I need Pilar's phone number.*
	LUPE	Sí, un momento. (Lupe va y busca el número.) Aquí está el número. Es el 2-24-41-07.	*OK, just a minute. (Lupe goes and looks for the number.) Here is the number. It's 2-24-41-07.*
	SUS.	Bueno, Lupe, gracias. Hablamos mañana.	*Well, Lupe, thanks. We'll talk tomorrow.*
	LUPE	Hasta mañana, adiós.	*See you tomorrow, bye.*
	SUS.	Hasta luego.	*See you.*
17.1		Mientras tanto, el padre de Lupe llama pero el teléfono todavía está ocupado.	*Meanwhile, Lupe's father is calling, but the line is still busy.*

	23	**Despedidas**	*Good-byes, farewells*
		Hasta mañana.	*See you tomorrow.*
		Hasta pronto.	*See you soon.*
		Chao.	*Bye. (Ciao.)*
		Adiós.	*Good-bye.*
		Hasta luego.	*See you later.*

28 VOCABULARIO

1—9

la **conversación**	conversation	**decir**	to say	**¿aló?**	hello?
el **cuarto**	room	**dice**	(she) says	**buenas noches**	good evening, good night
la **madre**	mother	**saludar**	to say hello, greet	**buenas tardes**	good afternoon
el **receptor**	receiver	**sonar**	to ring	**¿bueno?**	hello? (Mexico)
el **saludo**	greeting, hello	**suena**	(it) rings	**¿diga?**	hello? (Spain)
el **teléfono**	telephone	**tomar**	to take, pick up	**¿Está Lupe?**	Is Lupe in (at home)?
				perdone	excuse me
otro, -a	the other	**cansado, -a**	tired	**por teléfono**	on the telephone
				¿Quién habla?	Who's calling?

10—16

el **baile**	dance	**andar (con)**	to go around (with)	**¿cuáles?**	which? which ones?
la **línea**	line	**bailar**	to dance	**¿cuándo?**	when?
la **llamada**	telephone call	**esperar**	to wait (for)	**¿de veras?**	really?
el **plan**	plan	**llamar**	to call, phone	**¿por qué?**	why?
		marcar	to dial	**¡qué bien!**	how nice!
				se llaman	their names are
		loco, -a	crazy		
		ocupado, -a	busy		

17—25

la **charla**	chat, talk	**buscar**	to look for	**chao**	good-bye, ciao
la **despedida**	good-bye, farewell	**necesitar**	to need	**hasta mañana**	see you tomorrow
el **momento**	moment, minute			**hasta pronto**	see you soon
el **padre**	father	**mañana**	tomorrow		
el **teléfono**	telephone number	**mientras tanto**	meanwhile	**porque**	because
		todavía	still		

There is great variety in the landscape of the areas that make up the Spanish-speaking world. It is a world made up of snow-capped mountains and volcanoes, vast plains and lowlands. It is a world made up of overgrown jungles and barren deserts, of tropical islands and antarctic stations. It is a world of contrasts, inhabited by many different people who share one language: Spanish.

The Andes Mountains run over 8,500 km (5,300 miles) along the western border of South America. They are the world's second-highest mountain range, rising to 6,960 m (22,835 ft) at Aconcagua, a volcano on the border of Chile and Argentina. East of the Andes, great jungles and plains span the continent toward the Atlantic shore. In the thick jungles — *las selvas* — along the river basins, an extraordinary variety of vegetation and animal life can be found. La Pampa, a fertile plain that makes up about one

Landscape

fourth of Argentina, has been a major area of economic growth. Patagonia, a plateau region to the south, raises sheep for wool, one of Argentina's main exports.

Plate 2

The land is rich. But sometimes its wealth is difficult to reach. The search for gold and silver was a driving force for the conquistadores. Large deposits of minerals are found throughout Latin America. Copper is Chile's and Peru's main export. Bolivia is the world's largest producer of tin. Venezuela and Mexico have rich oil deposits, and Colombian mines have given us some of the world's finest emeralds.

Plate 3

The soil is mined or planted. Mountainsides grow the world's best coffee; high heat and humidity produce the richest banana harvests. The richness of the soil and the variety of climate give the Spanish-speaking world a wide variety of products. Spain is

the world's leading grower of olives, and its vineyards place it third in production of wine. Paraguay exports many exotic woods used all over the world. Cotton is Nicaragua's main export item. And grassy plains, grazed by sheep flocks, give Uruguay, along with Argentina, an important place in the world's production of wool.

Plate 5

Columbus' crossing of the Atlantic in 1492 opened a new era of world history. The beauty of the landscape of the Caribbean islands was a welcome sight after months of being at sea. Today, almost five hundred years later, the Caribbean continues to be one of the world's most beautiful areas and a sought-after place for a winter vacation. Mild winters and pleasant breezes relax the pace of modern life, and the people are warm and hospitable to the many different types of visitors.

For many people, the sea is the source of life. Tourism, fishing, and oil are all industries

Plate 6

that draw from the sea. Many great cities and ports have grown along or near the coastlines — centers of international commerce and communication, trading posts of ideas.

Plate 8

¡Buenos días!

JUGOS: naranja, piña, tomate, toronja 9.00

Desayunos

FRUTAS DE LA ESTACIÓN: sandía, piña, fresas, naranja, plátano, medio melón, media toronja   10.00

Desayunos mexicanos

1. Dos huevos al gusto, pan tostado, mermelada y café   35.00
2. Dos huevos con tocino o salchicha, pan tostado, mermelada y café   42.00
3. Pan tostado, mermelada y café   17.00

Almuerzos y comidas

1. Bolillos tostados con frijoles refritos y salsa mexicana, café   25.00
2. Tamales de pollo (3) con salsa, chocolate caliente, leche o café   28.00
3. Huevos con salsa mexicana, tortillas y frijoles refritos   19.00

Platos mexicanos

1. Tacos de carne o de pollo (3) con guacamole y frijoles   28.00
2. Tamales de carne o de pollo con salsa mexicana   21.00
3. Enchiladas de carne o de queso con arroz y frijoles   25.00
4. Mole poblano con arroz y frijoles refritos   45.00
5. Bistec con papas fritas y ensalada   60.00
6. Chile con carne y galletas   25.00

Sopas

Sopa del día: Taza 8.00   Plato 12.00
Sopa de verduras: Taza 8.00   Plato 12.00

Sandwiches

Hamburguesa con ensalada de col y papas fritas   30.00
Hamburguesa con queso, ensalada de col y papas fritas   35.00
Sandwich de tocino, tomate y lechuga   25.00
Perro caliente   16.00
Sandwich de jamón y queso   30.00
Sandwich de pollo   25.00
Sandwich de queso   22.00

Extras

Papas fritas   15.00
Ensalada de lechuga y tomate   14.00
Ensalada de col   10.00
Frijoles refritos   9.00
Tortillas   4.00

Postres

Frutas frescas   13.00
Helados   10.00
Helado con fruta   18.00
Pasteles   15.00
Flan   13.00

Bebidas

Refrescos	9.00	Batidos	20.00
Limonada	9.00	Café	8.00
Leche	8.00	Té	8.00
Leche malteada	20.00	Chocolate caliente	8.00

2 Vamos al centro. ⊗

MARISA Debes ir al centro conmigo.
HOMERO ¿Contigo? ¿Para qué?
MARISA Para¹ comprar un postre. Hoy es domingo y vamos a la casa de abuela para la comida.
HOMERO ¡Qué divertido!
MARISA ¿Qué clase de postre te gusta?
HOMERO ¿Qué clase de postre me gusta? ¡Me gustan todos!

1 Homero y su hermana, Marisa. A Homero le gusta comer.

3

Homero and Marisa live in Mexico City. They're going to their grandmother's for Sunday dinner, and they've decided to buy her a special dessert.

Sunday is the day for family get-togethers. Members of the family gather at the home of a relative for a traditional Sunday dinner. This meal is usually served in the early afternoon. In Mexico it is eaten around 2 or 3 PM.

4 Contesten las preguntas.

1. ¿Adónde van Homero y Marisa?
2. ¿Para qué van al centro?
3. ¿Qué día es?
4. ¿Adónde van Homero y Marisa para la comida?
5. ¿Son Homero y Marisa primos?

5 PRÁCTICA ORAL ⊗

6 A Homero le gustan los postres. ⊗

Le gusta el helado.

También le gusta el flan.

Y le gustan mucho los pasteles.

A Marisa le gusta la fruta.

Le gusta el melón.

Le gustan mucho las naranjas y las fresas.

Pero no le gustan las toronjas.

¿Qué cosas te gustan?

Me gustan los dulces.

También me gustan las manzanas.

No me gusta la sandía.

7 PRÁCTICA ORAL ⊗

¹The preposition **para,** when followed by an infinitive, means *in order to* or *to.*

8

HOW TO TALK ABOUT LIKING SOMETHING

Lean los siguientes ejemplos. ⊗

Me gusta el helado.   Te gusta el flan.   Le gusta la sandía.

What words express *I like* in the first sentence? What words express *you like* in the second? and *he/she likes* or *you (pol.) like* in the third? What is liked in each sentence? Is the thing liked in the first sentence singular or plural? in the second? and in the third?

Me gustan los pasteles.   Te gustan las manzanas.   Le gustan las naranjas.

What words express *I like* in the first sentence? What words express *you like* in the second? and *he/she likes,* or *you (pol.) like* in the third? Is the thing liked in the first sentence singular or plural? in the second? and in the third?

9

Lean el siguiente resumen.

To talk about liking something, Spanish uses the verb **gustar,** *to like, to please.*

Me gusta la fruta.	*I like fruit.*	**Me gustan** las manzanas.	*I like apples.*
Te gusta el melón.	*You (fam.) like melon.*	**Te gustan** los pasteles.	*You (fam.) like pastries.*
Le gusta el flan.	*He/She likes flan.*	**Le gustan** las naranjas.	*He/She likes oranges.*
Le gusta el helado.	*You (pol.) like ice cream.*	**Le gustan** las toronjas.	*You (pol.) like grapefruits.*
A Homero le gusta la sandía.	*Homero likes watermelon.*	**A Marisa le gustan** los postres.	*Marisa likes desserts.*

1. Only two forms of **gustar** are used:
   a. **gusta,** when the thing liked is singular.   Me **gusta el helado.**
   b. **gustan,** when the thing liked is plural.   Me **gustan las manzanas.**

2. **Me, te,** and **le** are used to indicate *who* is doing the liking. **Me gusta(n)** = *I like,* **te gusta(n)** = *you (fam.) like,* and **le gusta(n)** = *he/she likes* or *you (pol.) like.*

3. The use of **me, te,** and **le** with the verb **gustar** is easier to understand if we translate **gustar** as *to please* or *to be pleasing to.*
   Me gusta la fruta.   *Fruit is pleasing to me.*   *I like fruit.*
   Te gusta el flan.   *Flan is pleasing to you.*   *You (fam.) like flan.*
   Le gusta el postre.   *Dessert is pleasing to him/her/you.*   *He/She/You like(s) dessert.*

4. The things liked—fruit, pastries, etc.—always have a definite article before them.
   Me gusta **la fruta.**   Te gustan **los pasteles.**   Le gusta **el flan.**

5. If what is liked is expressed as a verb—an infinitive—the definite article is not used.
   A Homero **le gusta comer.**

6. If you name the person who likes a particular thing, you use the preposition **a** before the person's name.
   A Marisa le gustan los postres.   **A Homero** le gusta el helado.

10

¿Qué te gusta? ⊗

¿Te gusta la fruta?   ¿La fruta? Sí, me gusta mucho.
¿Y los pasteles?   ¿Y las fresas?   ¿Y el helado?   ¿Y los postres?   ¿Y la sandía?

11 ¿Qué compran ellos? ⊗

¿Compra Homero fruta? No, no le gusta la fruta.
¿Compra ella pasteles? ¿Compra Marisa flan? ¿Compra él manzanas? ¿Compra tu abuela melón?

12 ¿Y tú?

1. ¿Te gustan los postres?
2. ¿Qué clase de postre te gusta?
3. ¿Te gusta la fruta?

4. ¿Cuáles frutas te gustan?
5. ¿Te gustan mucho las toronjas?
6. ¿Te gusta comer?

13 EJERCICIO ESCRITO

¿Qué le gusta a tu amigo?

Turn to the menu on p. 65. Make two lists, one with foods you like, the other with foods you don't like. Compare your lists with a classmate's. What do you both like and dislike?

14 Homero y Marisa van a Sanborns. ⊗

Sanborns es un restaurante donde venden postres deliciosos. También venden hamburguesas, perros calientes, helados con fruta y otras comidas americanas que hacen la boca agua. Homero tiene hambre y quiere comer algo. Marisa no. Por fin, entran y toman una mesa.

Sanborns vende postres deliciosos.

MARISA	No debemos comer nada ahora.
HOMERO	Tienes razón, pero yo tengo hambre y tengo mucha sed también.
MESERA	¿Quieren ver la carta?
HOMERO	No, gracias. Una hamburguesa y papas fritas, por favor.
MESERA	¿Y para beber?
HOMERO	Un batido de chocolate. Y tú, Marisa, ¿quieres una limonada?
MARISA	No, un vaso de leche, por favor.

¡Tú comes mucho, Homero!

La cuenta, por favor.

Homero paga la cuenta y deja la propina.

Taco	Tamal	Enchilada	Chile con carne

15 *American foods are becoming popular among Mexican as well as other Spanish-speaking people. Sanborns is a chain of restaurants in Mexico. Its menu offers hamburgers, club sandwiches, sundaes, and malts along with typically Mexican dishes. Mexican dishes, such as the ones shown above, are equally popular among Americans. The* **tortilla,** *used in many of these dishes, is popular by itself and often replaces bread at the dinner table.*

16 **Contesten las preguntas.**

1. ¿Adónde van Homero y Marisa?
2. ¿Qué es Sanborns?
3. ¿Qué venden en Sanborns?
4. ¿Venden comidas americanas?
5. ¿Tiene hambre Homero?

6. ¿Marisa quiere comer?
7. ¿Quién tiene mucha sed?
8. ¿Qué quiere comer Homero?
9. ¿Qué quiere beber Homero? ¿Y Marisa?
10. ¿Quién paga la cuenta?

17 **¿Y tú?**

1. ¿Tienes hambre?
2. ¿Tienes sed?
3. ¿Te gustan las hamburguesas?
4. ¿Y los helados con fruta?

5. ¿Qué te gusta beber?
6. ¿Te gustan los batidos?
7. ¿Te gusta comer con tus amigos?
8. ¿Te gusta pagar la cuenta?

18 **PRÁCTICA ORAL** ⊙

19 ## THE PRESENT OF -er VERBS

Do you remember the **-ar** verbs? Can you name a few? What is the infinitive without the ending called? What is the ending of an **-ar** verb when the subject is **yo?** and when the subject is **tú?** What are the other three endings you know?

Lean los siguientes ejemplos. ⊙

> **Homero quiere comer** algo.
> **Yo como** hamburguesas.
> **Tú comes** mucho.
> **Marisa come** poco.

Is **comer** an infinitive? What is the stem of **comer?** What ending is added to this stem when the subject is **yo?** when the subject is **tú?** and when the subject is **Marisa?** Which one of these endings is the same as for **-ar** verbs?

> **Nosotros comemos** perros calientes.
> **Ellos comen** papas fritas.

What is the verb ending when the subject is **nosotros?** and when the subject is **ellos?**

20 Lean el siguiente resumen.

In Unit 4 you studied the present of regular **-ar** verbs. There is also a large class of verbs whose infinitives end in **-er.** Regular verbs of this class include **comer,** *to eat;* **beber,** *to drink;* **vender,** *to sell;* and **deber,** *should.*

comer			
Como[1]	hamburguesas.	**Comemos**	melón.
Comes	helados.		
Come	manzanas.	**Comen**	postres.

1. Notice that the ending for the **yo** form of **-er** verbs is the same as the **yo** ending for **-ar** verbs: **-o.**

2. The rest of the **-er** endings are similar to those of **-ar** verbs. The difference is that where the **-ar** endings have an **a,** the **-er** endings have an **e.**

3. In this lesson, forms of the verb **deber** are followed by an infinitive.

Debes ir al centro conmigo.	*You should go downtown with me.*
No debemos comer nada ahora.	*We should not eat anything now.*

Deber means *should, ought to,* when followed by an infinitive.

Debo beber leche.	*I should drink milk.*
No deben comer pasteles.	*They shouldn't eat pastries.*

21 Pregunten a sus compañeros.

1. ¿Dónde comen Homero y Marisa?
2. ¿Come Homero mucho o poco?
3. Y Marisa, ¿come ella mucho o poco?
4. ¿Qué bebe Homero?
5. ¿Bebe Marisa algo?
6. ¿Dónde venden comidas americanas?

22 ¿Qué comen y beben? ⊗

¿Comen Homero y Marisa hamburguesas?   Sí, siempre comen hamburguesas.
¿Come él papas fritas?   ¿Comes perros calientes?   ¿Bebe ella mucha leche?   ¿Beben ustedes batidos?   ¿Bebemos limonada?

23 ¿Deben o no deben? ⊗

¿Comen Homero y Marisa ahora?   No, no deben comer nada ahora.
¿Comes ahora?   ¿Bebe Marisa ahora?   ¿Comen ustedes ahora?   ¿Bebemos ahora?

24 ¡Cómo comen ellos!

Marisa come hamburguesas.   Homero come hamburguesas y papas fritas.   El primo de Marisa come hamburguesas, papas fritas y perros calientes.
Now you continue the sequence using your own friends and family, and the food items you have learned in this unit.

---

[1]As you learned in Unit 4, subject pronouns in Spanish are not needed except for emphasis or clarity. From now on, subject pronouns will not appear in conjugation charts, except when necessary.

25 EJERCICIO ESCRITO

Write the following sentences, supplying the correct form of the verb in parentheses.
1. Homero y su hermana _____ (ir) a Sanborns. 2. En Sanborns _____ (vender) comidas americanas. 3. Homero _____ (tener) hambre, pero su hermana no. 4. Ellos _____ (entrar) y _____ (tomar) una mesa. 5. Marisa dice, "Nosotros no _____ (deber) comer nada ahora." 6. Homero contesta, "Tú _____ (tener) razón. Pero yo _____ (tener) hambre." 7. Homero _____ (comer) una hamburguesa y papas fritas. 8. Él _____ (beber) un batido. 9. Marisa _____ (beber) un vaso de leche. 10. Ellos _____ (dejar) una propina y _____ (pagar) la cuenta.

26 Ponemos la mesa. ⊗

Para el desayuno ponemos:

vaso para el jugo, platillo para el pan y la mantequilla;

plato hondo para el cereal, cuchara y servilleta;

taza con platillo, y cucharita para el azúcar.

Para el almuerzo ponemos:

plato hondo para la sopa, cuchara;

platillo para el sandwich y servilleta;

sal, pimienta, mostaza y catchup.

platillo para la ensalada, plato llano para la comida;

tenedor, cuchillo, dos cucharitas, servilleta;

vaso para el agua y platillo para el postre.

27 PRÁCTICA ORAL ⊗

28 La comida en la casa de abuela ⊗

Homero y Marisa están a la mesa con los padres, una hermana mayor, y su abuelita.

PAPÁ ¿No quieres mole, Homero?
HOMERO No gracias, papá, no quiero nada. No tengo hambre.
MARISA No tiene hambre porque…
HOMERO ¡Cállate!
TODOS ¡Homero!

¿Por qué no quiere comer Homero? Le gusta el mole, pero…

29 Contesten las preguntas.

1. ¿Dónde están Marisa y Homero ahora?
2. ¿Están los padres? ¿Y cuál hermana?
3. ¿Quiere Homero mole? ¿Qué quiere él?
4. ¿Tiene hambre Homero?
5. ¿Qué dice Marisa?
6. ¿Qué dice Homero?

30 PRÁCTICA ORAL ⊗

31 EXPRESSIONS WITH tener

Homero says he's hungry and very thirsty: **Yo tengo hambre y tengo mucha sed.** When Marisa reminds him that they shouldn't eat anything, he answers: **tienes razón**— *you're right.* In these expressions, Spanish uses a form of the verb **tener.**

¿Tienes hambre ahora?	**No, no tengo hambre.**
¿Tienes sed?	**Sí, tengo sed.**
¿Tienes razón?	**Siempre tengo razón.**

32 ¿Tiene razón o no tiene razón?

Quiero una limonada porque tengo hambre.
Quiero un sandwich porque tengo hambre.
Quieren unas manzanas porque tienen sed.
Queremos mostaza porque tenemos sed.
Quieren catchup porque tienen hambre.
Quieres agua porque tienes sed.

No tienes razón.
Tienes razón.

33 EJERCICIO DE COMPRENSIÓN ⊗

	0	1	2	3	4	5	6	7	8	9	10
tengo hambre											
tengo sed	√										

34 ¿Qué quieres comer? ⊗

¿Quieres pescado?

No, no quiero pescado. No me gusta.

¿Quiere tu hermano arroz con huevos?

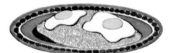

Él quiere arroz sin huevos.

¿Quieres un sandwich de jamón y queso?

Sí, gracias, pero con lechuga y tomate.

¿Quieren ustedes espinacas o zanahorias?

No, no queremos vegetales, gracias.

35 PRÁCTICA ORAL ⊗

36

el verbo querer

When Marisa and Homero arrive at Sanborns, Homero wants something to eat: **Homero quiere comer algo. Quiero, quieres, quiere,** and **quieren** are forms of the verb **querer,** *to want.* Their endings in the present are just like those of other **-er** verbs. But, unlike regular **-er** verbs, these four verb forms have **ie** in the stem where the infinitive has just **e.** Look at all five forms of **querer** in the chart.

Quiero	helado.	**Queremos**	helado.
Quieres	helado.		
Quiere	helado.	**Quieren**	helado.

1. The verb **querer** changes the **e** of its stem to **ie** in every form of the present except in the **nosotros, -as** form. In future lessons, you will see other verbs that make the same change in their stem—**e** to **ie** everywhere except in the **nosotros, -as** form.

2. Like forms of the verb **deber,** forms of **querer** are often followed by an infinitive.
   Homero **quiere comer** algo.   *Homero wants to eat something.*

37 ¿No quieres nada? ⊗

¿Quieres mole?   No, no quiero mole, gracias.
¿Quieren ustedes ensalada?   ¿Quiere Marisa espinacas?   ¿Quieren tus amigas zanahorias?   ¿Quiere tu hermana pescado?   ¿Quieren ustedes un sandwich?

38 ¿Qué más quieren?

Answer the following questions, filling in the blanks with items from the menu on p. 65.
¿No quieres una hamburguesa?   Sí, y quiero *papas fritas* también.
¿No quiere tu hermana una hamburguesa?   ¿No quieren ellos una hamburguesa?   ¿No quiere Homero una hamburguesa?   ¿No quieren ustedes una hamburguesa?

39 EJERCICIO ESCRITO

Write answers to Exercises 37 and 38.

40 EJERCICIO DE CONVERSACIÓN

Look at the menu on p. 65. Pretend you are in a restaurant. Choose the things you would like to eat. Pair off with a classmate. One of you will play the part of the waiter or waitress and ask what the "customer" wants. The other, the customer, should ask to see the menu, order, and at the end ask for the check. The waiter should write out the order and add up the check.

41 VOCABULARIO

1

la **bebida** *beverage*	la **mermelada** *marmalade*	el **chile con carne** ⎫ *Typical, popular*
el **bistec** *steak*	el **pollo** *chicken*	la **enchilada** ⎪ *Mexican dishes.*
el **bolillo** *(bread) roll*	el **refresco** *soft drink*	el **taco** ⎬ *See photographs*
la **carne** *meat, beef*	la **salsa** *sauce*	el **tamal** ⎪ *on p. 69.*
la **ensalada de col** *cole slaw*	el **té** *tea*	la **tortilla** ⎭
los **frijoles refritos** *refried beans*	el **tocino** *bacon*	
el **guacamole** *avocado dip*		de la **estación** *in season*

2–13

el **centro** *downtown*	la **naranja** *orange*	**te gusta(n)** *you (fam.) like*
la **clase** *type, kind*	el **pastel** *cake, pastry*	**le gusta(n)** *he/she likes*
la **comida** *dinner, meal*	el **postre** *dessert*	**no le gusta(n)** *he/she doesn't*
la **cosa** *thing*	la **sandía** *watermelon*	*like*
el **domingo** *Sunday*	la **toronja** *grapefruit*	**a Homero le gusta(n)** *Homero*
los **dulces** *candy, sweets*		*likes*
el **flan** *baked custard*	**comer** *to eat*	
la **fresa** *strawberry*	**comemos** *we eat*	**conmigo** *with me*
la **fruta** *fruit*	**comprar** *to buy*	**contigo** *with you (fam.)*
el **helado** *ice cream*	**gustar:**	
la **manzana** *apple*	**me gusta(n)** *I like*	**debes ir** *you should go*
el **melón** *melon*	**me gustan todos** *I like them*	**¿para qué?** *what for?*
	all	**¡qué divertido!** *what fun!*

14–27

el **batido** *milkshake*	el **cereal** *cereal*	**beber** *to drink*
la **carta** *menu*	la **cuchara** *spoon*	**deber + inf.** *ought to + inf.*
la **comida** *food*	la **cucharita** *teaspoon*	**dejar** *to leave*
la **cuenta** *check, bill*	el **cuchillo** *knife*	**entrar** *to go in, enter*
el **chocolate** *chocolate*	el **desayuno** *breakfast*	**pagar** *to pay*
la **hamburguesa** *hamburger*	el **jugo** *juice*	**ponemos** *we set, put*
la **leche** *milk*	la **mantequilla** *butter*	**quiere** *(he) wants*
la **limonada** *lemonade*	la **mostaza** *mustard*	**quieren** *you (pl.) want*
la **mesa** *table*	el **pan** *bread*	**quieres** *you (fam.) want*
la **mesera, -o** *waitress, waiter*	la **pimienta** *(black) pepper*	**vender** *to sell*
las **papas fritas** *French fries*	el **plato** *dish, plate*	**ver** *to see*
el **perro caliente** *hot dog*	el **platillo** *small plate, saucer*	
la **propina** *tip*	la **sal** *salt*	**delicioso, -a** *delicious*
el **restaurante** *restaurant*	la **servilleta** *napkin*	**donde** *where*
el **vaso** *glass (for drinking)*	la **sopa** *soup*	**hondo, -a** *deep*
	la **taza** *cup*	**llano, -a** *shallow*
el **agua** (f.) *water*	el **tenedor** *fork*	
el **almuerzo** *lunch*		**por fin** *finally*
el **azúcar** (f.) *sugar*	**algo** *something*	**hacen la boca agua** *make the*
el **catchup** *ketchup*	**nada** *anything, nothing*	*mouth water*
la **cena** *supper, dinner*	**que** *that, which*	**tener hambre** *to be hungry*
		tener razón *to be right*
		tener sed *to be thirsty*

28–40

la **abuelita, -o** *grandma, grandpa*	la **lechuga** *lettuce*	**querer** *to want*
los **padres** *parents*	el **mole** *Mexican stew*	
	el **pescado** *fish*	**mayor** *older*
el **arroz** *rice*	el **queso** *cheese*	**su/sus** *their*
la **ensalada** *salad*	el **sandwich** *sandwich*	
las **espinacas** *spinach*	el **tomate** *tomato*	
el **huevo** *egg*	el **vegetal** *vegetable*	**sin** *without*
el **jamón** *ham*	la **zanahoria** *carrot*	**¡cállate!** *shut up!*

Los muchachos y las muchachas que viven en Hispanoamérica y en España pasan sus ratos libres de diferentes modos. Casi todos practican un deporte, pero también hay otros juegos y otras actividades. En el Caribe, por ejemplo, el dominó y las cartas son muy populares. En México, muchachos y muchachas a menudo juegan monopolio®; es un juego muy entretenido. Muchos chicos dividen su tiempo entre dos juegos de mesa: el ajedrez y las damas. Algunos deciden pasar el día en el cine o en un museo, mientras que otros leen o coleccionan diferentes cosas. ¡No hay pasatiempo aburrido!

2 Contesten las preguntas.

1. ¿Cómo pasan los muchachos y las muchachas sus ratos libres?
2. ¿Qué practican casi todos?
3. ¿Dónde es el dominó muy popular?
4. ¿Es el monopolio muy aburrido?
5. ¿Entre qué dividen muchos su tiempo?
6. ¿Qué deciden algunos?
7. ¿Y otros?

3 ¿Y tú?

1. ¿Dónde viven tus amigos?
2. ¿Te gusta el ajedrez? ¿Y el dominó?
3. ¿Cómo pasan tus amigos el día?
4. ¿Lees mucho?
5. ¿Qué te gustan más, los juegos de mesa o los deportes?

4 PRÁCTICA ORAL ⊗

5 el verbo jugar

Jugar, *to play,* is the only verb that changes the **u** of its stem to **ue.** All present-tense forms make this change except the **nosotros (-as)** form. The following chart shows the forms of **jugar** in the present.

Juego	dominó.	**Jugamos**	dominó.
Juegas	cartas.		
Juega	ajedrez.	**Juegan**	un juego de mesa.

6 Una muchacha pregunta a un muchacho. ⊗

¿Juega ella ajedrez bien?
¿Jugamos Lupe y yo dominó bien?
¿Juegan ellos monopolio bien?
¿Juegas cartas bien?

No, ella juega muy mal.

7 ¿Quieren jugar? ⊗

¿Quiere Lupe jugar dominó?
¿Quieren Uds. jugar cartas?
¿Quieres jugar monopolio?
¿Quiere Paco jugar damas?

Sí, ella juega a menudo.

8 Y tú, ¿qué juegas?

1. ¿Te gustan los juegos de mesa?
2. ¿Cuál es tu juego favorito?
3. ¿Es un juego muy popular?
4. ¿Con quién juegas?
5. ¿Juegas bien o mal?
6. ¿Qué más te gusta jugar?

9 EJERCICIO ESCRITO

Write out your answers to the questions in Exercise 8.

10 Otras actividades de nuestros amigos ⊗

¿Qué le gusta a Paco?

A él le gusta escuchar discos, a veces todo el día.

¿A él le gusta patinar?

No, no le gusta. Cree que es muy difícil.

¿Qué le gusta a Lupe?

A ella le gusta mirar la televisión. Dice que es muy divertido.

¿Qué más le gusta a ella?

También le gusta montar a caballo. Es su pasatiempo favorito.

¿Qué te gusta a ti?

A mí me gusta leer las tiras cómicas.

¿Te gustan los rompecabezas?

No, no me gustan. Creo que son muy pesados.

11 Contesten las preguntas.

1. ¿Escucha Paco discos a menudo?
2. ¿Qué no le gusta a Paco? ¿Qué cree él?
3. ¿Le gusta a Lupe mirar la televisión o escuchar discos?
4. ¿Qué dice Lupe?
5. ¿Qué más le gusta a ella?
6. ¿Es su pasatiempo favorito?
7. ¿Te gustan los rompecabezas?

12 PRÁCTICA ORAL ⊗

13

Leisure-time activities tell us something about the culture and the people of a country. Looking at the favorite pastimes of our friends from Spain and Latin America, we discover that their leisure-time activities are not very different from ours. They play all-time favorites like parcheesi, checkers, chess, and Monopoly.® They enjoy listening to the latest hit songs—both from their own popular artists and ours. Going to the movies is done as frequently as is attending the many folk festivals and religious celebrations of the towns. However, one important factor must be pointed out—many leisure-time activities involve the entire family.

14 MORE ABOUT gustar

1. **A él, a ella, a usted:**
   In Unit 7 you saw that the preposition **a** is placed before the name of the person who likes something:

A Homero le gusta la sandía.	*Homero likes watermelon.*
A Marisa le gustan los postres.	*Marisa likes desserts.*

   Since **le gusta(n)** can mean *he likes, she likes,* or *you (polite) like,* it is sometimes necessary to use **a él, a ella,** or **a usted** with **le gusta(n)** for clarity:

A ella le gusta patinar.	*She likes to skate.*
A él no le gusta montar a caballo.	*He doesn't like to ride horseback.*
A usted le gustan los rompecabezas.	*You like jigsaw puzzles.*

2. **A mí, a ti:**
   In Unit 7 you also saw **me gusta(n)** — *I like* — and **te gusta(n)** — *you (familiar) like.* Sometimes, **a mí** is used with **me gusta(n)** and **a ti** with **te gusta(n)** for emphasis:

A mí no me gusta el ajedrez.	*I don't like chess.*
A ti te gusta ir al cine.	*You like to go to the movies.*

3. Position of **no** with **gustar:**
   Notice that in a negative sentence, the word **no** is placed immediately before **me gusta(n), te gusta(n),** or **le gusta(n):** A él **no le gustan** los rompecabezas.

15 ¿Le gusta? ⊗

¿Juega Alejandra ajedrez?	Sí, a ella le gusta mucho.
¿Monta a caballo Paco?	
¿Escuchas discos?	
¿A Pepe le gusta patinar?	
¿Quiere Ana jugar dominó?	

16 EJERCICIO ESCRITO

Complete the following sentences by supplying **a mí, a ti, a él,** *etc.*
A Lupe no le gusta jugar ajedrez. *A ella* le gusta montar a caballo.
A Paco no le gusta patinar. _____ le gusta escuchar discos.
Yo no quiero jugar monopolio. _____ me gusta jugar damas.
Tú no juegas dominó. _____ te gustan más los rompecabezas.
A Pepe no le gusta jugar. _____ le gusta estudiar.
Yo no quiero ir al cine. _____ me gusta ir al museo.

17 ¿Es aburrido o divertido? ⊗

A Homero no le gusta patinar.	Cree que es muy aburrido.
A ti te gusta mirar la televisión.	Crees que es muy divertido.
A mí no me gusta leer.	
A Marisa le gusta escuchar discos.	
A Toni le gusta montar a caballo.	
A ella no le gusta jugar monopolio.	

18 ¿Qué hacen Miguel y sus amigos en sus ratos libres? ⊗

1

Miguel vive en Popayán.

2

Él y sus amigos suben y bajan las cuestas de su ciudad.

Nosotros vivimos en Popayán, una ciudad de Colombia. Durante nuestros ratos libres hacemos diferentes cosas. A veces tomamos nuestras bicicletas y recorremos la ciudad. Vamos por aquí, vamos por allá, subimos cuestas, bajamos cuestas, y descubrimos lugares nuevos.

Otras veces decidimos jugar canicas. Unos juegan mal, otros juegan bien, pero nadie quiere perder, todo el mundo quiere ganar. A veces jugamos horas, pero siempre acabamos a tiempo para celebrar nuestro triunfo o nuestra derrota.

3

A veces ellos deciden jugar canicas. Todos quieren ganar.

19 Contesten las preguntas.

1. ¿Dónde vive Miguel?
2. ¿En qué país está Popayán?
3. ¿Qué hacen los chicos durante sus ratos libres?
4. ¿En qué recorren ellos la ciudad?

5. ¿Los chicos suben o bajan las cuestas?
6. Otras veces, ¿qué deciden jugar?
7. ¿Quién quiere perder? ¿Quién quiere ganar?
8. ¿Qué celebran los muchachos?

20 ¿Y tú?

1. ¿De dónde eres?
2. ¿Tienes muchos amigos? ¿De dónde son?
3. ¿Que hacen tus amigos en sus ratos libres?

4. ¿Tienen ellos bicicletas? ¿Y tú?
5. ¿Juegas canicas? Si no, ¿qué juegas?
6. ¿Te gusta perder o ganar?

21 PRÁCTICA ORAL ⊗

THE PRESENT OF -ir VERBS

In Unit 7 you studied the present of regular **-er** verbs. There is a third class of verbs whose infinitives end in **-ir.** The verb **vivir,** *to live,* belongs to this group. The chart below shows the present forms of **vivir.**

Vivo	en Hispanoamérica.	**Vivimos**	en Popayán.
Vives	en la ciudad.		
Vive	en los Estados Unidos.	**Viven**	aquí.

1. Verbs ending in **-ir** are like **-er** verbs except for the **nosotros (-as)** form, which ends in **-imos: vivimos.**

2. Other **-ir** verbs are **decidir,** *to decide;* **descubrir,** *to discover;* **dividir,** *to divide;* and **subir,** *to go up.*

23 Charada de los verbos *Verb charade* ⊗

PALABRAS ADICIONALES: adivinas: *you guess;* la trampa: *cheating*

Ahora ustedes juegan.

24 PRÁCTICA ORAL ⊗

25 ¿De dónde son? ¿Dónde viven? ⊗

Pepe es de España.   Él vive en España.
Ellos son de Puerto Rico.   Uds. son de Colombia.   Eres de los Estados Unidos.
Lupe es de México.

26 ¿Qué hacen en sus ratos libres? ⊗

Los muchachos suben las cuestas. ¿Y tú?   Subo las cuestas también.
Miguel y sus amigos descubren lugares nuevos. ¿Y Uds.?   Decides ir al cine. ¿Y él?

27 EJERCICIO DE COMPRENSIÓN ⊗

	0	1	2	3	4	5	6	7	8	9	10
-er *Verb*	√										
-ir *Verb*											

28   MORE POSSESSIVES

Lean los siguientes ejemplos. ⊗

Los chicos suben las cuestas de **su ciudad.**
Las chicas hacen mucho en **sus ratos libres.**

In the first sentence, what is the English equivalent of **su?** In the second sentence, what is
the meaning of **sus?** Why does **su** change to **sus?** What are the three other English equivalents
you know for **su** and **sus?**

Nuestro juego favorito es el monopolio.
Nuestra bicicleta es roja.
Nuestros triunfos son muchos.
Nuestras derrotas son pocas.

What is the English equivalent of the words **nuestro, nuestra, nuestros,** and **nuestras?** What
are the gender and number of the words **juego, bicicleta, triunfos,** and **derrotas?** Can you tell
why **nuestro (-a, -os, -as)** changes endings?

29 Lean el siguiente resumen.

The following chart shows all the possessives you have seen.

mi	mis	*my*	nuestro	nuestros ⎫	*our*
tu	**tus**	*your (familiar)*	**nuestra**	**nuestras** ⎭	
su	**sus**	⎰ *his, her* ⎱ *your (polite)*	**su**	**sus**	⎰ *your (plural)* ⎱ *their*

1. The possessives **mi/mis, tu/tus,** and **su/sus** agree <u>in number</u> with the noun that follows.
2. **Nuestro (-a, -os, -as)** agrees <u>in number and gender</u> with the noun that follows.
3. You have already seen that **su** and **sus** have the English equivalents *his, her,* and *your (polite).*
   Additional equivalents of **su** and **sus** are *your (plural)* and *their.*

30 ¿Cuál es tu pasatiempo favorito? ⊗

Voy al cine a menudo.
A Toni le gusta mirar la televisión.
Nosotras montamos a caballo.
Te gusta escuchar discos.
Lupe y Soledad quieren bailar.

Es mi pasatiempo favorito.

31 ¿Mis juegos favoritos? ⊗

Juego dominó y cartas.
Queremos jugar ajedrez o damas.
Miguel y sus amigos juegan canicas y cartas a menudo.
Te gustan el monopolio y el dominó.

Son mis juegos favoritos.

32 EJERCICIO ESCRITO

Supply the missing word, using **nuestro(s)** or **nuestra(s)**.
1. En _____ país hay muchas ciudades.
2. Popayán es _____ ciudad.
3. Aquí vivimos y pasamos _____ ratos libres.
4. Muchas veces pasamos el día en _____ bicicletas.
5. Pero _____ juego favorito es el ajedrez.
6. _____ amigos y _____ amigas juegan ajedrez bien.

33 EJERCICIO ESCRITO

Supply the missing word, using **su** or **sus**.
1. Las muchachas también hacen muchas cosas en _____ ratos libres.
2. Ellas pasan _____ día en _____ bicicletas.
3. O deciden jugar _____ juego favorito, las damas.
4. Otras veces van al cine de _____ ciudad.
5. Ellas y _____ amigos van mucho al cine.

34 EJERCICIO DE CONVERSACIÓN

1. ¿Juegas dominó? ¿Y ajedrez?
2. ¿Cuáles juegos de mesa te gustan?
3. ¿A ti te gusta patinar? ¿Ir al cine?
4. A tu amigo(-a), ¿le gusta mirar la televisión?
5. ¿Son divertidos los rompecabezas?
6. ¿En qué país vives?
7. ¿Dónde viven tus amigos?
8. ¿Entre qué pasatiempos dividen su tiempo tus amigos?
9. ¿Te gusta descubrir lugares nuevos?
10. ¿Cuál es el pasatiempo favorito de tus hermanos? ¿Y de tus compañeros?

35 EJERCICIO DE COMPOSICIÓN

Write six or seven sentences about what you like to do with your free time. What table games do you like? Do you like to read? watch TV? ride your bike? Do you think puzzles are fun? What about listening to records? What do you find boring?

36 Fernando habla de sus "hobbies." ⊚

Muchos chicos pasan sus ratos libres de diferentes maneras: juegan dominó, hacen crucigramas° o practican deportes. Pero hay también otro tipo° de actividad—los "hobbies." Por ejemplo, un tipo de "hobby" muy popular es las colecciones. Yo tengo una colección de insectos: arañas°, mariposas°, mosquitos, abejas°, y muchos más. Constanza, mi hermana, cree que yo estoy un poco loco porque hablo solamente de mi colección. A ella le gustan las mariposas. Le gustan mucho porque son de colores diferentes y muy bonitas, pero siempre dice que las arañas son horribles.

el crucigrama: *crossword puzzle*
el tipo: *type*

la araña: *spider*
la mariposa: *butterfly*
la abeja: *bee*

Muchos hacen colecciones de estampillas°: estampillas de un país, de varios países, o de todas partes del mundo°. Otros coleccionan monedas°, platos, relojes viejos°—cualquier cosa° imaginable. Por ejemplo, tengo una amiga que tiene una colección de cucharas.

Yo también colecciono instrumentos musicales. No sólo° colecciono, sino° también toco° algunos de estos instrumentos. Muy curioso, ¿no? Tengo un acordeón, una flauta°, un violín, guitarras, un clarinete, un saxofón, un trombón, una trompeta y una marimba. Para mí los "hobbies" son la mejor° manera de pasar los ratos libres.

la estampilla: *stamp*
el mundo: *world*
la moneda: *coin*
viejo, -a: *old*
cualquier cosa: *anything*

sólo: *only*
sino: *but*
toco: *I play*
la flauta: *flute*

la mejor: *the best*

VOCABULARIO

1–9

la **actividad** *activity*
el **ajedrez** *chess*
el **Caribe** *the Caribbean*
las **cartas** *playing cards*
el **cine** *movie*
las **damas** *checkers*
el **deporte** *sport*
el **dominó** *dominoes*
Hispanoamérica *Spanish America*
el **juego** *game*
el **juego de mesa** *table game*
el **modo** *way*
el **monopolio** *Monopoly (game)*
la **muchacha** *girl*
el **muchacho** *boy*
el **museo** *museum*
el **pasatiempo** *pastime*
el **rato** *while, short period of time*
los **ratos libres** *free time*
el **tiempo** *time*

coleccionar *to collect*
deciden *(they) decide*
dividen *(they) divide*
hay *there are, there is*
jugar *to play*
leer *to read*
pasar *to spend (time)*
viven *(they) live*

diferente *different*
entretenido, -a *amusing*
libre *free*
popular *popular*

casi *almost*
entre *between, among*
mientras (que) *while*
que *who*

a menudo *often*
por ejemplo *for example*

10–17

el **disco** *record*
el **rompecabezas** *jigsaw puzzle*
la **televisión** *television*
las **tiras cómicas** *comic strips*

creer *to think, to believe*
creer que... *to think that...*
dice *he says*
dice que... *he says that...*
escuchar *to listen to*
gustar:
a él le gusta(n) *he likes*
a ella le gusta(n) *she likes*
a mí me gusta(n) *I like*
patinar *to skate*
montar a caballo *to ride horseback*

divertido, -a *fun, amusing*
pesado, -a *boring, dull*

a veces *sometimes*
todo el día *all day long*

18–35

la **bicicleta** *bicycle, bike*
la **canica** *marble*
la **cuesta** *hill*
la **derrota** *defeat*
la **hora** *hour*
el **lugar** *place*
el **triunfo** *triumph*

nadie *no one, nobody*
todo el mundo *everyone*
unos, -as *some*

acabar *to finish*
bajar *to go down*
celebrar *to celebrate*
decidir *to decide*
descubrir *to discover*
dividir *to divide*
ganar *to win*
hacemos *we do*
hacen *(they) do*
perder *to lose*
recorrer *to go through*
subir *to go up*
vivir *to live*

durante *during*

otras veces *other times*
por allá *through there*
por aquí *through here*

DEPORTES

1 Javier habla de las estaciones. ⊗

El verano y el invierno en Pamplona son como el día y la noche. Durante el verano hace mucho calor y las montañas están verdes y llenas de árboles y plantas de todas clases. Vienen muchachos de muchas partes de España para hacer caminatas aquí. Muchos practican sus deportes favoritos: nadar, jugar fútbol, tenis o vólibol; en fin, una variedad de cosas.

Pero en el otoño las hojas caen de los árboles y las plantas poco a poco cambian su color. En el invierno las mismas montañas están blancas, blancas de nieve y hace mucho frío. ¿Qué hacemos entonces?

Bueno, cada uno hace lo que quiere, pero yo hago lo que más me gusta, esquiar. Cuando llega el invierno las montañas están llenas de esquiadores como yo. Algunos vienen con sus toboganes o patines de hielo y practican sus deportes de invierno hasta la primavera.

2 Contesten las preguntas.

1. ¿Cómo son el verano y el invierno en Pamplona?
2. ¿En qué país está Pamplona?
3. ¿Cómo están las montañas durante el verano?
4. ¿Hace frío o hace calor en el verano?

5. ¿Cuáles son algunos de los deportes que practican los muchachos?
6. ¿Cuándo caen las hojas de los árboles?
7. ¿Hace frío o hace calor en el invierno?
8. ¿Qué le gusta a nuestro amigo, Javier?
9. ¿Con qué vienen algunos a Pamplona?

3 ¿Y tú?

1. ¿Cómo es el verano en tu ciudad? ¿Hace calor?
2. ¿Te gusta hacer caminatas durante el verano?

3. ¿Qué te gusta más, nadar o jugar tenis?
4. ¿Qué deporte practicas durante el invierno?

4 PRÁCTICA ORAL ⊛

5 El tiempo y los deportes ⊛

¿Cómo está el día?

Hace sol y hace mucho calor, pero es un día ideal para esquiar en tabla.

¿Cómo está el tiempo?

Hace viento y llueve—perfecto para jugar ping-pong.

¿Cómo está la temperatura?

Hace frío—está estupenda para patinar en hielo.

¿Hace mal tiempo?

No, al contrario, hace buen tiempo para jugar béisbol o correr.

6 ¿Cómo está el tiempo hoy?

1. ¿Cómo está el día hoy?
2. ¿Para qué está ideal el día?
3. ¿Está perfecto el día para montar a caballo?
4. ¿Llueve hoy?
5. ¿Está estupenda la temperatura para nadar?
6. ¿Te gusta nadar cuando hace frío?

7 PRÁCTICA ORAL ⊗

8 el verbo hacer

Lean los siguientes ejemplos. ⊗

Yo **hago** lo que más me gusta, esquiar.   ¿Qué **hacemos** ahora?
Ella **hace** lo que quiere.   Los muchachos **hacen** muchas cosas.

What English equivalents do the verb forms **hago, hace, hacemos,** and **hacen** have?

Hace mal tiempo.   **Hace** mucho frío.
Hace mucho viento.   **Hace** calor.

What are the English equivalents of these four sentences? What does **hace** mean in the first sentence? and in the other sentences?

9 Lean el siguiente resumen.

The verb **hacer,** *to do, to make,* is an irregular verb. The following chart shows the present tense of **hacer.**

Hago	lo que quiero.	**Hacemos**	todo bien.
Haces	todo en un día.		
Hace	planes.	**Hacen**	muchos planes.

Notice that the endings are the same as those of regular **-er** verbs in all forms except the **yo** form, which is **hago.**

hacer *in weather expressions*					
Hace	buen tiempo.	*It's nice out.*	**Hace**	mal tiempo.	*The weather is bad.*
Hace	mucho calor.	*It's very hot.*	**Hace**	mucho frío.	*It's very cold.*
Hace	sol.	*It's sunny.*	**Hace**	viento.	*It's windy.*

1. To talk about the weather, a number of Spanish expressions use the **hace** form of the verb **hacer.**

2. **Mucho** used in certain weather expressions means "very."

10 Hacemos lo que queremos. ⊗

¿Qué hace Javier en el invierno?   Hace lo que quiere.
¿Y tú?   ¿Y Lupe y Rosita?   ¿Y ustedes?   ¿Y yo?   ¿Y nosotros?

11 ¿Qué quiere hacer Toni?

Si hace sol...
pero si llueve...
y si hace mucho calor...
Ahora, si hace buen tiempo...
mientras que si hace frío...
Si hace mal tiempo...

Toni quiere esquiar en tabla.
Toni quiere...

Toni no quiere hacer nada.

12 EJERCICIO ESCRITO

Write the following sentences, providing a weather expression and an appropriate form of **gustar.**
Si *hace viento*, a él *le gusta* jugar fútbol.
1. Si _____ tiempo, a mí _____ jugar tenis.   2. Si _____ y hay nieve, a Javier _____ esquiar.   3. Ahora, si _____, a ti _____ nadar o esquiar en tabla.   4. Si _____ y llueve, a ella _____ jugar ping-pong.   5. Si _____ tiempo, a mí no _____ hacer nada.

13

On the opening page of this unit, you can see the sports symbols used for the Olympic games that were held in Mexico City in 1968. These symbols represent the great variety of sports activities engaged in by young people everywhere.

Soccer is the most popular sport in Spain and Latin America. Whether it is played between neighborhood teams or on the international level for the World Cup, soccer draws the most enthusiastic response from both players and spectators.

Skiing attracts many to the mountains of Spain, Chile, and Argentina. Swimming is the favorite pastime of others, either in pools like the Olympic one of the University of Mexico or in just any local river. Tennis, also, is very popular. Many world tennis champions have come from the courts of Spain and Latin America.

In more recent years, such United States favorites as baseball and basketball have become very popular, especially in the area of the Caribbean.

14 Un juego de correspondencia   *A matching game*

Can you match the names of these Olympic sports with the corresponding symbols below?
BÁSQUETBOL   FÚTBOL   PESAS   NATACIÓN   PISTA   EQUITACIÓN
CICLISMO   GIMNASIA   HOCKEY   VELA   VÓLIBOL   LUCHA

PALABRAS ADICIONALES: ciclismo: *cycling;* gimnasia: *gymnastics;* pesas: *weight lifting;* natación: *swimming;* vela: *sailing;* pista: *track;* equitación: *horseback riding;* lucha: *wrestling.*

15 El juego de básquetbol de Tito ⊗

A mis amigos y a mí nos gusta mucho jugar básquetbol. Todas las tardes vamos al gimnasio de la escuela y dividimos el grupo en dos equipos — los CON-CAMISAS contra los SIN-CAMISAS. Tenemos el balón, las canastas y el ánimo de competencia, combinación perfecta para un partido animado.

¡Listos! Adelante con el juego.

Corremos de lado a lado. ¡Cuidado! grita mi amigo, Ricky. Pero yo estoy listo y los adversarios no agarran el balón. A ellos no les gusta mi defensa.

De pronto, los SIN-CAMISAS corren con el balón. Llegan a la canasta sin oposición y tiran el balón. ¡Fuera! ¡Fuera! gritamos nosotros. ¡Dentro! gritan ellos. ¡Trampa! gritan los espectadores. Pero... ¿qué pasa? ¡Faul! grita el árbitro. ¡No escor! A los SIN-CAMISAS no les gusta la decisión.

1

2

3

4

5

16 Contesten las preguntas.

1. ¿Qué juegan Tito y sus amigos?
2. ¿Adónde van todas las tardes?
3. ¿Qué hacen con el grupo?
4. ¿Cuáles son los dos equipos?
5. ¿Qué tienen para el partido?
6. ¿Qué grita Ricky?
7. ¿Los adversarios agarran el balón? ¿Por qué no?
8. De pronto, ¿quiénes corren con el balón?
9. ¿Qué gritan los CON-CAMISAS? ¿Y los SIN-CAMISAS? ¿Y el árbitro?

17 ¿Y tú?

1. ¿Hay un equipo de básquetbol en tu escuela?
2. ¿Cómo se llama el equipo?
3. ¿Contra quiénes juegan ellos?
4. ¿Vas a los partidos a menudo?
5. ¿Son aburridos o animados?

18 PRÁCTICA ORAL ⊗

19 ¿Qué necesitamos para jugar? ⊙

A nosotros nos gusta jugar béisbol. Necesitamos…

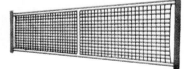  

una pelota de béisbol,   un guante   y un bate.

A ustedes les gusta jugar tenis, pero primero necesitan…

 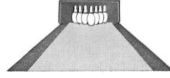 

raquetas,   la red   y zapatos de tenis.

A ellos les gusta jugar bolos y necesitan…

 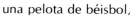

zapatos especiales,   una bolera   y bolas.

20 PRÁCTICA ORAL ⊙

21

STILL MORE ABOUT gustar

Lean los siguientes ejemplos. ⊙

> **Nos gusta** el fútbol.
> **Nos gustan** los deportes.

What words are used to express *we like* in these two sentences? Why is **gusta** used in the first sentence and **gustan** in the second?

> **Les gusta** el tenis.
> **Les gustan** los deportes.

What words are used to express *they like* or *you (pl.) like* in these two sentences? Why is **gusta** used in the first sentence and **gustan** in the second?

> **A nosotros nos gusta** jugar.

What does this sentence mean? Do you think you need **a nosotros?** Why do you think it is there?

> **A ellos les gusta** el ping-pong.
> **A ellas les gustan** todos los deportes.
> **A ustedes les gusta** esquiar en tabla.

What do these three sentences mean? Why are **a ellos, a ellas,** and **a ustedes** used with **les gusta(n)?**

Deportes   91

22 Lean el siguiente resumen.

In Units 7 and 8 you learned how to talk about one person liking something. The following chart shows how to use **gustar** when you talk about more than one person.

(A nosotros, -as) (A ellos) (A ellas) (A Uds.)	**nos gusta** **les gusta**	el tenis. el fútbol.	(A nosotros, -as) (A ellos) (A ellas) (A Uds.)	**nos gustan** **les gustan**	los deportes. los partidos.

1. Once again, only two forms of **gustar** are used:
   a. **gusta,** when the thing liked is singular.   **Nos gusta el tenis.**
   b. **gustan,** when the thing liked is plural.   **Nos gustan los deportes.**

2. **Nos** and **les** indicate who is doing the liking.
   Nos gusta(n) = we like, **les gusta(n)** = they (m. or f.) like or you (pl.) like.

3. **A nosotros, -as** is sometimes used with **nos gusta(n)** for emphasis.
   A nosotros nos gusta el tenis.   We like tennis.

4. Since **les gusta(n)** can be equivalent to either they like or you (pl.) like, **a ellos, a ellas,** or **a ustedes** are sometimes needed with **les gusta(n)** for clarity.

5. The preposition **a** is always placed before the word that indicates who or what is doing the liking: **A Tito y a Ricky les gusta el básquetbol. A nosotros nos gusta el tenis.**

23 ¿Qué les gusta? ⊗

¿A ustedes les gusta el tenis?
¿Y los partidos animados?
¿Y el básquetbol?
¿Y los deportes de invierno?
¿Y jugar bolos?
¿Y el béisbol?

¿El tenis? Sí, nos gusta mucho.

24 ¿Qué deportes les gustan a ellos?

Answer the following questions, filling in the blank with an appropriate sport.
A ellos les gusta nadar. ¿Y a ellas?   A ellas les gusta _____.
A ellas les gusta hacer caminatas. ¿Y a nosotros?
A nosotros nos gusta el béisbol. ¿Y a ellos?
A Tito y a Ricky les gusta el básquetbol. ¿Y a ustedes?
A Javier y a sus amigos les gustan los deportes de invierno. ¿Y a ellas?

25 EJERCICIO ESCRITO

Write down your answers to Exercise 24.

26

T A T O   Y   L O L A ⊗

27 **PRÁCTICA ORAL** ⊗

28

el verbo perder

The verb **perder,** *to lose,* is conjugated like the verb **querer.** The **e** of the infinitive stem changes to **ie** in all the forms except the **nosotros** form.

Pierdo	el partido.	Perdemos	todos los juegos.
Pierdes	un juego.		
Pierde	el balón.	Pierden	los zapatos.

29 **¿Por qué no les gusta?** ⊗

A Paco no le gusta el tenis…   porque siempre pierde.
A ellos no les gusta el béisbol…
A mí no me gusta el fútbol…
A Lupe no le gusta el ping-pong…
A Uds. no les gusta el vólibol…
A nosotros no nos gustan los bolos…

30 **¿Qué necesitan para jugar?**

Para jugar vólibol…   Necesitamos un balón y una red.
Para jugar bolos…
Para jugar tenis…
Para jugar béisbol…
Para jugar básquetbol…

31 EJERCICIO DE CONVERSACIÓN

1. ¿Cómo es el verano donde tú vives? ¿Y las otras estaciones?
2. ¿Qué deportes practicas durante el verano? ¿Y durante las otras estaciones?
3. ¿Cuál es tu deporte favorito?
4. ¿Qué te gusta jugar si hace sol? ¿Y si llueve?
5. ¿Qué haces cuando hace mal tiempo?
6. ¿Qué cosas necesitas para practicar tu deporte favorito?
7. En tu escuela, ¿hay equipos de básquetbol, de béisbol y de fútbol?
8. ¿Juegas en un equipo? ¿Cómo se llama el equipo?
9. Tu equipo, ¿gana o pierde a menudo?
10. ¿A ti te gusta cuando pierde?

32 EJERCICIO DE COMPOSICIÓN

Write your answers to Exercise 31.

33 Los deportes y el inglés ⊗

La mayoría° de los deportes que jugamos en los Estados Unidos son los mismos que juegan nuestros amigos en Hispanoamérica y en España. Muchos deportes son de origen americano o inglés y los nombres en español son iguales° o casi iguales al inglés. Por ejemplo, fútbol, tenis, golf, béisbol, polo, vólibol, básquetbol, son todos deportes muy populares en los países hispanos.° Con la excepción de golf y de polo, los nombres de los demás° deportes son un poco diferentes al inglés, pero la pronunciación es más o menos° igual. ¿Cuáles son las palabras en inglés que corresponden° a béisbol, básquetbol, vólibol, tenis y fútbol? Es muy fácil, ¿no?

la mayoría: *majority*

iguales (al): *the same (as)*

hispano,-a: *Hispanic*
los demás: *the rest of*
menos: *less*
corresponden: *correspond*

5

6

Es necesario hacer una aclaración° sobre el fútbol. Fútbol es el nombre del° deporte que juegan en Hispanoamérica y Europa. En español, el fútbol que jugamos en los Estados Unidos se llama fútbol americano.

    la aclaración: *clarification*
    del: *of the*

Muchas de las palabras que usan los jugadores° son también tomadas° del inglés. Vamos a escuchar una conversación sobre béisbol entre Ana y Patricia:

    el jugador,-a: *player*
    tomado,-a: *taken*

| Patricia | ¿Quiénes son los miembros° del equipo? |

    el miembro: *member*

| ANA | Los tres filders son Yolanda, Blanca y Nilda. El shorestop es Lucecita. Las tres bases son: primera, Carmen; segunda°, Evita; tercera°, Delia. El cácher es Bárbara. |

    segunda: *second;* tercera:
      third

PATRICIA	Y el pícher, ¿quién es?
ANA	Yo.
PATRICIA	Y yo, ¿no juego?
ANA	Claro. Tú eres el batboy.

Ahora una conversación entre los espectadores durante un campeonato° nacional de tenis:

    el campeonato: *championship*

UNO	¿Cuál es el escor?
OTRO	Uno a uno en sets. Ahora los juegos están 6 a 5 a° favor de la chilena.° ¡Uf! Doble falta° de la peruana.° Match point.
OTRA	¡SHH! ¡Silencio!

    a: *in*
    chileno,-a: *Chilean;* doble falta:
      double fault; peruano, -a:
      Peruvian

34 EJERCICIO DE COMPRENSIÓN ⊗

	0	1	2	3	4	5	6	7	8
inglés									
español	√								

1–14

el **árbol**   tree
el **béisbol**   baseball
el **deporte**   sport
el **esquiador, -a**   skier
la **estación**   season
el **fútbol**   soccer
el **hielo**   ice
la **hoja**   leaf (tree)
el **invierno**   winter
la **montaña**   mountain
la **nieve**   snow
la **noche**   night
el **otoño**   autumn
la **parte**   part
el **patín**   skate
el **patín de hielo**   ice skate
el **ping-pong**   Ping-Pong
la **planta**   plant
la **primavera**   spring
la **temperatura**   temperature
el **tenis**   tennis
el **tiempo**   weather
el **tobogán**   toboggan
la **variedad**   variety
el **verano**   summer
el **vólibol**   volleyball

caer   to fall
cambiar   to change
correr   to run
esquiar   to ski
esquiar en tabla   to surf
hacer   to do; to make
hacer caminatas   to go hiking
llueve   it's raining
nadar   to swim, (swimming)
patinar en hielo   to ice-skate
practicar   to play (sports)
vienen   (they) come

estupendo, -a   fantastic
ideal   ideal
lleno, -a   full
mismo, -a   same
perfecto, -a   perfect

hace buen tiempo   it's nice out
hace mal tiempo   the weather is bad
hace (mucho) calor   it's (very) hot
hace (mucho) frío   it's (very) cold
hace sol   it's sunny
hace viento   it's windy

al contrario   on the contrary
cada   each
como   like
de   with
en fin   in short
hasta   until
lo que   what, whatever
lo que más me gusta   what I like best
poco a poco   little by little

15–32

el **adversario, -a**   opponent
el **ánimo**   spirit
el **árbitro, -a**   referee
el **balón**   ball (for basketball, volleyball, soccer)
el **básquetbol**   basketball (game)
el **bate**   baseball bat
la **bola**   ball (bowling ball)
la **bolera**   bowling alley
los **bolos**   bowling (game)
la **canasta**   basket
la **combinación**   combination
la **competencia**   competition
la **decisión**   decision
la **defensa**   defense
el **equipo**   team
el **escor**   score
el **espectador, -a**   spectator
el **gimnasio**   gymnasium
el **grupo**   group
el **guante**   (baseball) glove
el **lado**   side
la **oposición**   opposition
el **partido**   game
la **pelota**   ball (baseball, etc.)
la **raqueta**   racquet
la **red**   net

agarrar   to grab
gritar   to shout
gustar:
  (a nosotros) nos gusta   we like
  (a ellos) les gusta   they like
  (a ustedes) les gusta   you (pl.) like
llorar   to cry
tirar   to shoot, to throw

animado, -a   exciting
especial   special
listo, -a   ready

adelante   let's get on
Así es la vida.   That's life.
¡cuidado!   careful! watch out!
¡dentro!   it's in!
¡faul!   foul!
¡fuera!   it's out!
¿qué pasa?   what's happening? what's the matter?
¡trampa!   they're cheating!

contra   against
siempre que   whenever

1 Dos puertorriqueños en Nueva York ⊗

Suena la campana y los muchachos salen alegremente del colegio. Es viernes y todos hablan del fin de semana. "Voy a dormir todo el *weekend*" dice uno. "¡Yo no! Mis amigos y yo vamos a trabajar en la bodega de mi papá," grita otro. Todos tienen diferentes planes. Pero Toni Medina y su primo, Roberto Mercado, van a ir al zoológico del Bronx. Roberto es de Puerto Rico, pero ahora vive con sus tíos y estudia en Nueva York.

TONI	Vente, *Robert*, avanza. Mañana vamos a ir al *Bronx Zoo*. Está cerca y te va a gustar mucho.
ROBERTO	¿Y cómo vamos a ir?
TONI	En tren.
ROBERTO	¡Entonces no está cerca!
TONI	Bueno, si caminamos está lejos, pero en tren es un brinco.
ROBERTO	Oye — ¿y hay elefantes?
TONI	¡Vas a ver! Hay de todo. Hay elefantes, jirafas, tigres, leones — animales del mundo entero.

2 Contesten las preguntas.

1. ¿Qué pasa cuando la campana suena?
2. ¿Qué día es? ¿De qué hablan?
3. ¿Qué dice uno? ¿Qué grita otro?
4. ¿Cómo se llama el primo de Toni Medina?
5. ¿De dónde es el primo?

6. ¿Adónde van a ir los dos mañana?
7. ¿Cómo van a ir?
8. ¿Está lejos o cerca el zoológico?
9. ¿Qué clase de animales hay en el zoológico?
10. ¿De dónde son los animales?

3 ¿Y tú?

1. ¿A ti te gusta el fin de semana?
2. ¿Qué haces durante el fin de semana?
3. ¿Donde tú vives hay un zoológico?

4. ¿Vas al zoológico a menudo?
5. ¿Cuáles son algunos de tus animales favoritos?

4 PRÁCTICA ORAL ⊗

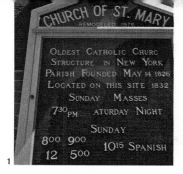

5 *New York City has a large Puerto Rican population. Many of them are like Toni and his class-mates, who were born in New York of Puerto Rican parents. Others, like his cousin Roberto, were born in Puerto Rico and came to the United States to learn English.*

6

EXPRESSING FUTURE TIME

Lean los siguientes ejemplos. ⊗

Hablo con ella.   **Hablo** con ella **más tarde.**

What is the meaning of the first sentence? and of the second? Does the verb in the first sentence express action in the present or in the future? and in the second sentence? Is there any difference between the two verb forms?

Mañana vamos al zoológico.   **Mañana vamos a ir** al zoológico.

What is the meaning of the first sentence? and of the second? Do both sentences express action in the future?

Voy a dormir.   Vamos a trabajar.
Vas a ver.   Van a ir en tren.

What does each of these sentences mean? Do they all refer to future time? **Voy, vas, vamos,** and **van** are forms of what verb? Are **trabajar** and **ver** infinitives?

7 ## Lean el siguiente resumen.

1. In most of the sentences you have seen, the action is in the present time. The verb forms used are in the *present tense.*

Roberto **habla** con Toni.   *Roberto talks with Toni.*
Roberto is talking with Toni.

2. The following may be used to express future time:
   a. A verb form in the present tense. One or more words may be used to specify future time: **mañana, más tarde, en una hora,** etc.
      Mañana trabajamos con mi papá.   *Tomorrow we will work with my father.*
      Van al zoológico **más tarde.**   *They will go to the zoo later.*
   b. A present form of **ir** followed by the preposition **a** and the *infinitive* of the main verb.

Voy a caminar	al zoológico.	**Vamos a ir**	en tren.
Vas a dormir	bien.		
Va a ver	los animales.	**Van a trabajar**	mañana.

3. In a negative sentence, the position of **no** is immediately before **ir.**
   Tú **no vas** a dormir.   *You're not going to sleep.*

Un fin de semana   99

8 ¿Qué van a hacer el fin de semana? ⊗

¿Qué vas a hacer? ¿Trabajar?   Sí, voy a trabajar.
¿Qué vamos a hacer? ¿Caminar?
¿Qué va a hacer él? ¿Dormir?
¿Qué voy a hacer? ¿Esperar?
¿Qué van a hacer Uds.? ¿Jugar?
¿Qué va a hacer ella? ¿Estudiar?

9 EJERCICIO ESCRITO

Write out the answers to Exercise 8.

10 THE CONTRACTION del

The word **del** is a contraction of the preposition **de** and the definite article **el**. **De** and **el** always contract when they come together in a sentence.

$$de + el = del$$

Roberto es el primo **del** muchacho de Nueva York.
Los chicos hablan **del** fin de semana.
El libro es **del** maestro.

The preposition **de** does not contract with the other three forms of the definite article —**la, las, los** — nor with the pronoun **él**: El libro es **de él**.

11 EJERCICIO ESCRITO

¿Del o de él?
1. Roberto vive en la casa ＿＿＿ primo.
2. Los muchachos hablan ＿＿＿ fin de semana.
3. El zoológico está cerca de la casa ＿＿＿.
4. Los dos primos van ＿＿＿ tren a su casa.
5. Él se llama Toni. El libro es ＿＿＿.
6. Los chicos salen ＿＿＿ colegio a las tres.

12 EJERCICIO DE COMPRENSIÓN ⊗

	0	1	2	3	4	5	6	7	8	9	10
presente											
futuro	√										

13 ¿Por qué caminas? ⊗

Camino al tren.   Porque vivo cerca del tren.
Camino a la bodega.   Porque vivo cerca de la bodega.
Camino al zoológico.   Camino a la escuela.   Camino al centro.   Camino al gimnasio.
Camino al restaurante.   Camino a la casa de mi primo.   Camino al colegio.   Camino al cine.   Camino al museo.

14 En el zoológico del Bronx ⊛

Roberto y Toni están decidiendo qué van a hacer. Roberto quiere ver una cosa y Toni otra. Hay tanto que ver. Toni está caminando delante de su primo y ve algo...

ROBERTO   Oye, Toni, ¿qué ves allí?

TONI   Un elefante. ¡Tiene una trompa muy grande! ¡Está bebiendo agua! ¿Y tú qué ves?

ROBERTO   Veo unas jirafas con cuellos muy largos. Están comiendo hojas. Y unas cebras de rayas blancas y negras. ¡Todas están comiendo hierba!... ¡MIRA!...

TONI   ¿Qué? ¿Dónde?

ROBERTO   ¡Detrás del árbol!

TONI   ¡No veo! ¡Ah! Los monos, ¿qué hacen?

ROBERTO   Están corriendo y gritando. Vente, vamos al teleférico. Desde allí vemos todo.

Y pronto los primos están subiendo en una cabina del teleférico. Desde allí ven unos pelícanos y también un avestruz. En otra parte ven unos venados y un león—el rey de la selva. Un tigre descansa en su jaula mientras que los dos muchachos ansiosamente brincan de lado a lado para poder ver todo.

TONI   ¡Cuidado! Vas a virar la cabina.

ROBERTO   Es que hay tanto que ver.

TONI   *Robert*, tengo una tremenda idea. ¿Por qué no compramos un *pet*?

15 Contesten las preguntas.

1. ¿Quién está caminando? ¿Qué ve?
2. ¿Qué hace el elefante?
3. ¿Qué ve Roberto? ¿Cómo son?
4. ¿Qué hay detrás del árbol?
5. ¿Adónde van los dos muchachos?
6. ¿Qué ven desde el teleférico?

16 PRÁCTICA ORAL ⊛

17   EXPRESSING ACTION THAT IS GOING ON

Lean los siguientes ejemplos. ☺

Toni **está caminando** delante de su primo.
Roberto y Toni **están hablando.**

What do these two sentences mean? Do they describe action that is going on right now? Which verb *to be* is used? Do you know why **está** is used in the first sentence and **están** in the second? What is the infinitive of **caminando?** and of **hablando?** Are these **-ar** verbs? Do both verb forms, as used here, end in **-ando?**

El elefante **está bebiendo** agua.   Roberto **está decidiendo** qué va a hacer.
Las cebras **están comiendo** hierba.   Los dos primos **están subiendo** en una cabina.

What does each of these sentences mean? What is the infinitive of **bebiendo?** and of **comiendo?** Are these two regular **-er** verbs? What is the infinitive of **decidiendo?** and of **subiendo?** Are these two regular **-ir** verbs? Do all four verbs end in **-iendo?**

18   Lean el siguiente resumen.

To express action which is going on at the moment of speaking, that is, right now, Spanish uses a present form of the verb **estar** — as a helping verb — followed by a form of a main verb called the *present participle.*

Estoy	hablando.	Estamos	hablando.
Estás	comiendo.		
Está	subiendo.	Están	comiendo.

1. The present participle form of **-ar** verbs consists of the verb stem plus **-ando.**
       hablando   caminando

2. The present participle form of **-er** and **-ir** verbs consists of the verb stem plus **-iendo.**
       comiendo   bebiendo   subiendo   viviendo

3. Notice that the helping verb, **estar,** changes to agree with the subject, but the present participle of the main verb remains the same.
   Toni **está** hablando.   Toni y Roberto **están** hablando.
   El elefante **está** comiendo.   Las cebras **están** comiendo.

19   ¿Qué están haciendo los animales? ☺

Las cebras beben agua.   Las cebras están bebiendo agua.
1. Los elefantes comen frutas.   4. Los venados brincan.
2. Los monos juegan.   5. El león descansa.
3. Las jirafas caminan.   6. El avestruz corre.

20   Un juego de correspondencia

Match the animals on the left with the activities on the right.

1. El elefante   1. está comiendo hojas.
2. Los monos   2. está descansando en su jaula.
3. La jirafa   3. está bebiendo agua.
4. El tigre   4. están brincando detrás del árbol.

21 el verbo ver

The following chart shows the present tense of the verb **ver**, *to see.*

Veo	los leones.	**Vemos**	las cebras.
Ves	el elefante.		
Ve	las jirafas.	**Ven**	el avestruz.

22 Van y ven.

Complete the following sentences, using a form of **ver** *and an animal you might see at the zoo.*

Toni y Roberto van al zoológico… y ven una jirafa.
Tú vas al zoológico… y ves…
Nosotros vamos al zoológico…
Ellas van al zoológico…
Tú y tus amigos van al zoológico…

23 ¿Qué animales ven?

Un animal con una trompa muy grande. Ven un elefante.
El rey de la selva. Ven un león.
Unos animales con cuellos muy largos.
Tienen rayas blancas y negras.
Como un gato, pero grande.
Brincan, gritan y suben árboles.

24 ¿Qué más ven? ⊗

Un oso dentro de una cueva,

una tortuga fuera del agua,

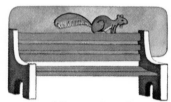

una ardilla arriba de una banca,

una llama debajo de un árbol,

una serpiente entre dos cactos

y un lobo al lado de una piedra.

25 PRÁCTICA ORAL ⊗

Al otro día, van a un *pet shop* del barrio, donde "SE HABLA ESPAÑOL." Hay de todo y los muchachos tienen que ver todo: perritos, gatitos, periquitos, ratoncitos…

TONI	¿RATONCITOS? ¿Dónde?
ROBERTO	¡Ahí! ¿No ves esos ratoncitos?
TONI	¡Pero no son ratoncitos, son hamsters!
ROBERTO	¿Sí? Me gustan. Vamos a comprar dos.
TONI	¡Oiga! Señor, ¿cuánto cuestan esos hamsters?
VENDEDOR	Seis dólares la pareja.
ROBERTO	¡Uf! Muy caro. También tenemos que comprar una jaula, comida…es mejor si compramos un hámster y así tenemos dinero para la jaula.

Ahora tiene que decidir qué hámster van a comprar.

TONI	Es tu idea, tú tienes que decidir.
ROBERTO	Está bien. Señor, ¿cuánto cuesta ese hámster?
VENDEDOR	Tres dólares.
ROBERTO	¿Y cuánto cuesta la jaula?
VENDEDOR	Con rueda de ejercicio y botella para el agua, ocho dólares.
ROBERTO	Toni, tú tienes el dinero ¿verdad?

27 **Contesten las preguntas.**

1. ¿Cuándo van al *pet shop*?
2. ¿A qué *pet shop* van?
3. ¿Qué tienen que ver?
4. ¿Hay ratoncitos? ¿Qué son?
5. ¿Por qué deciden comprar un hámster?
6. ¿Quién tiene que decidir? ¿Por qué?
7. ¿Cuánto cuestan el hámster y la jaula?
8. ¿Tiene Toni el dinero?

28 **¿Y tú?**

1. ¿Hay un *pet shop* en tu barrio?
2. ¿Qué clase de *pets* hay?
3. ¿Qué hablan en el *pet shop* de tu barrio?
4. ¿Cuáles son tus *pets* favoritos?

29 **PRÁCTICA ORAL** ⊗

30 # THE ENDINGS -ito AND -ita

In Spanish, several endings are added to nouns in order to indicate smallness, cuteness, or to express fondness and affection.

perrito	*small dog, dear dog*	**casita**	*small house, dear house*
muchachito	*small boy, dear boy*	**muchachita**	*small girl, dear girl*
muchachitos	*small boys, dear boys*	**muchachitas**	*small girls, dear girls*

The endings **-ito(s)** and **-ita(s)** are known as *diminutive endings*. They are added to the noun minus the final vowel—if the noun ends in a vowel in the singular form.

muchach—ito(s)   muchach—ita(s)

perr—ito(s)   cas—ita(s)

31 **¿Cómo son?** ⊗

¿Es un perro grande o pequeño?   Es un perrito.

¿Es una muchacha grande o pequeña?   Es una muchachita.

¿Es un carro grande o pequeño?   ¿Es una jaula grande o pequeña?   ¿Son unos elefantes grandes o pequeños?   ¿Son unas cebras grandes o pequeñas?   ¿Son unos monos grandes o pequeños?   ¿Son unos osos grandes o pequeños?

32 # EXPRESSING OBLIGATION WITH tener que

The need to do something—*have to*—is expressed in Spanish by using a form of **tener** followed by **que** and the *infinitive* of the verb that tells what has to be done.

(Yo)	**tengo que ir**	al zoológico.	*I have to go to the zoo.*
(Tú)	**tienes que ver**	mi *pet*.	*You (fam.) have to see my pet.*
(Ud.) (Él/Ella)	**tiene que hablar.**		*{You (pol.) have to talk.* *{He/She has to talk.*
(Nosotros, -as)	**tenemos que hacer**	algo.	*We have to do something.*
(Uds.) (Ellos/Ellas)	**tienen que decidir.**		*{You (pl.) have to decide.* *{They have to decide.*

33 ¿Qué tienen que hacer el fin de semana? ⊗

Va a ir al zoológico.   Tiene que ir al zoológico.
Van a ver los animales.
Vamos a comprar un *pet.*
Voy a trabajar mañana.
Vas a pagar la cuenta.
Va a cambiar la jaula.

34 EJERCICIO ESCRITO

Fill in the blanks in the following sentences, using an appropriate form of **tener que.**
1. Toni y Roberto _____ ir al *pet shop* si quieren comprar un *pet.*
2. El *pet shop* está en el barrio y no _____ caminar mucho.
3. Cuando llegan, los dos _____ ver todo.
4. Toni, como siempre, _____ preguntar todo.
5. Roberto dice, "Nosotros _____ comprar una jaula si compramos el hámster."
6. Toni dice, "Tú _____ decidir qué hámster vamos a comprar."
7. "Yo _____ hacer todo," dice Roberto.
8. "Bueno," dice Roberto, "si yo _____ hacer la decisión, tú _____ pagar la cuenta."

35 El pet feliz siempre necesita ⊗

36 EJERCICIO DE CONVERSACIÓN

Ask a classmate the following questions.
1. ¿A ti te gustan los *pets?*   2. ¿Cuáles son tus *pets* favoritos?   3. ¿Tienes un *pet?*   4. ¿Qué clase de *pet* tienes?   5. ¿Cómo se llama tu *pet?*   6. ¿De qué color es?   7. ¿Qué necesita tu *pet* para ser feliz?   8. ¿Qué come tu *pet?*   9. ¿Qué bebe tu *pet?*

37 EJERCICIO DE COMPOSICIÓN

Write out your answers to Exercise 36.

38 Los animales cautivos° ⊗

Me gusta mucho ir a los parques° zoológicos. Me gusta ir porque allí tengo la oportunidad de ver algunas de las bellezas° de la naturaleza°. Allí vemos animales grandes — muy grandes — como el hipopótamo, con su enorme boca°, y el gorila, de casi dos metros° y más de doscientos kilogramos. También hay animales pequeños y muy activos, como los monos y las ardillas, y animales de bellos° colores, como los flamencos° y los pavos reales°. Vemos aves° que vuelan° muy alto y son muy fuertes, como el águila° y el cóndor; o aves que no vuelan, como el avestruz. También vemos los favoritos de todo el mundo: el tigre y el león — rey de la selva. Pero el rey está en una jaula — y el tigre y el cóndor y los monos y el gorila y los demás° animales están todos en jaulas. Ir al zoológico me gusta mucho — es verdad — pero me causa tristeza° porque los animales están cautivos.

PALABRAS ADICIONALES: cautivo, -a: *caged, captive;* el parque: *park;* la belleza: *beauty;* la naturaleza: *nature;* la boca: *mouth;* el metro: *meter;* bello, -a: *beautiful;* el flamenco: *flamingo;* el pavo real: *peacock;* el ave (f.): *bird;* vuelan: *(they) fly;* el águila (f.): *eagle;* demás: *others;* me causa tristeza: *it makes me sad*

VOCABULARIO

1–13

la **bodega** *grocery store*
el **brinco** *jump*
el **Bronx** *the Bronx*
la **campana** *bell*
el **elefante** *elephant*
el **futuro** *future*
la **jirafa** *giraffe*
el **león** *lion*
el **presente** *present (tense)*
el **tigre** *tiger*
el **tren** *train*
el **weekend** *weekend*
el **zoológico** *zoo*

caminar *to walk*
salen *(they) go out*

ir a + *infinitive*
va a estudiar *(he) is going to study*
van a ir *(they) are going to go*
vamos a trabajar *we're going to work*
vas a ver *you'll see (fam.)*
voy a dormir *I'm going to sleep*
(te) va a gustar *(you) are going to like it (fam.)*

alegremente *happily*
cerca *near*
lejos *far*

avanza *come on, hurry up*
en tren *by subway*
el fin de semana *weekend*
del mundo entero *from all over the world*
es un brinco *it's a skip and a hop*
hay de todo *there's everything*
vente *come*

14–25

la **ardilla** *squirrel*
el **avestruz** *ostrich*
la **banca** *bench*
la **cabina** *cabin*
el **cacto** *cactus*
la **cebra** *zebra*
el **cuello** *neck*
la **cueva** *cave*
la **hierba** *grass*
el **lobo** *wolf*
la **llama** *llama*
el **mono** *monkey*
el **oso** *bear*
el **pelícano** *pelican*
el **pet** *pet*
la **piedra** *stone*
la **raya** *stripe*
el **rey** *king*
la **selva** *jungle*
la **serpiente** *snake*
la **tortuga** *turtle*
la **trompa** *(elephant's) trunk*
el **teleférico** *cable car*
el **venado** *deer*

brincar *to jump*
descansar *to rest*
estar + *present participle*
está bebiendo *(it) is drinking*
está caminando *(he) is walking*
están comiendo *(they) are eating*
están corriendo *(they) are running*
están decidiendo *(they) are deciding*
(están) gritando *(they) are screaming*
están subiendo *(they) are going up*
poder *to be able*
virar *to turn upside down*

ansiosamente *anxiously*
tremendo, -a *tremendous, great*

allí *there*
hay tanto que ver *there's so much to see*
¡mira! *hey, look!*

al lado de *beside*
arriba de *on, on top of*
delante de *in front of*
debajo de *under*
dentro de *inside*
detrás de *behind*
fuera de *out of*

26–37

el **barrio** *neighborhood*
la **botella** *bottle*
el **cariño** *affection, love*
el **ejercicio** *exercise*
el **dinero** *money*
el **dólar** *dollar*
el **gatito** *kitten*
el **hámster** *hamster*
la **idea** *idea*
la **jaula** *cage*
el **periquito** *parakeet*
la **pareja** *the pair*
el **pet shop** *pet shop*
el **ratoncito** *little mouse*
la **rueda** *wheel*
el **vendedor, -a** *sales clerk*

tener que + *infinitive*
tenemos que comprar *we have to buy*
tienen que decidir *(they) have to decide*
tienes que decidir *you (fam.) have to decide*
tienen que ver *(they) have to see*

caliente *warm*
caro, -a *expensive*
ese, -a *that*
esos, -as *those*
feliz *happy*
fresco, -a *fresh*
limpio, -a *clean*
mejor *better*

ahí *there*
así *that way, then*
¡oiga! *please listen*
¡Uf! *wow!*

al otro día *the next day*
a sus horas *regularly*
¿Cuánto cuestan? *How much are they?*
se habla español *Spanish is spoken*

Pilar lives in Valladolid, north of Madrid. Her dream is to visit her cousins Pepe and Marisol in Madrid, the capital of Spain. When the invitation arrives, an exciting new world opens to her. She sees herself wandering through the alleys of Viejo Madrid, exploring the small shops, and eating tapas at the picturesque mesones, then suddenly coming upon the tall, modern buildings that mark the new Spain. At night she imagines herself joining the strollers on La Gran Vía and the Paseo de la Castellana, or watching the passers-by from a side- walk café until well past midnight. She dreams of visiting the famous art collections at the Museo del Prado and the Palacio de Oriente; or perhaps going to a soccer match in the Estadio Bernabeu or to a bullfight in the Plaza Monumental. Madrid—her dream come true at last!

2 Pilar llamó a su madre. ⊚

"¿Llamaste Pilar?" preguntó mi madre. "Sí," contesté, y enseñé la carta con la invitación de tía Inés. Mi madre miró la carta. "¡Ahora veo porqué estudiaste tanto la semana pasada! Suerte que tu tía ya habló con tu padre anoche—y yo hablé también."

Pilar anotó en su diario.

Por la tarde,
miércoles, 18 de octubre

¡Estupendo! Ayer llegó la invitación de la tía Inés a Madrid. Bailé y canté por toda la casa. ¡Pasear la Gran Vía! Recorrer todo Madrid a pie, en autobús y en metro. Tal vez en el coche del tío o en moto con un amigo de mi primo Pepe. MADRID, MADRID—ciudad maravillosa: almacenes, boutiques, fiestas y teatros...grandes avenidas llenas de gente. ¡Tablados flamencos!

3 Contesten las preguntas.

1. ¿A quién llamó Pilar?
2. ¿Qué preguntó su madre?
3. ¿Quién miró la carta?
4. ¿Quién habló con el padre de Pilar?
5. ¿Cuándo?
6. ¿En qué anotó Pilar sus planes?
7. ¿Cuándo llegó la invitación?
8. ¿Cómo se llama el primo de Pilar?

4 PRÁCTICA ORAL ⊚

5   THE PRETERIT OF -ar VERBS

Lean los siguientes ejemplos. ⊗

Yo **hablo** con mamá.
Pilar **habla** con su mamá.

Does the action described in the above sentences take place in the present or in the past?

Yo **hablé** con mamá **ayer.**
Pilar **habló** con su mamá **ayer.**

Does the action described in these two sentences take place in the present or the past?

6   Lean el siguiente resumen.

In the following charts, the verbs **hablar** and **pasear** express actions that took place in the past. These verbs are in the *preterit tense.*

hablar		
Hablé	con Marisol.	(yo)
Hablaste	con Pepe.	(tú)
Habló	por teléfono.	(Ud./él/ella)
Hablamos	ayer.	(nosotros, -as)
Hablaron	anoche.	(Uds./ellos, -as)

pasear	
Paseé	por la Gran Vía.
Paseaste	con Pilar.
Paseó	con sus primos.
Paseamos	la semana pasada.
Pasearon	por todo Madrid.

1. The preterit tense of regular **-ar** verbs is formed by adding the endings **-é, -aste, -ó, -amos,** and **-aron** to the stem of the verb.
   If you add **-é** to the stem **habl-,** you get **hablé,** *I talked, I spoke.*
   If you add **-aste** to the stem **pase-,** you get **paseaste,** *you (fam.) strolled.*

2. Notice that the **yo** form and the **Ud./él/ella** form have a <u>written accent</u>. **Yo hablé, él habló.**

3. The **nosotros (-as)** form in the preterit tense is the same as in the present tense.
   Nosotros **hablamos** con él **ahora.**   *We talk to him now.*
   Nosotros **hablamos** con él **ayer.**   *We talked to him yesterday.*

7   Pepe pregunta y Pilar contesta. ⊗

¿Hablaste con Marisol?   Sí, hablé con Marisol ayer.
¿Terminó tía la carta?   ¿Usaste la moto?   ¿Llamaron tus padres por teléfono?   ¿Contestó Marisol la invitación?   ¿Pasearon Uds. por la Gran Vía?

8   EJERCICIO ESCRITO

Rewrite the following sentences. Change all the verbs from present tense to the preterit tense.
1. Pilar baila y canta.
2. Llega la invitación de sus primos, Pepe y Marisol.
3. Pilar enseña la invitación a su mamá.
4. La tía Inés llama al padre de Pilar.
5. La madre también habla con el padre.
6. Pilar anota todo en el diario.

9 El viaje y…¡Madrid! ⊗

1

2

¡Paseando por Madrid!

3

Fuente de la Cibeles

4

Calle de Alcalá

Por la noche, viernes, 27 de octubre

Mi madre hizo mis maletas y luego ella y mis hermanas hicieron unos bocadillos para el viaje. Fui en coche con una de mis hermanas y su novio para comprar el billete del tren. Costó dos mil pesetas,[1] de ida y vuelta. ¡Hice un viaje estupendo a Madrid! Pepe, Marisol y un amigo fueron a la estación. De allí fuimos al apartamento. Saludé a mis tíos y dejé mis cosas. Hicimos mil planes. Más tarde, Santi, el amigo de Pepe, y yo paseamos en su moto hasta la Puerta de Alcalá. Miré y disfruté todo. ¡Cuántos coches y qué alegría por las calles aún después de la medianoche!

Por la mañana, sábado, 28 de octubre

¡Hizo un día maravilloso! Fuimos en autobús hasta la Fuente de la Cibeles y de allí caminamos hasta la Puerta del Sol. Al mediodía tomamos unas tapas madrileñas de boquerones y calamares fritos. Luego fuimos por la Gran Vía hasta la linda Plaza de España y después al bellísimo Palacio de Oriente. A pie, por los callejones del Viejo Madrid, paseamos hasta la Plaza Mayor. A las tres —¡y con qué apetito!— almorzamos en un mesón, donde unos tunos animaron la comida con sus canciones y sus guitarras. (Guardé el menú como recuerdo: gazpacho, cochinillo asado, lechuga y tomate, frutas y queso —costó 530 pesetas.[2])

[1]The **peseta** is Spain's monetary unit. You can obtain the current rate of exchange from a bank or newspaper.
[2]Quinientas treinta pesetas (530 pesetas)

1
Puerta del Sol

2
Plaza de España

3
Palacio de Oriente

4
Por las calles de Madrid

5
Plaza Mayor

6
Arco de Cuchilleros

7
Las Cuevas de Luis Candelas

8
Un tuno

10 Contesten las preguntas.

1. ¿Quién hizo las maletas?
2. ¿Quiénes hicieron los bocadillos?
3. ¿Quién hizo el viaje a Madrid?
4. ¿Quiénes fueron a la estación?
5. ¿En qué paseó Pilar?

6. ¿Por dónde caminaron el sábado?
7. ¿Cuándo tomaron unas tapas?
8. Luego, ¿por dónde fueron?
9. ¿Hasta dónde pasearon?
10. ¿Quiénes animaron la comida?

11 PRÁCTICA ORAL ⊛

THE PRETERIT OF hacer

The preterit forms of **hacer**, *to do, to make,* are irregular in both the stem and the endings.

Hice	todo ayer.	**Hicimos**	unos bocadillos.
Hiciste	el viaje.		
Hizo	planes.	**Hicieron**	muchas cosas.

1. In the preterit tense, the stem of **hacer** changes the **a** to **i.**

        Hice todo ayer.   *I did everything yesterday.*
    Hicimos unos bocadillos.   *We made some sandwiches.*

2. The **Ud./él/ella** form of **hacer** in the preterit is **hizo.**

3. Notice that none of the verb forms above has a written accent.

13   Tía Inés preguntó a los muchachos. ⊗

¿Hicieron Uds. un viaje?   Sí, hicimos un viaje.
¿Hiciste las maletas?
¿Hizo tu madre unos bocadillos?
¿Hicieron ellos muchos planes?

14   ¿Y tu viaje?

1. ¿Hiciste un viaje a otra ciudad?   4. ¿Cuánto costó el billete?
2. ¿Hiciste el viaje en autobús o en tren?   5. ¿Hizo buen tiempo o mal tiempo?
3. ¿Compraste un billete de ida y vuelta?   6. ¿Quiénes fueron a la estación?

15   EJERCICIO ESCRITO

Rewrite the following sentences, providing the correct preterit form of **hacer.**
1. La madre de Pilar _____ las maletas.
2. Entre la madre y las hermanas _____ unos bocadillos para el viaje.
3. ¡Pilar _____ un viaje estupendo!
4. Luego, ella y sus primos _____ mil planes.

16   ¿Qué hiciste ayer?

Pretend you are keeping a diary. Make an entry in your diary, and write about what you did after school yesterday. Begin your entry with the day of the week and the time of the day. Include what you did on your own and with friends, using the following verbs: **hablar, hacer, caminar, trabajar, estudiar, terminar, comprar,** *and* **preparar.**

17   EJERCICIO DE COMPRENSIÓN ⊗

	0	1	2	3	4	5	6	7	8	9	10
presente											
pretérito	√										

19

THE PRETERIT OF ir

The preterit forms of the verb **ir,** *to go,* are irregular in both the stem and the endings.

Fui	a la estación.	**Fuimos**	en autobús.
Fuiste	en bicicleta.		
Fue	al museo.	**Fueron**	a la Gran Vía.

20 **¿Van o fueron?** ☺

¿Va Pilar a la Puerta de Alcalá?　　　　　No, ella fue anoche.
¿Van ellos a Madrid mañana?
¿Vas al Palacio de Oriente?
¿Van Uds. hasta la Plaza Mayor?
¿Voy contigo?
¿Va Pepe a la estación?

21 **¿En qué fue?**

1. ¿Fue Pilar a Madrid en tren o en coche?
2. ¿Fue ella a la estación en coche o en autobús?
3. ¿Cómo fueron ella y Santi a la Puerta de Alcalá?
4. ¿En qué fueron Pilar y sus primos a la Cibeles?
5. ¿Cómo fueron ellos por las calles y los callejones?

22 **Y tú, ¿adónde fuiste?**

Think of a trip you have taken and answer the following questions.
1. ¿A qué ciudad fuiste?
2. ¿Quién fue contigo a la estación?
3. ¿En qué fuiste a la ciudad?
4. ¿A qué museo fuiste?
5. ¿Adónde fuiste después?
6. ¿Paseaste mucho? ¿En qué?

23 **EJERCICIO ESCRITO**

Ask one of your classmates the questions in Exercise 22, and write his or her answers.

Madrid 115

Por la tarde

Queridísimo diario: Dejamos a los tunos con mucha pena y por fin descansamos en un taxi hasta el Museo del Prado. Allí visitamos a los grandes pintores españoles: ¡El Greco, Velázquez, Goya! (Goya es mi favorito.) Una maravillosa visita a la historia de España.

Diego Velazquez, "Prince Balthasar Carlos on Horseback," Prado Museum, Madrid, Spain.

Goya, "The Parasol," Prado Museum, Madrid, Spain.

Invitamos a Pepe.

Por la noche

El mes pasado Marisol fue al Parque del Retiro y ¡qué calor hizo! Pero hoy fuimos después del museo y ¡qué frío! Alquilamos un bote y remamos por el estanque. Luego Pepe remó hasta el monumento a Alfonso XII. ¿Su premio? —una taza de chocolate con churros.

25 Contesten las preguntas.

1. ¿A quiénes dejaron con mucha pena?
2. ¿En qué fueron al museo?
3. ¿Cómo se llama el museo?
4. ¿Quién es el pintor favorito de Pilar?
5. ¿Quiénes son otros pintores españoles?
6. ¿Cuándo fue Marisol al parque?
7. ¿Hizo frío o calor? ¿Y ahora?
8. ¿Cuál es el premio de Pepe?

26 THE DIRECT OBJECT AND THE PERSONAL a

Lean los siguientes ejemplos. ⊗

Pepe ve **la casa.**   Pepe visita **el museo.**

What does Pepe see in the first sentence? *What* does Pepe visit in the second?

Pepe ve **a Santi.**   Pepe visita **a su tía.**

Whom does Pepe see in the first sentence? *Whom* does Pepe visit in the second?

27 Lean el siguiente resumen.

1. The word or words that answer the question "What?" or "Whom?" after the verb, are called the *direct object.* In the examples above, **casa, museo, Santi,** and **tía** are the direct objects of the verbs **ver** and **visitar.**

2. You will notice that when the direct object is a noun that refers to a person—**Santi** and **tía**— the preposition **a** goes before the noun and its modifiers.
    Pilar visita **a su prima Marisol.**   Pepe busca **a sus tres amigos.**

3. The "personal **a,**" as it is usually called, is also used before the different forms of **quien, nadie, uno, otro,** and other pronouns, when they refer to persons.
    ¿**A quién** llama Marisol?   No llama **a nadie.**

4. The "personal **a**" is not used after the verb **tener.**
    Pepe **tiene** tres hermanos.   Yo **tengo** tres amigos.

28 ¿Qué hacen nuestros amigos? ⊗

Pilar está en el museo.
Pilar está con su tía.
Pepe está en el parque.
Pepe está con su amigo.
Marisol está en el Palacio de Oriente.
Marisol está con Pilar.

Pilar visita el museo.
Pilar visita a su tía.

29 ¿Cuál es la pregunta? ⊗

Santi busca una moto.
Santi busca a Pepe.
Marisol escucha los discos.
Marisol escucha a Pilar.
Tía Inés ve los libros.
Tía Inés ve a los chicos.

¿Qué busca Santi?
¿A quién busca Santi?

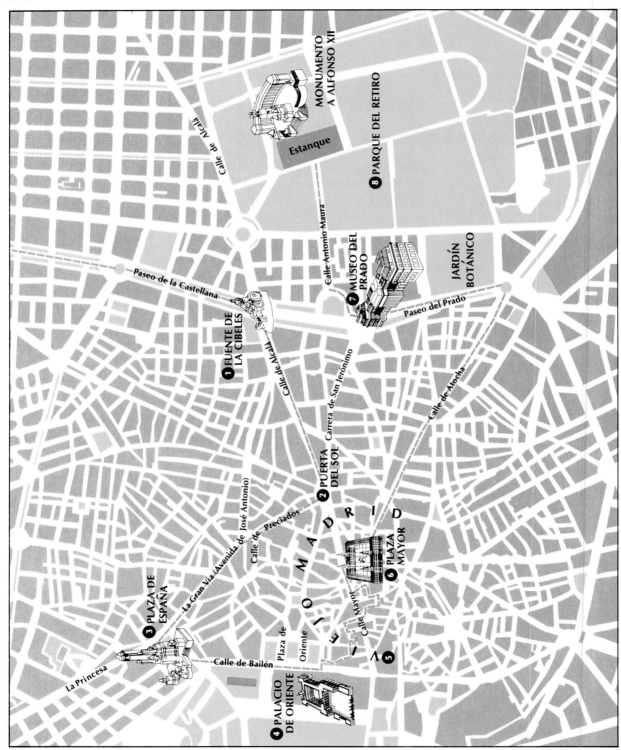

31 Tu viaje a Madrid

Estás en Madrid con un grupo de tu clase de español. Usando el mapa de Madrid, van a recorrer la ciudad como hizo Pilar.

—Caminando por el Paseo de la Castellana, llegan al ①. ¿Qué es?
—Por la Calle de Alcalá llegan ahora al ②. ¿Dónde están?
—Ahora van desde el② hasta el ③. ¿Qué es? ¿Por cuáles calles van? ¿Cómo van?
—De la Plaza de España van al ④. ¿Qué es? ¿Está cerca o lejos de la Plaza de España? ¿Por cuál calle fueron al palacio?
—Del Palacio de Oriente caminan por los callejones del ⑤ hasta el ⑥. ¿Qué parte de Madrid es el ⑤? ¿Les gustó caminar por aquí? ¿Adónde llegaron? Si tienen hambre, ¿dónde comen algo?
—Ahora van al ⑦. ¿Qué es? ¿Cómo van? ¿Están cansados? ¿Por qué calles llegaron aquí? ¿Qué ven en el museo?
—Del Museo del Prado van al ⑧. ¿Qué es? ¿Por qué calle llegaron? ¿Qué monumento hay aquí? Si quieren remar, ¿qué tienen que hacer?
—Si tú remas, ¿cuál es tu premio?

32 EJERCICIO DE CONVERSACIÓN

Pair off with a classmate. One of you will play the part of the visitor, and the other will be the madrileño. *Carry out one of the following dialogs in Spanish.*

DIALOG 1
Visitor asks:

—where to go in Madrid.
—how to get around to the different places.
—where to go for lunch.

Madrileño suggests:

—four or five different places.
—two or three means of transportation.
—tapas at one of the plazas at noon, and lunch at a mesón later.

DIALOG 2
Visitor asks:

—where to go after lunch.

—what museum has Spanish paintings.
—what to do after the museum.

Madrileño suggests:

—a stroll in the park or on one of the main boulevards, or a visit to a museum.
—a museum and the names of three painters.
—going to a park and having churros and hot chocolate in a café.

33 EJERCICIO DE COMPOSICIÓN

Pretend you have made a trip to Madrid. Write answers to the following questions.

1. ¿Adónde fuiste?
2. ¿Con quién fuiste?
3. ¿Cuánto costó el viaje a Madrid?
4. ¿Qué planes hiciste?
5. ¿Qué lugares visitaste en Madrid?
6. En Madrid, ¿hablaste inglés o español?
7. Y los madrileños, ¿qué hablaron?
8. ¿Qué plazas visitaste?
9. ¿Por qué calle fuiste? ¿Cómo fuiste?
10. ¿Visitaste un museo? ¿Cuál?
11. ¿Paseaste en metro? ¿Adónde fuiste?
12. ¿Compraste muchas cosas en tu viaje?
13. ¿Qué compraste?
14. ¿Es Madrid una ciudad maravillosa?

34 VOCABULARIO

1–8

los **alamacenes** *department store*
el **autobús** *bus*
la **avenida** *avenue*
la **boutique** *boutique*
la **carta** *letter*
el **coche** *car*
el **diario** *diary*
la **fiesta** *party*
la **gente** *people*
la **invitación** *invitation*
el **metro** *subway*
la **moto** *motorcycle*
octubre *October*
el **paseo** *boulevard*
el **porqué** *the reason why*
la **semana pasada** *last week*
el **tablado flamenco** *flamenco
dancers' show*
el **teatro** *theater*

anotar *to make notes*
anotó *(she) made notes*
bailé *I danced*
cantar *to sing*
canté *I sang*
contesté *I answered*
enseñar *to show*
enseñé *I showed*
estudiaste *you (fam.) studied*
fui *I went*
habló *(she) spoke*
llamaste *you (fam.) called*
llamó *(she) called*
llegó *(it) arrived*
miró *(she) looked at*
pasear *to stroll, sightsee*
preguntó *(she) asked*

anoche *last night*
ayer *yesterday*
maravilloso, -a *marvelous*
tal vez *perhaps*
tanto, -a *so much*
ya *already*

a pie *on foot*
en *by (means of transportation)*
por la noche *at night*

9–23

el **apartamento** *apartment*
el **apetito** *appetite*
el **billete del tren** *train ticket*
el **bocadillo** *sandwich*
el **boquerón** *anchovy*
el **calamar** *squid*
la **calle** *street*
el **callejón** *alley*
la **canción** *song*
el **cochinillo asado** *roast suckling
pig*
la **estación** *station, terminal*
la **fuente** *fountain*
el **gazpacho** *cold vegetable soup*
la **guitarra** *guitar*
la **maleta** *suitcase*
el **novio, -a** *boyfriend, girlfriend*
la **medianoche** *midnight*
el **mediodía** *noon*
el **mesón** *Spanish café*
la **peseta** *Spanish monetary unit*

el **pretérito** *preterit*
la **puerta** *gate, door*
la **tapa** *snack*
el **tuno** *student troubadour*
el **viaje** *trip*

almorzar *to lunch*
animar *to liven up*
disfrutar *to enjoy*
fue *(she) went*
fueron *(they) went*
fuimos *we went*
guardar *to keep*
hice *I made, did*
hicieron *(they) made, did*
hicimos *we made, did*
hizo *(she) made, did*
miré *I looked at*
tomar *to have (to eat or to
drink)*

aún *even*
bellísimo, -a *very beautiful*
frito, -a *fried*
lindo, -a *beautiful, pretty*
luego *later*
madrileño, -a *from Madrid*
mil *a thousand*
unos, -as *some, a few*

hasta *as far as*
por *through*

como recuerdo *as a souvenir*
de ida y vuelta *round-trip*
más tarde *later*

24–33

el **bote** *boat*
el **churro** *Spanish fritter, cruller*
el **estanque** *pond*
el **favorito, -a** *the favorite one*
el **madrileño, -a** *person from Madrid*
el **mes** *month*
el **mes pasado** *last month*
el **monumento** *monument*
el **parque** *park*
el **pintor, -a** *painter*
el **premio** *prize*
el **taxi** *taxi*
la **visita** *visit*

alquilar *to rent*
dejar *to leave behind*
remar *to row*
visitar *to visit*

queridísimo, -a *dearest*

con mucha pena *with great
sadness*

Cuernavaca, 9 de enero
(lunes)

Mi querida Lynette,
¿Cómo estás? Tía habló con mamá,
y sé que todos están bien, pero ¿cómo
estás tú?

Querida primita, tu carta llegó unos
días antes de la fecha de la Navidad. No
contesté antes porque estoy esperando unas
fotos que tengo que mandar – pero no voy
a esperar más para escribir. Gracias por
los regalitos que Uds. mandaron. A todos nos
gustaron mucho. A propósito, usé el
suéter que mandaste – ¡hice un hit!

Tengo que contar tanto y no sé
dónde voy a empezar. Bueno, las
vacaciones de la Navidad empezaron
el 6 de diciembre. ¡Qué dicha! cinco
semanas sin clase, y cómo estoy
disfrutando…

2 Contesten las preguntas.

1. ¿Quién escribe la carta? ¿A quién?
2. ¿Qué fecha tiene la carta?
3. ¿Cuándo llegó la carta de Lynette?

4. ¿Quién es Lynette?
5. ¿Qué llegó además de la carta?
6. ¿Cuándo empezaron las vacaciones?

3 ¿Y tú?

¿A ti te gusta escribir o recibir cartas?
¿A quién escribes?
¿Tienes vacaciones durante la Navidad?
¿Cuántas semanas tienes?

4 PRÁCTICA ORAL ⊗

5 Cómo escribir una carta a un amigo, amiga o pariente. ⊗

a) La ciudad y la fecha:
Cuernavaca, 14 de enero
San Juan, 18 de diciembre

b) Saludo:
Querido primo,
Estimada tía,
Apreciados amigos,

c) Despedida:
Cariñosamente,
Afectuosamente,
Recuerdos,

6 Los meses del año son:

ENERO   FEBRERO   MARZO   ABRIL
MAYO   JUNIO   JULIO   AGOSTO
SEPTIEMBRE   OCTUBRE   NOVIEMBRE   DICIEMBRE

7 sobre las fechas

1. In Spanish, the months of the year are *not* capitalized unless they are the first word of a sentence. The months are masculine, and any adjective used to describe the months must agree in gender—masculine.

Enero es **largo** pero **febrero** es **corto.**

2. A common way of asking for and giving the date is:

¿Cuál es la fecha de hoy?   *What's today's date?*
Es el tres de mayo.   *It's the third of May.*

Notice that the number **tres,** which is a cardinal number, is used in the Spanish sentence. In English, *third,* which is an ordinal number, is used. Spanish uses an ordinal number only for the first of the month—**primero.** Es el **primero** de mayo. This is sometimes written: Es el **1°** de mayo.

3. Ale writes about her vacation:

...las vacaciones de la Navidad empezaron **el 6** de diciembre.
...Christmas vacation began on December sixth.

Notice that Ale uses the number **6** and not the word **seis.** This is usual and informal. She also uses the article **el** to express the English *on.*

8 ¿Cómo escribes las fechas en español?

September 15th   15 de septiembre
May 30th
November 1st
July 4th
August 23rd

9 ¿Cuál es la fecha de hoy? ⊗

January 6th   Hoy es el seis de enero.
May 2nd
July 5th
September 15th
October 12th

10

*The dates in the exercise above are of special importance to the Spanish-speaking world. January 6—***Día de Reyes***—is the day when children in Spain and Latin America receive gifts for the holiday season. May 2 celebrates Spain's independence from the French forces of Napoleon Bonaparte. July 5 is* **el Día de la Independencia** *in Venezuela. Costa Rica, El Salvador, Guatemala, Honduras, and Nicaragua celebrate their independence on September 15. The discovery of the New World by Columbus is observed throughout the Spanish-speaking world on October 12.*

11 EJERCICIO ESCRITO

Ask ten different people the city, day, and month of their births, and write their answers in Spanish.
Ejemplo: Minneapolis, el 29 de mayo

2   (miércoles)

Perdona la interrupción—no terminé la carta anteayer porque llegaron los primos de Monterrey. Siempre tengo que ayudar a mamá cuando llega visita—pero ahora sí voy a terminar la carta.

Bueno, pasé el mes de diciembre corriendo de un lugar a otro. Mamá y yo fuimos dos o tres veces a México a comprar algunos regalitos. El día de la Navidad fuimos a las pastorelas de Tepozotlán —aquí el invierno no es como allá, pero en Tepozotlán hizo mucho frío. Pasamos la noche allá— ¡qué bonita es la iglesia de noche! El día de Reyes la familia entera fue al Popo.

Saludos a mis tíos y muchos besitos a todas mis primas.

Cariñosamente,
Ale

P.D. Aquí por fin mando las fotos. ¡Llegaron hoy! Mamá va a escribir mañana.
¡Feliz Año Nuevo!   ¡Escribe pronto!

13 *Ale writes to her cousin during what is probably the most colorful and fun-filled season in Mexico. Her letter is a welcome chore, but a chore nevertheless. She has to find the time to write in between visits from relatives, shopping trips, attending Christmas plays at Tepozotlan —* **pastorelas** *— and picnics with her family at the foot of* **el Popo. Popocatépetl,** *an extinct volcano outside Mexico City, is a favorite site for family outings.*

14 Contesten las preguntas.

1. ¿Cuándo terminó Ale su carta?
2. ¿Qué·hace Ale cuando llega visita?
3. ¿Adónde fueron Ale y su mamá?
4. ¿Cuántas veces fueron a México?
5. ¿Por qué fueron?

6. ¿Adónde fueron el día de la Navidad?
7. ¿Dónde pasaron la noche?
8. ¿Adónde fueron el día de Reyes?
9. ¿Mandó Ale las fotos?
10. ¿Cuándo llegaron?

15 PRÁCTICA ORAL ⊗

16

EXPRESSING TIME
present, progressive, future

1. Present time is expressed by the *present tense*. The following chart shows the present-tense conjugation of regular **-ar, -er,** and **-ir** verbs.

caminar	correr	escribir
camino	corro	escribo
caminas	corres	escribes
camina	corre	escribe
caminamos	corremos	escribimos
caminan	corren	escriben

2. Progressive action, action which is going on right now, at the moment of speaking, can be expressed:
   a) by the *present tense* and a time expression: Juan **escribe ahora.**
   b) by the *progressive tense,* which consists of a form of the verb **estar** — as a helping verb — and the present participle of the main verb.

estar	*present participle*	estar	*present participle*
Estoy	caminando.	Estamos	hablando.
Estás	corriendo.		
Está	escribiendo.	Están	decidiendo.

3. Future time can be expressed:
   a) by the *present tense,* with a time expression referring to future time:
   Hablamos con María **mañana.**
   b) by a *present-tense* form of the verb **ir** followed by the preposition **a** and the *infinitive* of the main verb.

ir	a + *infinitive*	ir	a + *infinitive*
Voy	a estudiar.	Vamos	a decidir.
Vas	a escribir.		
Va	a trabajar.	Van	a ver.

17 EJERCICIO DE COMPRENSIÓN ⊗

	0	1	2	3	4	5	6	7	8	9	10
presente											
futuro (ir a + infinitivo)	✓										
progresivo											

18 ¿Qué van a hacer? ⊗

¿Pepe come ahora?

¿Vas al baile a las seis?

¿Nosotros estudiamos inglés por la mañana?

¿Lupe escribe la carta temprano?

¿Toni compra el billete al mediodía?

Ahora no, Pepe va a comer más tarde.

A las seis no, voy a ir al baile más tarde.

19 ¿Qué tienen que hacer? Un juego de correspondencia

1. Si vamos a comprar una casa,
2. Si quiero ir a otra ciudad,
3. Si tenemos mucha sed,
4. Si quieren patinar en hielo,
5. Si Toni quiere ver un elefante,
6. Si las jirafas tienen hambre,

a. tenemos que tomar agua.

b. tiene que hacer mucho frío.

c. tienen que comer hojas.

d. tenemos que tener mucho dinero.

e. tengo que hacer un viaje.

f. tiene que ir al zoológico.

20

T A T O Y L O L A

Describan la acción. *Describe the action.*

Using the verbs illustrated in the drawings above, describe Tato's and Lola's actions in the present, progressive, and future.

21 EJERCICIO ESCRITO

*Look at the drawings in Exercise 20. Write a description of the actions in the first frame, using the present tense. Do the same with the second frame, but use the progressive tense. For the third frame, express the future using **ir a** + infinitive.*

22 El sobre ⊗

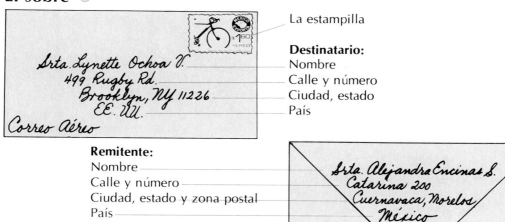

La estampilla

Destinatario:
Nombre
Calle y número
Ciudad, estado
País

Srta. Lynette Ochoa V.
499 Rugby Rd.
Brooklyn, NY 11226
EE. UU.

Correo Aéreo

Remitente:
Nombre
Calle y número
Ciudad, estado y zona postal
País

Srta. Alejandra Encinas S.
Catarina 200
Cuernavaca, Morelos
México

23 PRÁCTICA ORAL ⊗

24 Un repaso

In Ale's letter, find all the preterit forms of **ir, hacer,** and the **-ar** verbs. Make a list of these verb forms.

25 EJERCICIO DE CONVERSACIÓN

Recibes una carta de un amigo de Venezuela. Él vive en Maracaibo, una ciudad de Venezuela y escribe sobre su visita a Caracas, la capital de Venezuela.

Tu amigo escribe:

—Tu carta llegó la semana pasada. Ya sabes que me gusta mucho recibir cartas.

—En tu carta preguntas sobre mi viaje a Caracas. Sí, fui con mi hermano mayor y una de mis hermanas. Fuimos en carro desde Maracaibo hasta Caracas. Como sabes, es un viaje de casi ocho horas. Llegamos muy cansados a la capital.

—Mi hermano fue a la universidad. Mi hermana y yo pasamos la tarde en la ciudad. Es una ciudad moderna y demasiado grande. No hace calor como en Maracaibo—pero la gente, ¡uf! ¡Mucha gente!

—Bueno, no voy a contar todo porque hay mucho para contar, pero si vienes a Venezuela tenemos que ir a Caracas. Recuerdos a todos, Memo.

Ahora hablas con un compañero en la clase.

El compañero habla sobre la carta y tú contestas.
1. ¿Cómo se llama el muchacho que escribe la carta?   2. ¿De dónde es él?   3. ¿Cuándo llegó tu carta a Venezuela?   4. ¿A él le gustó tu carta?   5. ¿Sobre qué viaje escribe tu amigo?
6. ¿Con quién fue?   7. ¿En qué fue?   8. ¿Cuántas horas es el viaje de Maracaibo a Caracas?
9. ¿Adónde fue el hermano de Memo?   10. ¿Qué hicieron Memo y su hermana?   11. ¿Cómo es la ciudad?   12. ¿Cuándo vas a ir tú a Venezuela?

EJERCICIO ESCRITO

Vas a escribir tres cartas a tres amigos.
1. En una, escribes de tu visita a un restaurante.
   a. ¿Con quién vas?   b. ¿Cuándo?   c. ¿Tienes mucha hambre? ¿Y sed?   d. ¿Qué comes? ¿Qué bebes?   e. ¿Te gusta todo?

2. En otra, escribes de tu visita a un zoológico.
   a. ¿Cómo vas al zoológico?   b. ¿Con quién vas? ¿Cuándo?   c. ¿Qué animales ves? d. ¿Cuáles son tus favoritos?   e. ¿Te gusta el zoológico? ¿Por qué?

3. Y en otra escribes de los deportes.
   a. ¿Qué deportes juegas en invierno?   b. ¿Qué deportes juegas en verano?   c. ¿Cuáles son tus deportes favoritos?   d. ¿Cómo se llaman los equipos de tu escuela?   e. Los equipos ¿juegan bien o juegan mal?

28

VOCABULARIO

1–11

Cuernavaca   *city near Mexico City*
la **fecha**   *date*
la **foto**   *photograph*
la **Navidad**   *Christmas*
el **pariente**   *relative*
P.D. (la posdata)   *P.S. (postscript)*
la **primita, -o**   *cousin (diminutive)*
el **regalito**   *present, gift (diminutive)*
las **vacaciones**   *vacation*
la **visita**   *guests, company*

enero   *January*
febrero   *February*
marzo   *March*
abril   *April*
mayo   *May*
junio   *June*
julio   *July*
agosto   *August*
septiembre   *September*
octubre   *October*
noviembre   *November*
diciembre   *December*

contar   *to tell about*
empezar   *to begin*
escribir   *to write*
mandar   *to send*
sé   *I know*

apreciado, -a   *dear, appreciated*
estimado, -a   *dear, esteemed*
querido, -a   *dear (familiar)*

afectuosamente   *affectionately*
cariñosamente   *with love*
recuerdos   *regards*

a propósito   *by the way*
antes de   *before*
hice un hit   *I was a hit*
¡qué dicha!   *what joy!*

12–21

el **besito**   *kiss (diminutive)*
la **continuación**   *continuation*
el **Día de Reyes**   *Feast of the Three Kings*
el **frío**   *cold weather*
la **iglesia**   *church*
la **interrupción**   *interruption*
las **pastorelas**   *Christmas festivities*
el **Popo**   *Popocatépetl, a volcano in Mexico*
la **vez** (las **veces**)   *time*

ayudar   *to help*
perdona   *please forgive*

entero, -a   *whole*

allá   *over there*
anteayer   *the day before yesterday*

de noche   *at night*
escribe pronto   *write soon*
dos o tres veces   *two or three times*

22–28

el **correo aéreo**   *air mail*
el **destinatario**   *addressee*
la **estampilla**   *postage stamp*
el **estado**   *state*
Srta.   *abbreviation for señorita*
el **remitente**   *sender*
el **sobre**   *envelope*
la **universidad**   *university*
la **zona postal**   *zip or postal code*

Living

The Spanish-speaking world is made up of many different countries, many different areas, many different people. Spain and the New World are not the only areas where the Spanish language is used by large groups of people. There are Spanish-speaking areas in North and Western Africa, as well as in the Philippines. Even parts of the Antarctic are under the jurisdiction of Argentina and Chile.

The development of living styles in Hispanic culture has not been very different from those of other groups. There are large cities and small towns. There are primitive,

remote villages, and exclusive suburbs. There are rural and urban areas. Some areas are overcrowded; others are sparsely populated. And everywhere people are living and

working, dealing with the challenges of everyday life.

Over the centuries, towns and cities have grown. Houses were built for permanence:

Plate 10

solid walls of stone, brick, or masonry; roofs of ridged tiles to shed the rainwaters. Many of these buildings have been torn down to make way for roads and highways. Some have been

torn down to make room for high-rising office or apartment buildings that can accommodate larger numbers of people. But many still stand, giving the towns and cities a

record of their history, spanning over a period of many years — of centuries in some cases. The old and the new stand side by side to go into the future.

Plate 11

People are on the move much of the time to get to and from school or work, to go to visit friends and relatives, or to get the things they need. No means of transportation is overlooked. Bicycles are present everywhere in the Spanish-speaking world. Old vehicles are kept in good running condition for public transportation. And, of course, the large cities enjoy modern and efficient networks of buses and trains. Until recently, most cars have had to be imported—and are therefore quite expensive. Owners usually take very good care of their cars, since they will be used for many years.

Work—constructive activity with a purpose—is an important part of living. Societies require certain products and services in order to function and grow. Most of the countries that make up the Spanish-speaking world have economies that are based on the trade of goods. (The United States, by contrast, bases the greater part of its economy on the exchange of services.) In recent years,

Plate 14

however, there has been an increase in skilled labor and manufacturing in the Spanish-speaking countries, creating better opportunities for the people.

Better jobs require better education and skills. Schools and universities throughout Latin America and Spain prepare the young people of these countries to deal with the demands of the future.

Plate 15

Plate 16

El cumpleaños de Paco

1 Doña Elena olvida su promesa. ⊙

Doña Elena, la mamá de Paco, está tranquila en su jardín. De pronto, llega Paco y pregunta sobre la fiesta que ella prometió la semana pasada. Paco ya decidió a quién invitar y ya escribió las invitaciones. Aquí está lo que pasó:

PACO   Oye, mami, ¿tienes todo para la fiesta de esta noche?

MAMÁ   ¿Qué fiesta? ¿Aquí? ¿Otra vez? ¿Esta noche?

PACO   Sí, mami—tú prometiste una fiesta para mi cumpleaños.

MAMÁ   ¡Pero si ayer tus amigos comieron y bebieron aquí y hoy no hay nada en la casa!

PACO   Ayer comimos y bebimos pero no fue[1] una fiesta. Además, ayer no fue mi cumpleaños, es hoy. Tú sabes que la semana pasada escribí las invitaciones con tu permiso.

MAMÁ   Bueno, si prometí, prometí. En fin, ¿a quién decidiste invitar?

PACO   Aquí tengo la lista de los invitados. Todos estos muchachos prometieron venir y ya recibieron las invitaciones.

MAMÁ   Está bien. Vamos a hacer una lista de lo que necesitas y entonces corremos al supermercado.

2 Contesten las preguntas.

1. ¿Quién es la señora?
2. ¿Dónde está ella?
3. ¿Sobre qué pregunta Paco?
4. ¿Qué dice la señora?

5. ¿Quién visitó a Paco ayer? ¿Qué hicieron?
6. ¿Cuándo es el cumpleaños de Paco?
7. ¿Qué escribió Paco la semana pasada?
8. ¿Qué van a hacer Paco y su mamá?

3 PRÁCTICA ORAL ⊙

4 ¿Y tu cumpleaños?

1. ¿Cuándo es tu cumpleaños?
2. ¿Cuántos años tienes?
3. ¿Te gustan las fiestas? ¿Vas a muchas fiestas?

4. ¿Dónde celebras tu cumpleaños?
5. ¿Invitas a muchos amigos y amigas a tus fiestas?
6. ¿De qué cosas tienes que hacer listas?

---

[1] **Fue:** *it was.* The preterit of **ser** is the same as the preterit of **ir: fui, fuiste, fue, fuimos, fueron.**

5   THE PRETERIT OF -er AND -ir VERBS

Lean los siguientes ejemplos. ⊗

Anteayer tú **prometiste** una fiesta.   Yo **escribí ayer.**
Anoche mamá **prometió** una comida.   Paco **escribió anoche.**

Are these four sentences in the present or in the preterit tense? How can you tell?

6   Lean el siguiente resumen.

In Unit 11 you studied the preterit of regular **-ar** verbs. The preterit tense expresses something that happened in the past. The following charts show the preterit of **prometer,** a regular **-er** verb, and **escribir,** a regular **-ir** verb.

prometer					escribir				
Prometí	una fiesta.	**Prometimos**	ir ayer.		**Escribí**	la carta.	**Escribimos**	anoche.
Prometiste	un baile.				**Escribiste**	a Paco.		
Prometió	escribir.	**Prometieron**	venir.		**Escribió**	anteayer.	**Escribieron**	ayer.

1. The preterit tense of regular **-er** and **-ir** verbs is formed by adding the endings **-í, -iste, -ió, imos,** and **-ieron** to the stem of the verb.

2. The **yo** form and the **Ud./él/ella** form have a written accent in the preterit.

7   Antes de la fiesta ⊗

¿Decide Paco tener una fiesta?   Sí, él decidió tener una fiesta.
¿Promete doña Elena una fiesta?   ¿Escribe Paco las invitaciones?   ¿Corren Paco y su mamá al supermercado?   ¿Comen los amigos en la casa de Paco?

8   Tu amiga quiere saber. ⊗

¿Vas a escribir las invitaciones?   Ya escribí las invitaciones.
¿Van ellos a prometer una fiesta?   ¿Va ella a correr al supermercado?   ¿Van Uds. a decidir sobre la fiesta?   ¿Va él a recibir una invitación?

9   ¿Qué hicieron? ⊗

¿Prometiste ayudar a tu mamá?   No, no prometí ayudar a mi mamá.
¿Corrieron Uds. a la casa de Paco?   ¿Escribiste las invitaciones?   ¿Prometí ir a la fiesta?
¿Recibieron Uds. las invitaciones?   ¿Decidiste a quién invitar?   ¿Recibí una invitación?

10   EJERCICIO ESCRITO

Rewrite the following sentences, changing the verbs from the present to the preterit.
1. Paco habla con su mamá.   2. La señora promete la fiesta—pero pronto olvida su promesa.
3. Paco hace una lista de sus amigos.   4. Él decide a quién invitar y escribe las invitaciones.
5. Pero cuando Paco pregunta a doña Elena sobre la fiesta, ella contesta "¿Qué fiesta...?"

11 La lista de Paco

Many of the items that Paco buys at the **supermercado** are the same as those you would buy for your own party. **Pepitos** are cheese doodles; **papitas** are potato chips; **palomitas** are popcorn. The **refrescos** are Coca-Cola, Pepsi-Cola, and Seven-Up. In addition, he buys traditional Puerto Rican favorites: **chicharrones**, fried pork rinds; **platanutres**, banana chips; **bacalaítos**, codfish fritters; and **pasta de dulce,** a paste made from guavas or other tropical fruits.

pepitos
papitas
pálomitas
chicharrones
platanutres
bacalaítos
pasta de dulce
refrescos
(Coca-Cola, Pepsi, 7-Up)

para el bul:
chinas
manzanas
cóctel de frutas
hielo
vasitos y cucharitas de plástico
platos de papel

12 Contesten las preguntas.

1. ¿Qué cosas puertorriqueñas compra Paco?
2. ¿Qué refrescos compra él?
3. ¿Qué compra para el bul?
4. ¿Qué más va a comprar para la fiesta?

13 Paco olvidó invitar a Julio. ⊗

Paco piensa[1] en su fiesta: charlar con sus amigos, abrir los regalos, cortar el bizcocho, aprender los últimos bailes... ¡pero qué tonto! Paco olvidó invitar a Julio, y Julio tiene todos los últimos discos. Y sin pensar más, toma el teléfono y llama a Julio.

PACO	¡Hola, Julio! ¡Querido amigo! ¿Cómo estás?
JULIO	Bien, ¿y tú?
PACO	Nunca mejor. Oye, chico, llamo porque quiero saber si puedes venir a mi fiesta esta noche.
JULIO	Seguro que puedo. ¿A qué hora?
PACO	A las siete.
JULIO	Bien, ¿qué puedo llevar?
PACO	Bueno, puedes traer tus discos. Hablas con tu hermano a ver si él puede traer su guitarra y, si quieres, invitas a tu amiga Evita.
JULIO	Muy bien. Hasta las siete.

14 Contesten las preguntas.

1. ¿En qué piensa Paco?
2. ¿Qué olvidó Paco?
3. ¿Qué quiere saber Paco?
4. ¿Puede Julio ir a la fiesta?
5. ¿A qué hora es la fiesta?
6. ¿Qué va a llevar Julio a la fiesta?

15 PRÁCTICA ORAL ⊗

[1] **Pensar** changes the **e** of its stem to **ie.** Its present-tense forms are **pienso, piensas, piensa, pensamos, piensan.**

16 el verbo poder

You have seen the stem-changing verbs **querer, perder,** and **pensar.** In the present tense, the **e** of the infinitive stem changes to **ie** in all forms except the **nosotros, -as** form: **queremos, perdemos, pensamos.**

The verb **poder**—*to be able, can*—is also a stem-changing verb. The following chart shows the present tense of **poder.**

poder			
Puedo	ir a la fiesta.	**Podemos**	traer la guitarra.
Puedes	bailar y cantar.		
Puede	jugar bien.	**Pueden**	esperar.

1. The endings of **poder** in the present tense are those of regular **-er** verbs.

2. **Poder** is a stem-changing verb. You will notice in the above chart that the **o** in the infinitive stem changes to **ue** in all but the **nosotros, -as** form.

3. **Poder** is often followed by an infinitive.

   Puedes invitar a Evita.   *You can invite Evita.*

17 Quiere pero no puede. ⊗

Quiero ir a la fiesta.   Pero no puedo.
Queremos jugar monopolio.
Quieres abrir el regalo.
Quieren bailar toda la noche.
Quiere cortar el bizcocho.
Quiero acabar.

18 ¿Puedes, por favor? ⊗

¿Puedes escribir las invitaciones?   Escribí las invitaciones ayer.
¿Pueden ellas comer bizcocho?
¿Puede él abrir sus regalos?
¿Podemos nosotros beber Coca-Cola?
¿Pueden Uds. aprender el baile?

19 EJERCICIO ESCRITO

Write out the answers to Exercises 17 and 18.

20 EJERCICIO DE COMPRENSIÓN ⊗

	0	1	2	3	4	5	6	7	8	9	10
presente											
pretérito	√										

El cumpleaños de Paco   133

21 Y por fin, la fiesta ◉

1. Paco, conozco a tus amigos y sé cómo comen. ¿Crees que hay bastante?

2. No conoces a este grupo. Estos chicos vienen a bailar, no a comer.

3. ¡Así dices siempre! Vamos a ver quién no conoce a quién después de esta fiesta.

4. ¡Hola, muchachas! ¿Conocen a mi hermana Marta? Tengo el placer de presentar...

5. ¡Tonto!... seguro que conocemos a Marta. ¡Marta, este muchacho está loco!

6. Así es él... pero vamos a conocer a algunos de estos amigos de Paco.

7. Evita, Paco va a poner mi disco favorito. ¿Quieres bailar?

8. ¡Cómo no, Julio! Pero no bailo muy bien.

9. Evita, tienes que enseñar a ese muchacho a bailar.

10 ¡Pero mami! ¿Dónde está toda la comida? ¿Y el bul?

11 ¿Comida...? Si según tú solamente vienen a bailar.

12 Pues ahora pueden bailar toda la noche porque no hay nada para comer.

22 Contesten las preguntas.

1. ¿A quiénes conoce doña Elena?
2. ¿Qué vienen a hacer los amigos de Paco?
3. ¿Qué dice doña Elena?
4. ¿Conocen las muchachas a Marta?

5. ¿Qué hace Paco con el disco?
6. ¿Cómo invita Julio a Evita a bailar?
7. ¿Cómo baila Evita?
8. ¿Los invitados comieron mucho o poco?

23 ¿Y tú?

1. ¿Qué haces tú cuando vas a una fiesta?
2. ¿Te gusta bailar?

3. ¿Bailas bien o mal?
4. ¿Cómo invitas a tu amigo(-a) a bailar?

24 PRÁCTICA ORAL ⊗

25 Receta para un bul delicioso

BUL

Jugo fresco de china

Seven-Up

1 lata de cóctel de frutas

Pedazos de manzanas

Pedazos de chinas

Hielo

26 el verbo conocer

The verb **conocer** — *to know, to meet, to be familiar with* — is irregular only in the **yo** form of the present tense.

Conozco	a Paco.	**Conocemos**	el lugar.
Conoces	a mi amiga.		
Conoce	mi casa.	**Conocen**	a Marta.

1. The endings of the verb **conocer** are those of regular **-er** verbs.

2. In the present tense, the stem of the **yo** form ends in **z,** and a **c** is added before the ending: **cono<u>zc</u>-o.**

3. The "personal **a**" is used whenever the direct object is a person: **Conocen <u>a</u> Marta.**

4. In the preterit tense, **conocer** is conjugated like regular **-er** verbs.

5. **Conocer,** in the preterit tense, is translated as *met.*
   Conocí a Paco ayer.   *I met Paco yesterday.*

27 ¿A quién conoces? ⊗

¿Conoces a Paco?   Sí, conozco a Paco.
¿Conoce ella a Marta?
¿Conocen Uds. a los padres?
¿Conocemos a las dos muchachas?
¿Conocen ellos a Paco y a Marta?
¿Conoces a Julio y a Evita?

28 ¿Cuándo conocieron a sus amigos? ⊗

¿Cuándo conociste a Julio?   Conocí a Julio en la fiesta.
¿Cuándo conocieron Uds. a Evita?   ¿Cuándo conoció Julio a Evita?   ¿Cuándo conocimos a doña Elena?   ¿Cuándo conocí a Marta?   ¿Cuándo conociste a Paco?

29

30 Contesten las preguntas.

1. ¿Cómo se llama la amiga de Lola?   2. ¿Cómo presenta ella a Iris?   3. ¿Qué contesta Tato?   4. ¿Cómo se llama el amigo de Tato?   5. ¿Cómo presenta él a Lucho?

31 Entre amigos

Start a chain of introductions by introducing two of your classmates to each other. One of these two will then introduce the other to still another classmate. This chain of introductions should continue until everyone in the class has had a turn.

32 DEMONSTRATIVE ADJECTIVES

Lean los siguientes ejemplos. ⊗

Este muchacho es mi amigo.	**Esta chica** es mi hermana.
Estos muchachos son mis amigos.	**Estas chicas** son mis hermanas.

What word meaning *this* is used with the noun **muchacho?** and with the noun **chica?** What word meaning *these* is used with the noun **muchachos?** and with the noun **chicas?**

Ese chico es mi amigo.	**Esa fiesta** es aburrida.
Esos chicos son mis amigos.	**Esas fiestas** son aburridas.

What word meaning *that* is used with the noun **chico?** and with the noun **fiesta?** What word meaning *those* is used with the noun **chicos?** and with the noun **fiestas?**

33 Lean el siguiente resumen.

The following chart shows the demonstrative adjectives.

		Singular		Plural	
this/these	Masculine	**este**	chico	**estos**	chicos
	Feminine	**esta**	chica	**estas**	chicas
that/those	Masculine	**ese**	chico	**esos**	chicos
	Feminine	**esa**	chica	**esas**	chicas

Demonstrative adjectives are placed before the noun they modify. Like most adjectives in Spanish, they agree in gender and number with the noun.

34 ¿Quién es quién? ⊗

¿Es ese chico tu hermano?　　　　　　　　Sí, este chico es mi hermano.
¿Son esos chicos amigos de Paco?
¿Es esa invitación de Evita?
¿Son esas chicas amigas de Marta?
¿Es ese disco de Julio?

35 ¿Y los otros? ⊗

Este muchacho es guapo...　　　　　　...pero ese muchacho es guapo también.
Esta fiesta es muy divertida...
Estas casas son muy bonitas...
Estos discos son muy populares...
Este bizcocho es delicioso...

36 EJERCICIO ESCRITO

Write down the answers to Exercises 34 and 35.

37 EJERCICIO DE CONVERSACIÓN

Hablas con un compañero sobre la fiesta de anoche.
1.¿Dónde fue la fiesta?   2.¿A qué hora fue la fiesta?   3.¿Quiénes fueron a la fiesta?   4.¿Hiciste nuevos amigos?   5.¿A quién conociste?   6.¿Bailaste?   7.¿Con quién bailaste?   8.¿Qué comiste?   9.¿Qué bebiste?   10.¿A qué hora terminó la fiesta?   11.¿Te gustó la fiesta? 12.¿Por qué?

38 EJERCICIO DE COMPOSICIÓN

Escribes sobre una fiesta que vas a tener.
1.¿Qué día es la fiesta? 2. ¿Es por la tarde o por la noche? 3.¿A cuántos amigos vas a invitar? 4.¿Quién va a ayudar?   5.¿Qué vas a comprar para la fiesta?   6.¿Quién va contigo al supermercado?   7.¿Qué compras para comer?   8.¿Qué compras para beber?

39 Una canción

Felicidades a ti,
En tu día feliz,
Felicidades, Paquito,
Felicidades a ti.

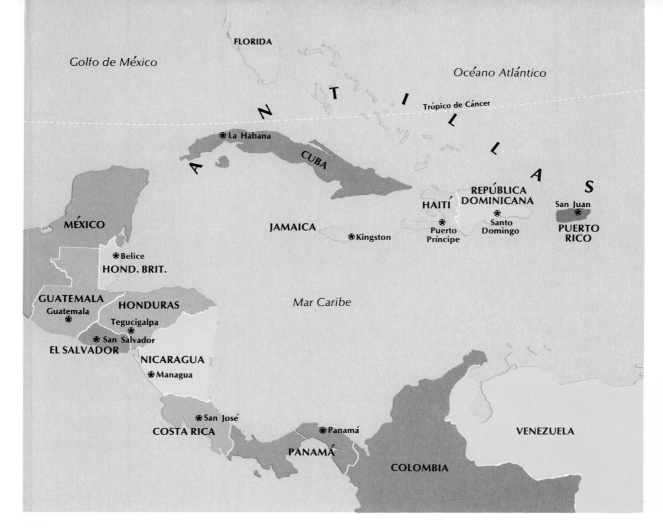

40 Una noche de fiesta ⊙

Al sur° de la península de la Florida, hay un grupo de islas°, que en español se llama las Antillas, y en inglés *the West Indies*. En tres de estas islas se habla español: Cuba, la República Dominicana y Puerto Rico.

   Puerto Rico, una de las bellas° islas del Mar Caribe, ha sido llamado° la **Isla del Encanto.**° En esta isla de playas° blancas, cielo° azul, montañas verdes, palmeras° y noches tropicales, vive Paco. Esta noche, una lindísima° casa colonial está llena° de alegría, debido a° la celebración del cumpleaños de Paco. Compañeros del club ecuestre, amigos de la escuela, parientes° y sus amigos norteamericanos de la vecindad°, todos vienen a celebrar.

   Pronto, el cantar del coquí° se pierde° entre las fuertes risas° y alegre° música. Todo es música y baile, el *rock* y los *blues* americanos; el merengue, la salsa y los boleros° latinos. Bailan bailes americanos como el *hustle* y el *bump*, y bailes tradicionales como la danza y la plena°. Los dos mundos de Paco, juntos° en la noche tropical. ¡Noche de alegría, de cumplir quince años°!

PALABRAS ADICIONALES: al sur: *to the south;* la isla: *island;* bello, -a: *beautiful;* ha sido llamado, -a: *has been called;* el encanto: *enchantment;* la playa: *beach;* el cielo: *sky;* la palmera: *palm tree;* lindísimo, -a: *very beautiful;* lleno, -a: *full;* debido a: *because of;* el pariente, -a: *relative;* la vecindad: *neighborhood;* el coquí: *Puerto Rican tree-frog;* se pierde: *is lost;* la risa: *laughter;* alegre: *happy;* el merengue, la salsa y los boleros: *popular Latin American dances;* la danza y la plena: *Puerto Rican folk-dances;* junto, -a: *together;* cumplir quince años: *to be fifteen years old*

VOCABULARIO

1-12

el bacalaíto *codfish fritter*
el **bul** *fruit punch*
el chicharrón *fried pork rind*
la china *orange (Puerto Rico)*
el cóctel de frutas *fruit cocktail*
el **cumpleaños** *birthday*
el **invitado, -a** *guest*
el **jardín** *garden*
la **lista** *list*
   mami *mom*
la palomita *popcorn*
la papita *potato chip*
la pasta de dulce *solid fruit jelly*
el pepito *cheese doodle*
el **permiso** *permission*
el plátanutre *banana chip*
la **promesa** *promise*
el refresco *soft drink*
el **supermercado** *supermarket*
   todo *everything*

bebieron *(they) drank*
bebimos *we drank*
comieron *(they) ate*
comimos *we ate*
decidió *(he) decided*
decidiste *you (fam.) decided*
escribí *I wrote*
escribió *(he) wrote*
fue[1] *it was*
invitar *to invite*
   invitar a + inf. *to invite to + inf.*
olvidar *to forget*
pasar *to happen*
   pasó *(it) happened*
prometer *to promise*
   prometí *I promised*
   prometieron *(they) promised*
   prometió *(she) promised*
   prometiste *you (fam.) promised*
recibir *to receive*
   recibieron *(they) received*
sabes *you (fam.) know*
venir[2] *to come*

esta *this*
estos *these*
tranquilo, -a *quiet, tranquil*

sobre *about, concerning*

de papel *(made) of paper*
de plástico *(made) of plastic*
de pronto *suddenly*
está bien *all right*
esta noche *tonight*
no hay nada *there's nothing*
otra vez *again*

13-20

el **bizcocho** *cake*
el **regalo** *gift*
el **tonto, -a** *fool*

abrir *to open*
aprender *to learn*
cortar *to cut*
charlar *to chat*
pensar (ie)[3] *to think*
   piensa *(he) thinks*
poder (ue) *to be able, can*
   puedo *I can*
   puedes *you (fam.) can*
saber *to know (a fact)*
traer *to bring*

último, -a *latest*

seguro (que) *of course*

21-39

el **grupo** *group*
el **gusto** *pleasure*
la **lata** *tin can*
el **pedazo** *piece, chunk*
el **placer** *pleasure*
la **receta** *recipe*

   ese *that*
   este *this*
   mucho, -a *a lot*
   tanto, -a *so much*
   todo, -a *all (of)*

aprender a + inf. *to learn to + inf.*
conocer *to know (a person, place), meet*
   conoce *(he) knows*
   conocemos *we know*
   conocen *you (pl.) know*
   conoces *you (fam.) know*
   conozco *I know*
dices *you (fam.) say*
enseñar *to teach, to show how*
   enseñar a + inf. *to teach to + inf.*
poner (un disco) *to play, put on (a record)*
presentar *to introduce*
   te presento a *I introduce to you, I'd like you to meet*
venir a + inf. *to come to + inf.*

bastante *enough*
según *according to*

Así siempre dices. *That's what you always say.*
¡cómo no! *why not!*
después de *after*
felicidades (a ti) *happy birthday (to you)*
mucho gusto *glad to meet you*
tanto gusto *glad to meet you*

---

[1] The preterit of **ser** is the same as the preterit of **ir**.
[2] The present-tense forms of **venir** are **vengo, vienes, viene, venimos, vienen.**
[3] Vowel changes in stem-changing verbs will be shown in parentheses after the infinitive form of the verb is listed.

14

Nuestros amigos cubanos en Miami

En el condado de Dade, en la Florida, viven unos 430,000 cubanos y cubano-americanos. En Miami, que es parte de este condado, hay un grupo de calles que todos llaman *Little Havana*. Las dos calles principales son *West Flagler* y *Southwest 8th Street* (**Calle Ocho** para los cubanos). Caminando por esas calles, Dicky y Jorge pasan farmacias, panaderías, gasolineras, mueblerías y bodegas. Y numerosas cafeterías y restaurantes que venden el sabroso sandwich cubano, arroz con pollo, ropa vieja, lechón asado. Solamente se oye español y en las estaciones de radio, la WQBA — ¡La Cubanísima! — y la WFAB — ¡La Fabulosa! — tocan la **Guantanamera** y otras canciones latinas. Un mundo de sonidos, vistas y aromas totalmente cubanos.

2 Por la Calle Ocho ⊛

Dicky y su hermano, Jorge, caminan por la Calle Ocho del *Southwest* de Miami. Buscan una ferretería cubana para comprar las cosas que necesitan para pintar el cuarto de Dicky. Oyen que hay una venta en West Flagler y van hasta allá.

DICKY   ¿Me prestas el dinero para la pintura blanca de las ventanas? Te pago en casa.

JORGE   ¿Por qué no compramos la pintura del techo, el rodillo y las brochas también? ¡Ah! Lourdes y Elena están en el club pero nos van a dar una ayudita durante el almuerzo.

DICKY   ¿Van a almorzar en casa?

JORGE   ¡Claro! Pasamos por la sagüesera y le compras una medianoche y un batido de mamey a cada una.

DICKY   ¡Les compro! ¡Les compro! ¿Y cuánto me va a costar todo?

JORGE   ¡Tacaño! ¿Qué quieres? ¿Pintar tu cuarto de gratis?

3 Contesten las preguntas.

1. ¿Por dónde caminan Jorge y Dicky?
2. ¿Qué buscan ellos?
3. ¿Qué van a pintar?
4. ¿Qué quiere comprar Dicky?
5. ¿Quiénes van a ayudar a los hermanos?
6. ¿Dónde están las muchachas?
7. ¿Qué van a comprar para comer?
8. ¿Qué pregunta Dicky?

4 PRÁCTICA ORAL ⊛

5 THE INDIRECT OBJECT

Lean los siguientes ejemplos. ⊗

Jorge compra la pintura **para Dicky.**   Jorge **le** compra la pintura.

For whom does Jorge buy the paint in the first sentence? What word in the second sentence takes the place of **para Dicky?**

Dicky enseña el rodillo **a sus amigos.**   Dicky **les** enseña el rodillo.

To whom does Dicky show the roller in the first sentence? What word in the second sentence takes the place of **a sus amigos?**

6 Lean el siguiente resumen.

1. In Unit II you learned that the word or words that answer the questions "What?" or "Whom?" after the verb are called the direct object. In the examples above, **la pintura** and **el rodillo** are the direct objects of the verbs **comprar** and **enseñar.**

2. The word or words that answer the questions "To whom?" or "For whom?" something is done are called the *indirect object*. In the examples above, **Dicky** and **amigos** are the indirect objects of the verbs **comprar** and **enseñar.**

3. The pronouns that answer the questions "To whom?" or "For whom?" something is done are called *indirect object pronouns*. In the examples above, **le** and **les** are the indirect objects of **comprar** and **enseñar.** The following chart shows the indirect object pronouns.

Me	compra	la pintura.	He buys me the paint (for me).
Te	compra	la pintura.	He buys you (fam.) the paint (for you).
Le	compra	la pintura.	He buys him the paint (for him). He buys her the paint (for her). He buys you (pol.) the paint (for you).
Nos	compra	la pintura.	He buys us the paint (for us).
Les	compra	la pintura.	He buys them the paint (for them). He buys you (pl.) the paint (for you).

4. The indirect object pronoun is placed immediately before the conjugated verb, even in a negative sentence.   Jorge **no le compra** el rodillo.

7 Dicky le pregunta a Jorge. ⊗

¿Compraste mi pintura?   Sí, te compré la pintura.
¿Él compró tu rodillo?   ¿Elena pagó nuestros batidos?   ¿Pintaste mi cuarto?   ¿Pintaron nuestras ventanas?   ¿Hiciste mi almuerzo?

8 Caminando a la ferretería ⊗

¿Me compras la pintura?   Claro que te compro la pintura.
¿Te pago en casa?   ¿Le haces una medianoche?   ¿Les compramos unos batidos?
¿Nos pinta el cuarto?

9 Pintando el cuarto ⊗

Los hermanos van al club a buscar a Lourdes, que acaba de jugar un partido de tenis. Luego pasan por la piscina, donde está Elena con unos amigos, y les enseñan sus compras. Vuelven a casa en la máquina de un amigo y allí comparan los colores de los cuartos de la casa. Al fin cubren el piso y los muebles del cuarto de Dicky con lona y papel periódico. Jorge y Elena empiezan[1] a pintar mientras que Dicky y Lourdes preparan el almuerzo.

ELENA	Jorge, ¿me das la brocha, por favor?
JORGE	Te doy la brocha y la pintura. ¡Ya acabé la ventana!
ELENA	¿Y las paredes?
JORGE	¡Qué graciosa! Si le pinto los paneles de madera a Dicky, no nos da el almuerzo. ¿Ya acabaste?
ELENA	Sí. Ya casi acabé el techo, pero si quieres, mañana le damos otra mano de pintura. ¿Te gusta?
JORGE	Claro. ¡Somos grandes pintores! (Dicky entra con un sandwich.)
DICKY	¡Qué horror! Pintaron todo al revés. ¡Yo quiero el techo anaranjado y la ventana blanca!

10 Contesten las preguntas.

1. ¿Quiénes van a buscar a Lourdes?
2. ¿Qué acaba de jugar ella?
3. ¿Qué les enseñan a sus amigos?
4. ¿Adónde vuelven?

5. ¿Qué cubren con papel periódico?
6. ¿Qué le da Jorge a Elena?
7. ¿Van a pintar las paredes? ¿Por qué?
8. ¿Cómo pintaron todo?

11 PRÁCTICA ORAL ⊗

12 ¿Y tú?

1. En el verano, ¿vas a una piscina? ¿Dónde?
2. ¿Juegas tenis? ¿Con quién?
3. ¿De qué color es el techo de tu cuarto?

4. ¿Y las paredes? ¿Y las ventanas?
5. ¿Te gusta pintar con rodillo o con brocha?
6. ¿Cómo pintas, bien o mal?

[1] **Empezar** is like **pensar** in the present tense: **empiezo, empiezas, empieza, empezamos, empiezan.**

13 La casa de Dicky ⊗

Aquí tenemos el plano de la casa de Dicky. Hay diez habitaciones: tres cuartos de dormir, tres baños, la sala, el comedor, la cocina y el *Florida room*, que abre hacia la terraza cubierta.

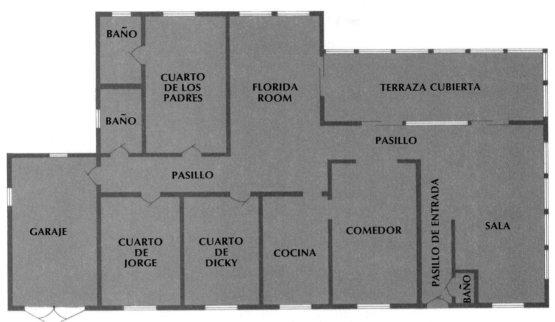

14 Contesten las preguntas.

1. ¿De quién es la casa?
2. ¿Cuántas habitaciones hay?
3. ¿Cuántos baños hay?
4. ¿Cómo es la terraza?

15 PRÁCTICA ORAL ⊗

16 Mirando el plano de la casa de Dicky

1. ¿Entre qué habitaciones está la cocina?
2. ¿Está el comedor lejos o cerca de la cocina?
3. ¿Qué hay al lado del cuarto de los padres?
4. ¿Qué hay entre la cocina y el cuarto de Jorge?
5. ¿Cerca de qué cuartos está la sala?
6. ¿Qué abre hacia la terraza?

17 el verbo dar

In the present tense, the verb **dar** — *to give* — is conjugated like the verb **ir.**

Doy	el dinero a Jorge.	**Damos**	el almuerzo a los amigos.
Das	la pintura a Lourdes.		
Da	el rodillo a Elena.	**Dan**	el batido a Dicky.

18 ¿Qué hacemos si...? ⊗

Nosotros pintamos el cuarto de Dicky.   Si Dicky nos da la pintura.
Nosotras pintamos su cuarto.   Si Ud. nos da la pintura.
Nosotros pintamos el cuarto de Elena.
Nosotras pintamos tu cuarto.
Nosotros pintamos el cuarto de los padres.
Nosotras pintamos el cuarto de Jorge.

19 Cuando queremos, nos dan. ⊗

Dicky quiere la pintura. (Jorge)   Jorge le da la pintura.
Tú quieres un batido. (Yo)   Yo te doy un batido.
Tú quieres una medianoche. (Nosotros)
Él y Jorge quieren el almuerzo. (Ellas)
Yo quiero la lona. (Tú)
Uds. quieren el rodillo. (Nosotros)
Lourdes y tú quieren las brochas. (Yo)

20 EJERCICIO ESCRITO

Write out the answers to Exercises 18 and 19.

21   USE OF PREPOSITIONS WITH CERTAIN VERBS

1. There are a number of verbs in Spanish that require a preposition when an infinitive follows.

> Dicky **empieza a pintar.**
> Las chicas **acabaron de trabajar.**

You have already seen several verbs that follow this rule: **ir a + inf., invitar a + inf., aprender a + inf., empezar a + inf., acabar de + inf., venir a + inf.**

2. The only verb form that can follow a preposition, in Spanish, is the infinitive.

> Estoy cansado **de trabajar.**
> Lourdes viene **para ayudar.**

22 ¿Qué hicieron los muchachos?

1. ¿Qué acaban de comprar los hermanos?   4. ¿Qué empiezan a hacer Elena y Jorge?
2. ¿Invitan a las chicas a trabajar o a   5. ¿Qué acaban de hacer antes de almorzar?
   jugar?   6. ¿Para qué vienen las muchachas?
3. ¿Para qué van a casa de Dicky?

23 EJERCICIO ESCRITO

Rewrite the following sentences, filling in the blanks with an appropriate verb.
1. Nosotros acabamos de _____ un batido. 2. Él viene para _____ el cuarto de Dicky.
3. Ellos corren a _____ tenis en el club. 4. Nosotros llamamos a Jorge antes de _____ a su casa. 5. Tú puedes jugar después de _____ el cuarto. 6. Elena aprendió a _____ con el rodillo.

24   Dicky y Jorge ponen el cuarto en orden. ⊗

Al otro día, Dicky pone su cuarto en orden, con ayuda de su hermano. Cuelgan las persianas y·las cortinas, y ponen la cama debajo de la ventana. Las mesitas de noche van al lado de la cama. En una ponen una lamparita, y en la otra un retrato y el radio. Colocan la alfombra sobre el piso y, a la izquierda, ponen dos sillas. El escritorio y su silla van contra la pared, frente a la cama. Entonces ponen los libros en el librero, y pegan varios *posters* y un papalote en las paredes. "¿Dónde pongo la raqueta de tenis?" pregunta Jorge desde la puerta. "Al lado de la cómoda," le contesta Dicky, que quiere acabar. Y los dos corren a buscar sus bicicletas para ir a la piscina del club.

En el cuarto de Dicky hay:

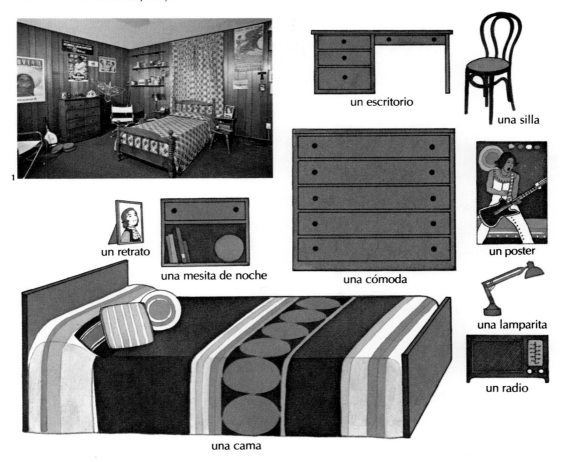

un escritorio

una silla

un retrato

una mesita de noche

una cómoda

un poster

una lamparita

un radio

una cama

25   Contesten las preguntas.

1. ¿Qué hace Dicky? ¿Con ayuda de quién?
2. ¿Qué hacen primero?
3. ¿Dónde colocan la cama?
4. ¿Qué ponen en la mesita de noche?
5. ¿Dónde va la alfombra?
6. ¿Dónde van el escritorio y su silla?
7. ¿Y la raqueta de tenis?
8. ¿Qué quiere hacer Dicky?

26   PRÁCTICA ORAL ⊗

27 ¿Qué muebles hay en casa de Dicky? ⊗

En la sala hay:

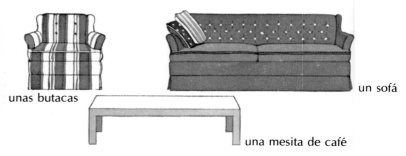

unas butacas

un sofá

una mesita de café

En el comedor hay:

unos aparadores

unas sillas de comedor

una mesa de comer

En el Florida room hay:

unas mecedoras

un librero

una mesita redonda

28 ¿Qué muebles hay en tu casa?

1. ¿En tu cuarto de dormir?
2. ¿En la sala?

3. ¿En el comedor?
4. ¿En el cuarto de tus hermanos o padres?

29 PRÁCTICA ORAL ⊗

30 EJERCICIO DE COMPRENSIÓN ⊗

	0	1	2	3	4	5	6	7	8	9	10
le											
les	√										

31   el verbo poner

In the present tense, the verb **poner**—*to place, to put*—is irregular only in the **yo** form. The following chart shows the present tense of **poner.**

Pongo	el cuarto en orden.	**Ponemos**	la raqueta en el suelo.
Pones	los libros en el librero.		
Pone	la silla en la esquina.	**Ponen**	el retrato en la mesa.

1. In the present tense, the stem of **poner** adds a **g** in the **yo** form: **pongo.** All the other present-tense forms are regular.

2. The verb **salir**—*to go out*—makes the same stem change in the present. **Salgo, sales, sale, salimos, salen.**

32   Vamos a poner la casa en orden. ☺

Jorge quiere el sofá en la sala.   Jorge pone el sofá en la sala.
Yo quiero la cómoda a la izquierda.
Nosotros queremos la lamparita allí.
Uds. quieren las butacas contra la pared.
Tú quieres la silla allí.
Ella quiere la cama debajo de la ventana.

33   EJERCICIO ESCRITO

Write out the answers to Exercise 32.

34   EJERCICIO DE CONVERSACIÓN

Hablas con un amigo (-a) de tu casa o apartamento. Tu amigo (-a) quiere saber cuántos cuartos hay en tu casa. ¿Cuáles son? ¿Qué muebles hay en cada habitación? ¿De qué colores son los cuartos? Ahora tú preguntas a tu amigo (-a) de su cuarto de dormir. ¿Qué muebles tiene? ¿Cuál es su cuarto favorito en la casa? ¿Por qué?

35   EJERCICIO DE COMPOSICIÓN

Look at the plan of Dicky's home on page 145. In Spanish, describe what pieces of furniture you would place in each room and where. Now, on a piece of paper, draw a plan of your own home. Describe each of the rooms and some of the furniture in each.

36   VOCABULARIO

1   el arroz con pollo   *chicken with rice*
el condado   *county*
la estación   *station*
la farmacia   *drugstore*
la gasolinera   *gas station*
el lechón asado   *roast pork*
la mueblería   *furniture store*
la panadería   *bakery*
ropa vieja   *shredded beef*

el sonido   *sound*
la vista   *sight*

cubanísimo, -a   *very Cuban*
sabroso, -a   *tasty, delicious*

tocar   *to play (a song)*

se oye   *is heard*
cuatrocientos treinta mil
    430,000

2–8

la **ayudita**   help (dim.)
la **brocha**   paint brush
el **club**   club
la **ferretería**   hardware store
el **mamey**   mammee (a tropical fruit)
la **medianoche**   Cuban sandwich with meats and cheese in a sweet roll
la **pintura**   paint
la **sagüesera**   Cuban neighborhood in the southwest of Miami
el **rodillo**   paint roller
el **techo**   ceiling
la **venta**   sale
la **ventana**   window

comprar:
  le compras   you (fam.) buy (for) her
  les compro   I buy (for) them
costar (ue)   to cost
  me va a costar   (it) is going to cost me
dar   to give
  nos van a dar   (they) are going to give (to) us
oyen   (they) hear
pagar:
  te pago   I pay (to) you
pasar   to go by, pass
pintar   to paint
prestar   to lend
  me prestas   you (fam.) lend (to) me

cubano, -a   Cuban
tacaño, -a   stingy

claro   of course
de   for

de gratis   for free
en casa   at home

9–23

el **baño**   bathroom
la **cocina**   kitchen
la **compra**   purchase, buy
el **cuarto de dormir**   bedroom
el **Florida room**   family room that opens to yard or terrace
la **habitación**   room
la **lona**   canvas (dropcloth)
la **mano de pintura**   coat of paint
la **máquina**   car (Cuba)
el **mueble**   furniture
el **panel de madera**   wood panel
la **pared**   wall
el **pasillo**   hallway
el **pasillo de entrada**   foyer, entry hallway
el **periódico**   newspaper
la **piscina**   swimming pool
el **piso**   floor
el **plano**   plan, blueprint
la **sala**   living room
la **terraza cubierta**   covered terrace

acabar de + inf.   to have just + past part.
acaba de jugar   (she) has just played
comparar   to compare
cubrir   to cover
dar:
  da   (he) gives
  damos   we give
  das   you (fam.) give
  doy   I give
empezar (ie):
  empezar a + inf.   to begin to + inf.
  empiezan a pintar   (they) begin to paint
volver (ue)   to return
  vuelven   (they) return

anaranjado, -a   orange

hacia   toward, to

a casa   (toward) home
al fin   finally
al revés   backward
grandes pintores   great painters
¡qué gracioso, -a!   how cute!
¡qué horror!   how awful!

24–35

la **alfombra**   rug
el **aparador**   china cabinet
la **ayuda**   help
la **butaca**   armchair
la **cama**   bed
la **cómoda**   dresser
la **cortina**   curtain
la **lamparita**   lamp (dim.)
el **librero**   bookcase
la **mecedora**   rocking chair
la **mesa de comer**   dining table
la **mesita de noche**   night table
el **papalote**   kite
la **persiana**   Venetian blind
el **poster**   poster
la **puerta**   door
el **radio**   radio
el **retrato**   portrait photograph, picture
la **silla**   chair
la **silla de comedor**   dining room chair
el **sofá**   couch, sofa

colgar(ue)   to hang
  cuelgan   (they) hang
colocar   to place, put
pegar   to stick, glue
poner:
  pone   (he) puts, sets
  ponen   (they) put, set
  pongo   I put

redondo, -a   round
varios, -as   several

desde   from

a la izquierda   to the left
en orden   in order
frente a   in front of, opposite
poner en orden   to straighten up

15

Vamos a un camping

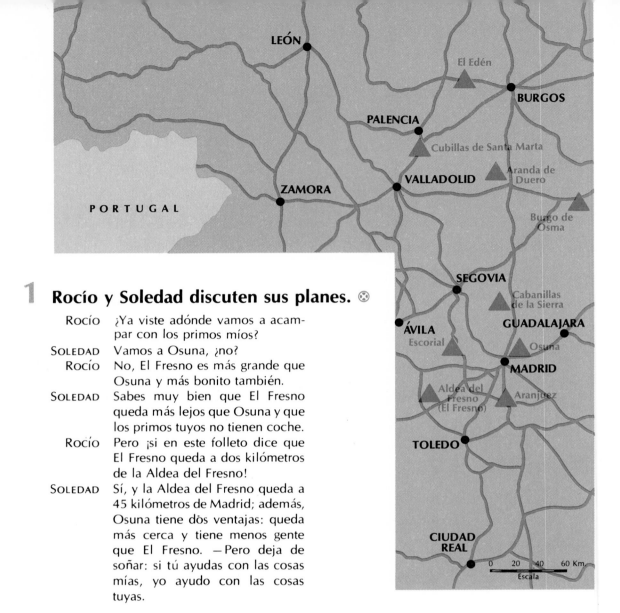

1 Rocío y Soledad discuten sus planes. ⊗

Rocío   ¿Ya viste adónde vamos a acampar con los primos míos?

SOLEDAD   Vamos a Osuna, ¿no?

Rocío   No, El Fresno es más grande que Osuna y más bonito también.

SOLEDAD   Sabes muy bien que El Fresno queda más lejos que Osuna y que los primos tuyos no tienen coche.

Rocío   Pero ¡si en este folleto dice que El Fresno queda a dos kilómetros de la Aldea del Fresno!

SOLEDAD   Sí, y la Aldea del Fresno queda a 45 kilómetros de Madrid; además, Osuna tiene dòs ventajas: queda más cerca y tiene menos gente que El Fresno. —Pero deja de soñar: si tú ayudas con las cosas mías, yo ayudo con las cosas tuyas.

2 Contesten las preguntas.

1. ¿De qué hablan las chicas?
2. ¿Con quiénes van a acampar?
3. ¿Qué camping queda más cerca, Osuna o El Fresno?
4. ¿Tienen coche los primos?
5. ¿A cuántos kilómetros de Madrid queda la Aldea del Fresno?
6. ¿Qué ventajas tiene Osuna?

3 ¿Y tú?

1. ¿A ti te gusta ir a acampar?
2. ¿A qué camping vas?
3. ¿Vas en verano o en invierno?
4. ¿Con quién vas?
5. ¿Vas al camping a pie o en coche?
6. ¿Hay mucha gente en el camping?

4 PRÁCTICA ORAL ⊗

5 ¿Qué equipo llevan los campistas? ⊗

Las chicas y los primos de Rocío preparan el equipo. Cada campista lleva:

una mochila,   una cantimplora,   un saco para dormir   y una linterna.

Todos ayudan con las cosas más pesadas:

un hacha y una pala,   dos tiendas de campaña,   víveres,   una sartén y una olla.

y más importante que todo:

un botiquín,   una brújula,   un mapa,   fósforos   y unas cuerdas.

6 Contesten las preguntas.

1. ¿Quién prepara el equipo?
2. ¿Qué lleva cada uno (-a)?
3. ¿Con qué ayudan todos?
4. ¿Qué más llevan?

7 PRÁCTICA ORAL ⊗

8 COMPARATIVES: más/menos...que

Lean los siguientes ejemplos. ⊗

> Mi mochila es **pesada.**
> Mi mochila es **más pesada que** tu mochila.
> Mi mochila es **menos pesada que** tu mochila.

What does the first sentence mean? and the second? and the third? In the second sentence, which word means *more?* and which word means *than?* In the third sentence, which word means *less?* and which word means *than?*

9 Lean el siguiente resumen.

1. In Spanish, comparatives are expressed by the constructions **más...que** or **menos...que.**

Esta tienda es **más pesada que** tu tienda.   *This tent is heavier than your tent.*
Esta tienda es **menos pesada que** tu tienda.   *This tent is less heavy than your tent.*
Conozco a **más gente que** tú.   *I know more people than you do.*
Conozco a **menos gente que** tú.   *I know fewer people than you do.*

2. If **que** is followed by a pronoun, you use the subject pronouns.

Rocío es **más fuerte que yo.**

10 Comparando Osuna con El Fresno ⊗

Osuna es grande.   Pero El Fresno es más grande que Osuna.

Osuna queda lejos.   Osuna tiene árboles.   Osuna tiene montañas.   Osuna tiene campistas.
Osuna es bonita.

11 ¿Cómo es el equipo? ⊗

Mi mochila es pesada.   Mi mochila es más pesada que tu mochila.
                                                    Mi mochila es menos pesada que tu mochila.

Mi tienda es grande.   Mi cantimplora está llena.   Mi saco para dormir es grande.   Mi linterna
es nueva.   Mi botiquín está pesado.

12 POSSESSIVE ADJECTIVES

Lean los siguientes ejemplos. ⊗

Mi mochila es verde.
La **mochila mía** es verde.

What word means *my* in the first sentence? Does it go before or after the noun it modifies?
What word means *my* in the second sentence? Does it go before or after the noun it modifies?

13 Lean el siguiente resumen.

1. In Units 4 and 5 you learned about *possessive adjectives*. They go before and agree with
   the nouns they modify: **mi mochila, mis mochilas; tu fósforo, tus fósforos; nuestra tienda, nuestras tiendas.**

2. There is another group of possessive adjectives called the *long-form possessives*. The
   following chart shows the long-form possessive adjectives.

	Masculine	Feminine
my	**mío, míos**	**mía, mías**
your (fam.)	**tuyo, tuyos**	**tuya, tuyas**
your (pol.)		
his, her, its	**suyo, suyos**	**suya, suyas**
their		
our	**nuestro, nuestros**	**nuestra, nuestras**

—Long-form possessive adjectives are used *for emphasis.*

la linterna mía   *my* flashlight *(not yours, his, etc.)*

—Long-form possessive adjectives *follow* the noun they modify. They agree in number and
gender with the noun.

el amigo mío   **la amiga mía**
los amigos míos   **las amigas mías**

—**Suyo (-a, -os, -as)** can mean *your (pol.), his, her, its,* or *their.*

14 ¿De quién es? ⊗

¿Qué linterna tienes?
¿Qué fósforos tengo?
¿Qué mapa tienen Uds.?
¿Qué cantimplora tienes?
¿Qué sartenes tengo?
¿Qué sacos tienen Uds.?

Tengo la linterna mía.
Tienes los fósforos tuyos.

15 Rocío y Soledad discuten. ⊗

Aquí está la mochila de tu hermano.
Aquí están las palas tuyas y mías.
Aquí está el botiquín de tus primos.
Aquí están las cuerdas de tu amiga.
Aquí están los sacos de los chicos.
Aquí está la tienda tuya y mía.

No, no es la mochila suya.
No, no son las palas nuestras.

16 EJERCICIO DE COMPRENSIÓN ⊗

	0	1	2	3	4	5	6	7	8	9	10
suyo	✓										
suyos											
suya											
suyas											

17 EJERCICIO ESCRITO

Rewrite the following paragraph, changing all short-form possessives to long-form possessives.

Rocío y Soledad preparan sus mochilas. Rocío dice "Mi hermano tiene mi linterna. Tenemos que usar tu linterna." "Está bien," contesta Soledad, "pero tú tienes que llevar mi linterna en tu mochila." "¿Y quién va a llevar nuestras tiendas?" pregunta Rocío. "Tus primos," contesta Soledad, "ellos pueden llevar nuestras cosas y sus cosas también."

18 Un juego de correspondencia

Can you match the following list of campsite features with the corresponding symbols?

TELÉFONO   CORREOS   MÉDICO   CAMBIO DE MONEDA   CAMPAMENTO   PESCA
GASOLINERA   CAFETERÍA   MONTAÑAS   AGUA CALIENTE   ÁRBOLES   PLAYA

PALABRAS ADICIONALES: correos: *post office;* médico: *doctor;* campamento: *camping area;* pesca: *fishing;* gasolinera: *gas station;* cambio de moneda: *money exchange;* playa: *beach*

Vamos a un camping   155

19 El campamento ⊛

Después de tanta discusión, decidieron ir a un camping en un bosque privado, en las afueras de Madrid. Tuvieron que viajar unos tres kilómetros en tren; luego tuvieron que hacer una caminata de cuatro kilómetros. Pasaron casas de campo; atravesaron bosques, llanuras y colinas llenas de robles y pinos, hasta llegar al pie de una montaña pequeña. Aquí decidieron acampar cerca de un río.

Rocío	Estoy muerta de cansancio. Creo que tuve que caminar por lo menos cien kilómetros.
Javier	Y yo estoy muerto de hambre.
Miguel	Pues si no ayudan a montar las tiendas y a buscar leña para el fuego, ni descansamos ni comemos hoy.
Manuel	Bueno, voy a buscar leña seca. Estuve aquí el año pasado y sé dónde hay.
Miguel	Soledad, tú y yo montamos las tiendas mientras que Rocío y Javier encienden el fuego y cocinan algo.

En poco tiempo montaron las tiendas, buscaron la leña, encendieron el fuego y prepararon algo de comer. Cada uno tuvo que hacer algo y todos ayudaron con la comida —que estuvo deliciosa. El día estuvo nublado y los campistas decidieron cancelar toda aventura y exploración por una velada de chistes y canciones.

20 Contesten las preguntas.

1. ¿Adónde decidieron ir?
2. ¿Qué atravesaron?
3. ¿Dónde decidieron acampar?
4. ¿Cuántos kilómetros dice Rocío que caminó?
5. ¿Qué va a buscar Manuel?
6. ¿Qué van a hacer Soledad y Miguel?
7. ¿Quién ayudó con la comida?
8. ¿Cómo estuvo el día? Entonces, ¿qué hicieron?

21   Throughout Spain, camping is a very popular leisure-time activity. During the summer months, Spaniards, as well as other Europeans, flock to the many campsites along the cool, beautiful beaches of the **Mar Cantábrico** in the north, and to the warm waters of the southern beaches of the **Mar Mediterráneo.** But camping is not restricted to the seashore. For the more adventurous campers, the five mountain ranges of Spain present an inviting challenge. For others looking for a few days of relaxed outdoor living, the northern and central **mesetas** (high plains) offer a moderate climate and a peaceful country setting.

22 **¿Y tú?**

1. ¿Adónde te gusta ir a acampar?
2. ¿Tienes que caminar mucho o poco?

3. ¿Quiénes montan tu tienda?
4. ¿Qué necesitas para el fuego?

23 **PRÁCTICA ORAL** ⊗

24 <center>**kilómetros y millas** ⊗</center>

Spain, as well as most countries in Latin America, uses the metric system of weights and measures. Measurement of distance is based on the meter — **el metro** — which is approximately 39 inches. Long distances are measured in kilometers — **kilómetros.** A **kilómetro** is 1,000 **metros.** The charts below show how to change miles into kilometers and kilometers into miles.

1 kilómetro = 1.000 metros 1 Km. = 1.000 m.	1 milla = 1,6 kilómetros 1 Km. = 0,62 milla

Notice that a comma is used instead of a decimal point. In many countries, however, the decimal point is used interchangeably with the comma.

```
         0    1    2    3    4    5    6    7    8    9   10   11   12
millas  |͏ι͏ι͏|͏ι͏ι͏|͏ι͏ι͏|͏ι͏ι͏|͏ι͏ι͏|͏ι͏ι͏|͏ι͏ι͏|͏ι͏ι͏|͏ι͏ι͏|͏ι͏ι͏|͏ι͏ι͏|͏ι͏ι͏|͏ι͏ι͏|

kilómetros |͏ι͏ι͏|͏ι͏ι͏|͏ι͏ι͏|͏ι͏ι͏|͏ι͏ι͏|͏ι͏ι͏|͏ι͏ι͏|͏ι͏ι͏|͏ι͏ι͏|͏ι͏ι͏|͏ι͏ι͏|͏ι͏ι͏|͏ι͏ι͏|
           0  1  2  3  4  5  6  7  8  9  10 11 12 13 14 15 16 17 18 19 20
```

25 **¿Cuántos kilómetros caminaron?**

¿Si caminaron una milla?   Caminaron 1,6 Km.
¿Si caminaron cinco millas?   Caminaron 8,0 Km.
¿Si caminaron diez millas?   ¿Y veintisiete millas?   ¿Y cuarenta millas?   ¿Y setenta millas?

26 **Campings y otros lugares cerca de Madrid**

Look at the map on page 152 and answer the following questions.

¿A cuántos kilómetros está El Fresno de Madrid?
¿A cuántos kilómetros está El Escorial de Madrid?
¿A cuántos kilómetros está Toledo de Madrid?
¿A cuántos kilómetros está Ávila de Madrid?
¿A cuántos kilómetros está Segovia de Madrid?
¿A cuántos kilómetros está Osuna de Madrid?

THE PRETERIT OF tener AND estar

27

The preterit forms of the verbs **tener** and **estar** are irregular in both the stem and the endings. Study the following charts.

tener	
Tuve	una idea.
Tuviste	razón.
Tuvo	que cocinar.
Tuvimos	mucho frío.
Tuvieron	hambre.

estar	
Estuve	en tu casa.
Estuviste	en la tienda.
Estuvo	en Madrid.
Estuvimos	aquí antes.
Estuvieron	en la montaña.

1. In the preterit tense, the stem of **tener** changes from **ten-** to **tuv-**; the stem of **estar** changes from **est-** to **estuv-**.

   Tenemos tres tiendas.　　**Tuvimos** tres tiendas.
   Estamos en el bosque.　　**Estuvimos** en el bosque.

2. The preterit endings of **tener** and **estar** are the same as the endings of **hacer,** which you studied in Unit 11: **-e, -iste, -o, -imos, -ieron.**

3. Notice that none of the verb forms above has a written accent.

28　**¿Qué tuvieron que hacer para ir al camping?** ⊗

¿Hicieron ellas planes?　　　　　　　Sí, tuvieron que hacer planes.
¿Decidiste adónde ir?
¿Preparó Rocío el equipo?
¿Ayudaron Uds. con las mochilas?
¿Caminaron ellos mucho?
¿Llegaron todos cansados?

29　**Soledad les pregunta a sus primos.** ⊗

¿Tuviste un buen viaje?　　　　　　　No, no tuve un buen viaje.
¿Tuvieron Uds. mucho frío?
¿Rocío tuvo que ir al río?
¿Ellas tuvieron que cocinar?
¿Tuviste que ayudar?
¿Él tuvo que buscar leña?

30　**Javier y Manuel hablan.** ⊗

¿Estuviste aquí el año pasado?　　　　Sí, estuve aquí el año pasado.
¿Estuvo tu hermana también?
¿Estuvieron tus papás contigo?
¿Estuvieron Uds. en el camping de Osuna?
¿Estuviste más cansado que hoy?
¿Estuvo tu familia cansada también?

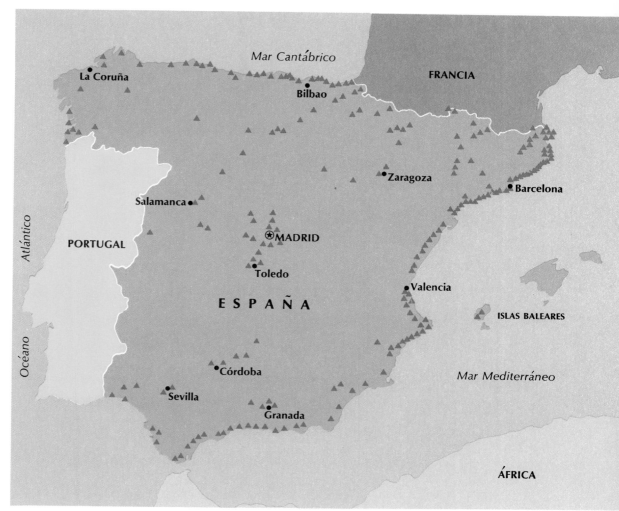

31 Campings en España ⊗

Miles de muchachos y muchachas, europeos y españoles, acampan durante el verano por toda España. Hay numerosos campamentos de turismo, públicos y privados, y el costo de pasar la noche es muy barato°. En estos campamentos hay facilidades de baño, máquinas de lavar° y, muchas veces, un café o un restaurante donde comer. Algunos de los campamentos son muy modernos y muy populares.

Muchos muchachos, naturalmente°, acampan por su cuenta°. Basta° con obtener permiso de° los dueños° de terrenos° y fincas°. En los pueblos° siempre encuentran° una oficina de correos° para mantener contacto con la familia y amigos. Muchos pueblos también tienen una oficina local de turismo donde obtener información. Un letrero° con ⓘ, usado internacional-mente en toda Europa, es la señal° de información. En los mercados° de los pueblos es fácil comprar frutas frescas, quesos, bocadillos de jamón y refrescos.

PALABRAS ADICIONALES: barato, -a: *inexpensive;* la máquina de lavar: *washing machine;* naturalmente: *naturally;* por su cuenta: *on their own;* basta: *it's enough;* con obtener permiso de: *to get permission from;* el dueño, -a: *owner;* el terreno: *land;* la finca: *farm;* el pueblo: *town;* encuentran: *(they) find;* la oficina de correos: *post office;* el letrero: *sign;* la señal: *sign;* el mercado: *marketplace*

32 EJERCICIO DE CONVERSACIÓN

Hablas con un amigo o una amiga, de un viaje que vas a hacer a un camping.
1. ¿Con quién vas a ir a acampar? 2. ¿Adónde vas a ir? 3. ¿Cuánto tiempo van a pasar en el camping? 4. ¿Cuántas tiendas van a llevar? 5. ¿Qué más van a llevar? 6. ¿Quién va a montar las tiendas? 7. ¿Qué van a necesitar para encender el fuego? 8. ¿Quién va a cocinar? 9. ¿Qué van a comer?

33 EJERCICIO DE COMPOSICIÓN

Escribes sobre un día que pasaste en un camping.
1. ¿Qué día fuiste a acampar? 2. ¿Qué llevaste? 3. ¿Cómo fuiste? 4. ¿Pasaste montañas? 5. ¿Qué más pasaste? 6. ¿A qué hora llegaste al campamento? 7. ¿Cuántos kilómetros caminaste? 8. ¿Qué hiciste cuando llegaste al campamento? 9. ¿Qué hiciste durante la velada?

34 VOCABULARIO

1–18
la **aldea** village
el **botiquín** first-aid kit
la **brújula** compass
el **camping** campsite, camping ground
el **campista, la c—** camper
la **cantimplora** canteen
la **cuerda** rope
el **equipo** equipment, gear
el **folleto** brochure
el **fósforo** match
el **hacha** (f.) ax
el **kilómetro** kilometer
la **linterna** lantern, flashlight
el **mapa** map
la **mochila** knapsack, backpack
la **pala** shovel
la **olla** kettle, pan
el **saco para dormir**[1] sleeping bag

la **sartén** frying pan
la **tienda de campaña**[1] camping tent
la **ventaja** advantage
los **víveres** food supplies

acampar to camp out
discutir to discuss
llevar to carry, take along
quedar to be (located)

importante important
pesado, -a heavy
mío, -a, -os, -as my, of mine
tuyo, -a, -os, -as your (fam.), of yours

deja de soñar stop dreaming
más bonito, -a prettier
más cerca closer
más pesado, -a heavier
más...que more...than
  más grande que bigger than
  más importante que more important than
  más lejos que farther than
menos...que less/fewer...than
  menos gente que fewer people than

19–33
las **afueras** outskirts
la **aventura** adventure
el **bosque** forest, woods
la **caminata** hike
el **campamento** campsite
la **casa de campo** country house
la **colina** hill
el **chiste** joke
la **discusión** discussion
la **exploración** exploration
el **fuego** fire
la **leña** firewood
la **llanura** plain, field
la **milla** mile
el **pino** pine tree
el **río** river
el **roble** oak tree
la **velada** evening get-together

atravesar (ie) to go through, cross
cancelar to cancel
cocinar to cook
encender (ie) to light (a fire)
estar:
  estuve I was
  estuvo (it) was
montar las tiendas to pitch the tents
tener (que):
  tuve que I had to
  tuvo que (he) had to
  tuvieron que (they) had to
viajar to travel

nublado, -a cloudy
privado, -a private
seco, -a dry
todo, -a all, every

algo de comer something to eat
en poco tiempo in a short time
hasta llegar al pie de una montaña until they reached the foot of a mountain
muerto (-a) de cansancio dead tired
muerto (-a) de hambre dying of hunger
ni...ni neither... nor
  ni descansamos ni comemos we (will) neither rest nor eat
por lo menos at least

[1] Saco para dormir and tienda de campaña are often shortened to saco and tienda.

Vamos de compras

16

1 Los Puente hacen planes para ir de compras. ⊗

Marisa y Homero tienen que comprar unos regalos para sus amigos, Linda, Helen, Billy, y sus papás, los Spencer.[1] Ellos viven en El Paso, Texas. Marisa llama a su mamá, la Sra. Puente.

SEÑORA	¿Me llamas a mí, Marisa?
MARISA	Sí, mamá. Homero y yo te necesitamos. ¿Nos puedes ayudar a comprar los regalos para los Spencer?
SEÑORA	Creo que ustedes no me necesitan, lo que necesitan es dinero.
HOMERO	¡Pero no mucho! ¿Nos puedes prestar 600 pesos? Los necesitamos hoy mismo.
SEÑORA	Tengo solamente 500 pesos en mi cartera, pero si no son suficientes, puedo pagar con mi tarjeta de crédito. ¿Ya decidieron qué regalos les van a comprar a ellos?
MARISA	Linda quiere una cartera y Helen una blusa. Las venden en la Zona Rosa.
HOMERO	Y Billy quiere un cinturón de cuero y también lo venden allí.
SEÑORA	Pues bien, ¡a las cuatro todos vamos de compras!

Los Puente de la Ciudad de México

Los Spencer de El Paso, Texas

2 Contesten las preguntas.

1. ¿Para quiénes tienen que comprar regalos Marisa y Homero?
2. ¿A quién llama Marisa?
3. ¿Qué necesitan Homero y Marisa de su mamá?
4. Si el dinero no es suficiente, ¿con qué puede pagar ella?
5. ¿Qué quiere comprar Marisa para su amiga Linda?
6. ¿Y para Helen?
7. ¿Qué quiere comprar Homero para Billy?
8. ¿Adónde van a ir a comprar estos regalos?
9. ¿A qué hora van a ir de compras?

3 PRÁCTICA ORAL ⊗

4 Monedas y billetes mexicanos

[1] Notice that Spanish uses the plural form of the definite article with the family name, but no s is added to the name — **los Puente:** the Puentes; **los Spencer:** the Spencers.

5 ¿Qué más van a comprar? ⊗

Y ahora que tiene dinero, Homero piensa que puede comprar algunas cosas típicas de México como:

un rebozo

canastas

guaraches

un sarape

una piñata

camisetas

guantes

botas

pañuelos

pantalones vaqueros

6 PRÁCTICA ORAL ⊗

7 ¿Y tú?

1. ¿Para quiénes compras regalos?
2. ¿Quién te compra regalos?

3. ¿Adónde vas de compras?
4. ¿Recibes regalos a menudo? ¿Cuándo?

8 Los números del 100 al 1.000 ⊗

100 cien

101 ciento uno,-a

134 ciento treinta y cuatro

200 doscientos,-as

223 doscientos,-as veintitrés

300 trescientos,-as

400 cuatrocientos,-as

500 quinientos,-as

600 seiscientos,-as

700 setecientos,-as

800 ochocientos,-as

900 novecientos,-as

1.000 mil

9 sobre los números del 100 al 1.000

1. Numbers ending with **uno:**
   a) drop the final **o** before a masculine noun.
   un chico   doscientos treinta y **un chicos**   trescientos veintiún **chicos**
   b) become **una** before a feminine noun.
   una chica   seiscientas cuarenta y **una chicas**   setecientas veintiuna **chicas**

2. **Cien** becomes **ciento** in numbers greater than one hundred: **ciento dos, ciento noventa.**

3. Numbers from 200 through 999 have a masculine and a feminine form. The **-os** ending of the hundreds changes to **-as** when the number modifies a feminine noun.
   quinient**os** chicos   quinient**as** **chicas**
   cuatrocient**os** tres **chicos**   cuatrocient**as** tres **chicas**

4. The word **y** is used only between the tens and the units in numbers above thirty.
   ciento treinta **y** uno   ochocientos cuarenta **y** dos   (BUT: doscientos uno)

10 Lean estos números en español. ⊗

111   555   666   777   888   999   467   202   159   767   381   987   1.000

11 EJERCICIO ESCRITO

Write out the numbers in Exercise 10, in Spanish.

12 THE DIRECT OBJECT PRONOUN

Lean los siguientes ejemplos. ⊗

Marisa compra **el regalo.**   Marisa **lo** compra.
Mamá llama **a Marisa.**   Mamá **la** llama.

In the first pair of sentences, what does Marisa buy? In the sentence to the right, what pronoun refers to **regalo?** In the second pair, whom does **mamá** call? What pronoun refers to **Marisa?**

13 Lean el siguiente resumen.

In Unit 11 you learned that the direct object answers the questions "What?" or "Whom?" after the verb. You also learned that you use the "personal **a**" when the direct object is a person.

The pronoun that refers to and works as the direct object in a sentence is called the *direct object pronoun*. In the above sentences, **lo** refers to **el regalo,** and **la** refers to **Marisa. Lo** and **la** answer the questions "What?" and "Whom?" for the verbs **comprar** and **llamar. Lo** and **la** are direct object pronouns.

The following chart shows the direct object pronouns that agree only in number with the direct objects they refer to.

| Mamá **me** llama. | Mom calls me. | Mamá **nos** llama. | Mom calls us. |
| Mamá **te** llama. | Mom calls you. | | |

The following chart shows the direct object pronouns that agree in both number and gender with the direct object they refer to.

| Mamá **lo** llama. | Mom calls him. / Mom calls it. (m) / Mom calls you. (pol m) | Mamá **los** llama. | Mom calls them. (m) / Mom calls you. (m pl) |
| Mamá **la** llama. | Mom calls her. / Mom calls it. (f) / Mom calls you. (pol f) | Mamá **las** llama. | Mom calls them. (f) / Mom calls you. (f pl) |

1. The direct object pronouns **lo, los, la,** and **las** are used to refer to nouns that name persons or things. These direct object pronouns have the same gender and number as the direct objects to which they refer. In the following examples, **lo** takes the place of **a su hermano** and **el regalo,** and has the same gender and number.

> Marisa mira **a su hermano.**⎫
> Marisa mira **el regalo.**⎭ Marisa **lo** mira.

2. **Los** is used in place of the direct object when the direct object is a group of both genders.

> Mamá llama **a Marisa y a Homero.**   Mamá **los** llama.
> Van a comprar **una blusa y un cinturón.**   **Los** van a comprar.

3. Direct object pronouns, like indirect object pronouns, are placed immediately before the conjugated verb.

14 Marisa le pregunta a su hermano. ⊙

¿Tienes la cartera?   Sí, la tengo.
¿Vas a comprar el rebozo?   ¿Tienes el dinero?   ¿Vas a comprar un cinturón?   ¿Vas a comprar la blusa también?   ¿Necesitas dinero?

15 Quieren, pero mamá no los deja. ⊙

Quiero ir de compras.   Pero mamá no me deja.
Marisa quiere ir a la Zona Rosa.   Pero mamá no la deja.
Queremos comprar una piñata.   Quieres llamar a los Spencer.   Linda y Helen quieren mandar dinero.   Homero quiere comprar un sarape.

16 Buscando una ganga ⊗

Marisa y su mamá están en una tienda, buscando una cartera para Linda. ¡Hay tantas, que ellas no saben cuál comprar!

MARISA   Esta cartera con la tira para el hombro está muy de moda.

MAMÁ   Es verdad, pero no sabemos el precio. Señorita, ¿sabe usted cuánto cuesta esta cartera?

VENDEDORA   El precio es 325 pesos, pero ayer la rebajamos a 280 pesos.

MAMÁ   ¡280 pesos! Es demasiado cara. La podemos comprar en otro lugar, mucho más barata. Marisa, vamos a otra tienda.

MARISA   Pero mamá, es una ganga. La tienes que comprar.

MAMÁ   Paciencia, hijita. Tú no sabes regatear. ¡Ya verás!

VENDEDORA   Un momento, señora. Como a la señorita le gusta tanto, la dejo en 200 pesos. Más barata no la puedo vender.

MAMÁ   Muy bien, entonces la llevamos.

17 Contesten las preguntas.

1. ¿Qué buscan la Sra. Puente y Marisa?
2. ¿Qué es lo que no saben ellas?
3. ¿Qué cartera le gusta a Marisa?
4. ¿Cuál es el precio de la cartera?
5. ¿Cuándo la rebajaron? ¿A cuánto?
6. ¿Qué sabe hacer la Sra. Puente que Marisa no sabe hacer?
7. Por fin, ¿cuánto pagan por la cartera?

18 ¿Y tú?

1. ¿A ti te gusta comprar regalos?
2. ¿Qué regalo le compras a un amigo?
3. ¿Qué regalo le compras a una amiga?
4. ¿Sabes regatear?

19 PRÁCTICA ORAL ⊗

20 PRESENT TENSE OF THE VERB saber

In the present tense, the verb **saber** — *to know* — is irregular only in the **yo** form: **sé.** The following chart shows the verb **saber** in the present tense.

Sé	cuánto cuesta.	**Sabemos**	dónde los venden.
Sabes	el precio.		
Sabe	cuál le gusta.	**Saben**	que es una ganga.

The verb **saber** followed by an infinitive means *to know how.*

Yo **sé** comprar.   *I know how to shop.*

21 Marisa quiere saber. ⊗

¿Sabe ella dónde está la tienda?   No, ella no sabe dónde está la tienda.
¿Sabes cuánto cuesta la cartera?
¿Saben ustedes dónde está la Zona Rosa?
¿Sabe tu amigo dónde venden guaraches?
¿Sabe Ud. el precio de esta camiseta?
¿Saben Marisa y su mamá cómo ir?
¿Sé yo el precio del cinturón?

22 Quieren pero no saben. ⊗

¿Quieren ellos regatear?   Ellos no saben regatear.
¿Quiere él ir de compras?
¿Quiere Marisa hacer un rebozo?
¿Quieren Uds. comprar cosas típicas?
¿Quieres hacer otra cosa?

23 EJERCICIO DE COMPRENSIÓN ⊗

	0	1	2	3	4	5	6	7	8	9	10
lo	✓										
la											
los											
las											

24 ¡Las medidas son un problema! ⊙

Homero y su amigo Juan buscan un cinturón para Billy. Pero para ellos no es fácil decidir la talla.

HOMERO Este cinturón blanco es muy bonito, pero ¿qué talla es?

JUAN ¿No sabes leer la etiqueta? Dice "Talla mediana: 80 a 85 centímetros." ¿Qué talla usa Billy?

HOMERO No sé, pero yo mido 82 cm. de cintura y él no es más gordo que yo.

JUAN Entonces este cinturón es perfecto para ti.

HOMERO Para mí, sí. Pero, ¿y para él?

JUAN Homero, ¡eres imposible! Es la última vez que voy de compras contigo.

Más tarde, en otra parte de la tienda, Marisa y su mamá tienen el mismo problema.

MARISA Esta blusa está perfecta para mí.

MAMÁ No estamos comprando para ti.

MARISA Ay, mamá, es que no sé la talla de Helen.

MAMÁ Bueno, ¿cuánto mide ella de estatura?

MARISA Es un poquito más alta que yo.

MAMÁ ¿Y cuánto mides tú?

MARISA ¿Yo? Como 1 metro y 60 centímetros.

MAMÁ Y de hombros, ¿cuánto mide Helen?

MARISA Lo mismo que yo — 39 centímetros.

MAMÁ Y tu talla de blusa es 40 — ahí tienes el regalo perfecto para Helen.

25 Contesten las preguntas.

1. ¿Qué buscan Homero y Juan?
2. ¿Cuánto mide el cinturón?
3. ¿Cuánto mide Homero de cintura?
4. ¿Sabe Marisa la talla de Helen?
5. ¿Cuánto mide Helen de estatura?
6. ¿Es Marisa más alta que Helen?
7. ¿Cuánto mide Marisa de hombros?
8. ¿Qué talla de blusa usa ella?
9. ¿Y Helen?
10. ¿Cuál es el regalo perfecto?

26 PRÁCTICA ORAL ⊙

27 PRONOUNS USED AFTER PREPOSITIONS

Lean los siguientes ejemplos. ⊗

Homero compró el cinturón **para ella.**   Fueron de compras **sin mí.**
What pronoun follows the preposition **para** in the first sentence? What pronoun follows the preposition **sin** in the second?

28 Lean el siguiente resumen.

In Spanish, pronouns used after prepositions are the same as the subject pronouns, except for **mí** *(me)* and **ti** *(you, familiar).*
The following chart shows the pronouns used after prepositions.

	Preposition	Prepositional Pronoun
El regalo es	para	**mí** *(me).*
Hablaron	de	**ti** *(you).*
Van de compras	con	**ella/él/usted** *(her/him/it/you).*
Piensa	en	**nosotros/nosotras** *(us).*
Vamos	sin	**ellos/ellas/ustedes** *(them/you).*

Mí and **ti** have special forms after the preposition **con.** You first saw these forms in Unit 7.

con + mí = conmigo	¿Quieres ir al centro **conmigo?**
con + ti = contigo	No quiero ir **contigo.**

To emphasize or clarify the direct object pronoun, or the indirect object pronoun, Spanish often uses **a** + *prepositional pronoun.*

Me llamas **a mí.**   *You call* <u>me.</u>
Les vas a comprar regalos **a ellos.**   *You're going to buy* <u>them</u> *gifts.*

29 La Sra. Puente le pregunta a Marisa. ⊗

¿Puedes ir a la tienda conmigo?   No, no puedo ir contigo.
¿Piensas en Billy?   No, no pienso en él.
¿Te gusta esta blusa para mí?
¿Puedo ir de compras con Homero y contigo?
¿Sabes regatear con la vendedora?
¿Te gustan estos guaraches para los Spencer?

30 EJERCICIO ESCRITO

Rewrite the following sentences, supplying the appropriate prepositional pronouns.
1. ¿Me llamas a _____? 2. Sí, tienes que ver el regalo que te compré a _____. 3. Los Spencer dicen que a _____ les gustan mucho las cosas de México. 4. Es verdad, cuando yo fui de compras con Billy, a _____ le gustó todo lo que venden en las tiendas. 5. ¿Y por qué no? A _____ nos gusta todo también. 6. ¡Todo no! Es que cuando tú y mamá van de compras, a _____ les venden todo.

31

metros y centímetros ⊗

In Unit 15 you learned how to use the metric system to measure long distances. You also learned how to convert miles to kilometers. The following charts show how to change smaller measurements given in yards (**yardas**), feet (**pies**), and inches (**pulgadas**) into metric measurements. The meter — **metro** — is divided into centimeters — **centímetros**.

a. ¿Cuánto mide un metro (m.)?

> 1 m. = 39,37 pulgadas
> 1 m. = 3,28 pies
> 1 m. = 1,09 yardas

b. ¿Cuánto mide un centímetro (cm.)?

> 1 cm. = 0,39 pulgada
> 1 pulgada = 2,54 centímetros

c. ¿Y cuántos centímetros hay en un metro?

> 100 cm. = 1 metro
> 1 m. = 100 centímetros

d. ¿Cuánto mide Marisa de estatura?
>   1. Marisa mide 160 cm. (ciento sesenta centímetros).
>   2. Marisa mide 1 m. 60 cm. (un metro sesenta centímetros).

32 ## ¿Cuánto miden los muchachos?

cm	134½	137	139½	142	144½	147	149½	152	154½	157

ft/in	4'5"	4'6"	4'7"	4'8"	4'9"	4'10"	4'11"	5'	5'1"	5'2"

cm	159½	162	164½	168	170½	173	175½	178	180½

ft/in	5'3"	5'4"	5'5"	5'6"	5'7"	5'8"	5'9"	5'10"	5'11"

cm	183	185½	188	190½	193

ft/in	6'	6'1"	6'2"	6'3"	6'4"

33 ## ¿Cuánto mides tú?

Refer to the chart above and answer the following questions.
¿Si mides 5 pies?   Mido 152 centímetros (1 m. 52 cm.).
¿Si mides 5 pies 3 pulgadas?
¿Si mides 4 pies 7 pulgadas?
¿Si mides 4 pies 10 pulgadas?

pulgadas   centímetros

34 Regateando en la Ciudad de México ⊗

La Ciudad de México es moderna y tradicional. Ejemplos de esta combinación son los centros comerciales de la Ciudad.

Al este, en el Mercado de la Merced, el ambiente° es muy animado. Desde sus puestos°, las voces de los vendedores ofrecen guaraches, piñatas, canastas, sarapes, y también carnes°, frutas y legumbres°. ¡La variedad de productos es inmensa! Y como allí muchos precios no son fijos, los mexicanos están acostumbrados a° regatear. ¡Ah...qué placer cuando el vendedor rebaja los precios!

Al oeste, en la Zona Rosa, el ambiente es más moderado° y más quieto°. Sus tiendas elegantes ofrecen una gran° variedad de mercancía°: carteras, zapatos, ropa°, joyas° y objetos de alfarería°. Pero la costumbre° de regatear persiste° en esta zona. Y muy a menudo, en una de estas tiendas tan modernas se oye el intercambio° familiar de: — ¿Cuánto cuesta? — ¡No, es muy caro! — ¡Entonces se lo dejo en°...!

PALABRAS ADICIONALES: el ambiente: *atmosphere;* el puesto: *market booth;* la carne: *meat;* la legumbre: *vegetable;* estar acostumbrado (-a) a: *to be used to;* moderado, -a: *moderate;* quieto, -a: *peaceful, quiet;* gran: *large;* la mercancía: *merchandise;* la ropa: *clothing;* la joya: *jewel;* la alfarería: *pottery;* la costumbre: *custom;* persiste: *(it) continues;* el intercambio: *interchange;* se lo dejo en...: *I'll let you have it for...*

35 EJERCICIO DE CONVERSACIÓN

Tienes que comprar una camisa para un amigo, pero no sabes la talla de él. La vendedora te pregunta:
1. ¿Para quién es la camisa? 2. ¿Sabes qué talla usa tu amigo? 3. ¿Qué talla de camisa usas tú? 4. ¿Cuántos centímetros mides de estatura? 5. ¿Es tu amigo más alto o más bajo que tú? 6. ¿Cuántos centímetros mide él de estatura? 7. ¿Cuánto mides de hombros? 8. ¿Y él?

36 EJERCICIO DE COMPOSICIÓN

Escribes sobre un regalo que vas a comprar para una amiga tuya:
1. ¿Qué regalo compraste? 2. ¿Quién te prestó el dinero para ir de compras? 3. ¿En qué tienda compraste el regalo? 4. ¿Regateaste el precio con la vendedora? 5. ¿Cuánto pagaste por el regalo? 6. ¿Le gustó a tu amiga el regalo?

Vamos de compras   171

VOCABULARIO

1–15
el **billete** bill
la **bota** boot
la **camiseta** T-shirt
la **cartera** purse, pocketbook
la Ciudad de México Mexico City
el cuero leather, cowhide
el cinturón de cuero leather belt
el **guante** glove
el guarache sandal (Mex.)
la **moneda** coin
los pantalones vaqueros chaps,
    leather britches
el **pañuelo** handkerchief
el **peso** Mexican monetary unit
la **piñata** hanging papier-máché
    or clay container filled with
    candies and small gifts
el rebozo long, narrow shawl
    worn by women
el sarape a heavy shawl or
    blanket worn by men
Sra. Mrs. (abbreviation)
la **tarjeta de crédito** credit card
la Zona Rosa commercial
    section of Mexico City

dejar to allow, let
ir de compras to go shopping

suficiente enough
típico, -a typical
las them (fem. pl.)
lo it (masc.)
los them (masc. pl.)
me me
nos us
te you (fam.)

hoy mismo today
les van a comprar a ellos you're
    going to buy (for) them
¿Me llamas a mí? Are you calling
    me?
pues bien well, then
¿Qué más? What else?

500 quinientos
600 seiscientos

16–23
la **ganga** bargain, sale
la **hija** daughter
el **precio** price
la **tienda** store
la tira para el hombro shoulder
    strap

rebajar to mark down (the price)
regatear to bargain, haggle
saber to know (a fact)
    sabemos we know
saber + inf. to know how to + inf.

barato, -a cheap, inexpensive
caro, -a expensive
como since
demasiado too (much)

de moda fashionable
en otro lugar somewhere else
la dejo en I'll let it go for
¡paciencia! be patient!
¡un momento! just a moment!
¡Ya verás! You'll see!

24–36
el **centímetro (cm.)** centimeter
    (cm)
la **cintura** waist
la **estatura** height
la **etiqueta** label, tag
el **hombro** shoulder
la **medida** size, measurement
el **metro** meter
el **pie** foot
el **problema** problem
la **pulgada** inch
la **talla** size
la **yarda** yard

medir (i)[1] to measure
    medir...de cintura to measure
        ...at the waist
    medir...de hombros to measure
        ...at the shoulders

gordo, -a fat, heavy
imposible impossible
mediano, -a medium
último, -a last

él him
mí me
ti you (fam.)

como about

¿Cuánto mide ella de estatura?
    How tall is she?
¿Cuánto mides tú? How tall are
    you?
lo mismo que the same as
un poquito a little

[1] **Medir** is an **e–i** stem-changing verb: **mido, mides, mide, medimos, miden.**

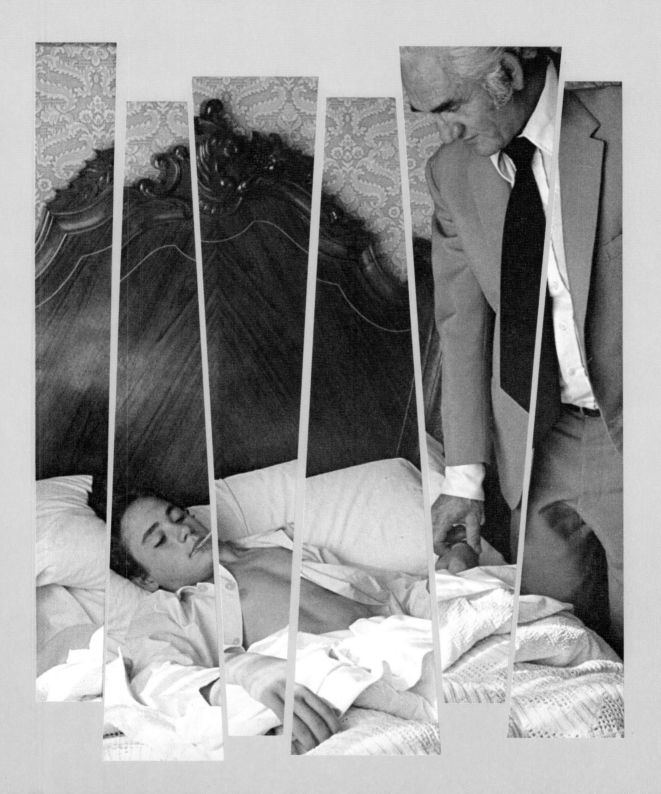

1 Andrés se enferma. ⊗

¡Qué calor! Cuando Andrés se despierta, la temperatura está a veintiocho grados. Él se levanta, se lava la cara, se cepilla los dientes, se peina, se viste y, sin desayunarse, sale en su moto para encontrarse con sus amigos. La temperatura sube a treinta y nueve grados. ¡Insoportable! Todos deciden ir a la piscina de la vecindad para escapar del calor. Después de un largo rato, los amigos de Andrés lo ven solo, sentado en una banca.

Andrés se encuentra con sus amigos.

CARLOS   ¿Qué pasa, Andrés? ¿No te sientes bien?

ANDRÉS   No sé qué tengo. No me siento bien.

PEDRO   ¿Por qué no te vistes y vamos a la enfermera? A lo mejor ella te puede dar alguna medicina.

ANDRÉS   No, gracias, mejor me visto y me voy a mi casa. Puede ser una enfermedad contagiosa.

Todos se ponen alegres en la piscina.

Andrés se cansa de nadar. Se siente mal.

Andrés se pone la ropa y se va.

2

The temperature readings in the above section refer to the Celsius System of measuring temperatures. **C** is the abbreviation for **Celsius** (though it is often read as **centígrados**). In everyday speech, the word **centígrados** is usually dropped. **Veintiocho grados (28°C)** is the equivalent of **82.4° Fahrenheit (82.4°F). 39°C is 102.2°F.**

3 Contesten las preguntas.

1. ¿A cuántos grados está la temperatura?
2. ¿Qué hace Andrés antes de salir?
3. ¿A cuánto sube la temperatura?
4. ¿Adónde van los muchachos?
5. ¿Cómo se siente Andrés?
6. ¿Qué decide Andrés?

4 PRÁCTICA ORAL ⊗

5   SINGULAR REFLEXIVE PRONOUNS

Lean los siguientes ejemplos. ☉

Yo **me** visto.
Tú **te** vistes.
Él **se** viste.

Which word means *myself*? *yourself (familiar)*? *himself*? What is the position of these words in relation to the verb?

6   Lean el siguiente resumen.

1. Pronouns that refer to the same person or thing as the subject of the verb are called *reflexive pronouns*. In English, reflexive pronouns end in "-self" or "-selves."

   Ella se viste.   *She dresses [herself]. (She gets dressed.)*

2. The following chart shows the singular forms of the reflexive pronouns.

(Yo)	**me**	visto.	*I dress [myself].*
(Tú)	**te**	vistes.	*You (fam.) dress [yourself].*
(Él)	**se**	viste.	*He dresses [himself].*
(Ella)	**se**	viste.	*She dresses [herself].*
(Usted)	**se**	viste.	*You (pol.) dress [yourself].*

3. **Me** and **te** are the same as the indirect and direct object pronouns.

4. **Se,** which is used with the **él/ella/usted** form of the verb, can mean *himself, herself,* or *yourself (polite)*.

5. Reflexive pronouns are placed immediately before the conjugated verb.

6. As usual, the subject pronouns **yo** and **tú** are not necessary except for emphasis. **Él, ella,** and **usted** may be used for clarity.

7. In Spanish, the reflexive construction (a reflexive pronoun with a verb) is used more often than in English.

   Él se lava la cara.   *He washes his face. [No reflexive pronoun]*
   Andrés se siente mal.   *Andres feels sick. [No reflexive pronoun]*

7   La enfermera le pregunta a Andrés. ☉

¿Te sientes mal ahora?   Sí, me siento mal ahora.
¿Te enfermas muy a menudo? ¿Te levantas temprano? ¿Te desayunas bien? ¿Te cansas mucho?

8   ¿Están cansados? ☉

¿Estás tú cansado?   ¡Nunca me canso!
¿Está ella cansada?   ¿Está Ud. cansado?   ¿Estoy yo cansada?   ¿Está Andrés cansado?

9   EJERCICIO ESCRITO

Write out the answers to Exercises 7 and 8.

10   VERBS USED WITH RELEXIVE PRONOUNS

1. Many verbs that are used with reflexive pronouns in Spanish are also reflexive in English.

     Andrés **se** lava.   *Andres washes <u>himself.</u>*
     Yo **me** veo.   *I see <u>myself.</u>*

2. Other verbs are used with reflexive pronouns in Spanish, but are not reflexive in English.
   a. Spanish sometimes uses the reflexive where English uses the possessive.

     Me cepillo **los** dientes.   *I brush <u>my</u> teeth.*
     Te lavas **la** cara.   *You wash <u>your</u> face.*

     Notice that Spanish uses the definite article instead of a possessive adjective when referring to parts of one's body. This is also true with items of one's clothing.
   b. Spanish uses the reflexive in some cases where the English meaning is *to become* or *get.*

     Te pones alegre.   *You become/get happy.*
     Andrés **se aburre.**   *Andres gets bored.*

   c. Spanish uses the reflexive construction more often than English.

     Andrés **se siente** mal.   *Andres feels sick.*
     Él **se desayuna.**   *He eats breakfast.*

3. In Spanish, a verb used with a reflexive pronoun may have a slightly different meaning.

Basic Meaning		*Reflexive Meaning*	
aburrir	*to bore someone*	**aburrirse**	*to get bored*
ir	*to go*	**irse**	*to go away, leave*
lavar	*to wash*	**lavarse**	*to get washed*
poner	*to put, set*	**ponerse**	*to put on, become*
sentir	*to feel, touch*	**sentirse**	*to feel (sick, tired, well, etc.)*
encontrar	*to find*	**encontrarse**	*to meet, get together*

11   ¿Qué hacemos todos los días? ⊗

Me despierto temprano. ¿Y él?   Él se despierta temprano todos los días.
Te levantas temprano. ¿Y yo?   Me cepillo los dientes. ¿Y tú?   Ella se peina. ¿Y tú?   Él se desayuna bien. ¿Y ella?

12   ¿Y tú qué haces? ⊗

Él se aburre cuando está solo.   Me aburro cuando estoy solo también.
Ella se encuentra con sus amigas.   Me encuentro con mis amigas también.
Ella se pone alegre cuando está entre amigos.
Él se siente mal cuando está solo.
Él se va temprano.

13   EJERCICIO DE COMPRENSIÓN ⊗

	0	1	2	3	4	5	6	7	8	9	10
Basic meaning											
Reflexive meaning	✓										

14 La visita del doctor ⊚

1 El médico habla con la Sra. Barroso.

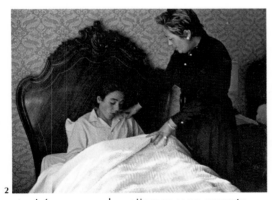

2 Andrés se pone los pijamas y se acuesta.

MADRE ¿Dr. García? Habla la señora Barroso. Mi hijo, Andrés, no se siente bien.

DOCTOR ¿Qué síntomas tiene?

MADRE Tiene dolor de estómago y dolor de cabeza, un poco de fiebre y está muy pálido.

DOCTOR Entonces paso por su casa esta misma tarde.

El Dr. García examina a Andrés. Le examina la garganta y el pecho, y le toma la temperatura.

DOCTOR Vamos a ver, ¿qué te duele?

ANDRÉS Me duele todo el cuerpo. Primero tengo frío y luego tengo calor. Siento que voy a morir.

DOCTOR Todos nos sentimos así de vez en cuando, pero tú vas a vivir. El termómetro marca 38° centígrados[1] y los síntomas son todos de un virus de 24 horas.

ANDRÉS ¡Pero doctor! Dos de mis compañeros se enfermaron y estuvieron fuera del colegio toda la semana.

DOCTOR Sí, pero tú no tienes nada serio. Te voy a recetar un jarabe y unas píldoras que tu mamá puede comprar en la farmacia. Tomas estas medicinas y el lunes...al colegio.

15 Contesten las preguntas.

1. ¿Qué se pone Andrés?
2. ¿Cómo se siente él?
3. ¿A quién llama su madre?
4. ¿Qué síntomas tiene Andrés?
5. ¿Qué hace el Dr. García cuando llega a la casa de Andrés?
6. ¿Qué le duele a Andrés?
7. ¿Qué les pasó a sus compañeros?
8. ¿Qué temperatura marca el termómetro?
9. ¿Qué es lo que Andrés tiene?
10. ¿Qué le receta el doctor a Andrés para los dolores?

16 ¿Y tú?

1. ¿Qué haces cuando te enfermas?
2. ¿Quién llama al médico cuando te enfermas?
3. ¿Viene el médico a tu casa, o vas tú al médico?
4. ¿Tuviste mucha fiebre la última vez que te enfermaste?
5. ¿Qué te recetó el médico?
6. ¿Cuántos días estuviste enfermo?

17 PRÁCTICA ORAL ⊚

[1] 38°C = 100.4°F

18 In Spain and Latin America, it is not unusual for the family doctor to suggest making a house call rather than having the patient come to the office or the hospital. In the smaller cities especially, the doctor will make a daily round of house calls and take care of the patients at their homes. Much of the health care is carried out through clinics, both private and public. In the private clinics, a monthly fee entitles the members to medical care and hospital services. Many of the public clinics provide free medical services.

19

PLURAL REFLEXIVE PRONOUNS

Lean los siguientes ejemplos. ⊗

Nosotros **nos** lavamos.
Ustedes **se** lavan.
Ellos **se** lavan.

Which word means *ourselves? yourselves? themselves?* What is the position of these words in relation to the verb?

20

Lean el siguiente resumen.

1. The following chart shows the plural reflexive pronouns.

(Nosotros,-as)	**nos**	lavamos.	*We wash [ourselves].*
(Ustedes)	**se**	lavan.	*You wash [yourselves].*
(Ellos/Ellas)	**se**	lavan.	*They wash [themselves].*

2. **Nos** has the same form as the indirect and direct object pronouns.
3. Notice that **se** can mean *yourselves* or *themselves.*
4. The plural reflexive pronouns are placed immediately before the conjugated verb.

21

¿Cómo se sienten? ⊗

Tenemos fiebre. Nos sentimos muy mal.
Nuestros amigos están pálidos. Uds. están cansadas. Ellas tienen dolor de estómago.
Tenemos dolor de cabeza. Uds. no quieren comer.

22

¿Quiénes están enfermos? ⊗

¿Están ellos enfermos? No, ellos nunca se enferman.
¿Estás enfermo? No, nunca me enfermo.
¿Están ellas enfermas?
¿Estoy enferma?
¿Están tú y tus amigos enfermos?
¿Estamos nosotros enfermos?
¿Están tus hermanas enfermas?

23

EJERCICIO ESCRITO

Write out the answers to Exercises 21 and 22.

25 Contesten las preguntas.

1. ¿Adónde quiere ir Lola?
2. ¿Qué dice Tato?
3. ¿Qué quiere alquilar Lola?

4. ¿Por qué no quiere ir Tato?
5. ¿Qué dice Lola que su mamá le regaló?
6. ¿Cómo se siente Tato ahora?

26 PRÁCTICA ORAL ⊗

27 ¿Qué hay en el botiquín de tu casa? ⊗

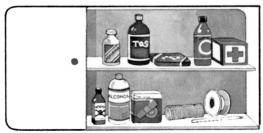

Para el dolor de cabeza: aspirina.
Para la tos: jarabe.
Para el dolor de garganta: pastillas.
Para el dolor de estómago: antiácido.
Para las heridas: alcohol, algodón, curitas, vendajes y yodo.
Y siempre hay un termómetro para tomar la temperatura.

28 PRÁCTICA ORAL ⊗

29 ¿Qué tomas del botiquín? ⊗

¿Si tienes dolor de cabeza?   Tomo aspirina.
¿Y si tienes dolor de estómago?   ¿Y si tienes tos?   ¿Si tienes dolor de garganta?   ¿Para saber si tienes fiebre?   ¿Y si tienes una pequeña herida?

30 EJERCICIO ESCRITO
¿Para qué tomas las medicinas?

Cuando tengo _____, tomo aspirina. Para saber si tengo _____, uso el termómetro. Si tengo _____, tomo jarabe. Si tengo _____, tomo un antiácido. Si tengo_____, uso alcohol, algodón y vendajes.

el verbo doler

To talk about something that hurts, Spanish uses the verb **doler,** *to hurt.*

Me	**duele**	la cabeza.	*I have a headache.*
Me	**duelen**	los pies.	*My feet hurt.*
Te	**duele**	la espalda.	*You have a backache.*
Te	**duelen**	los dientes.	*Your teeth hurt.*

1. Notice that the verb **doler** changes the stem from **o** to **ue.**

2. Two forms of **doler** are used:
   a. **duele,** if what hurts is singular in number. **Le duele la cabeza.**
   b. **duelen,** if what hurts is plural in number. **Le duelen los pies.**

3. The indirect object pronouns — **me, te, le, nos, les** — are placed before **duele** or **duelen** to express who is feeling the pain.

   Me duele la cabeza. *I have a headache.*
   Te duele la cabeza. *You have a headache.*
   Le duele la cabeza. {*He/She has a headache.*
   {*You (pol.) have a headache.*

32 ¿Qué te duele? ⊗

¿Te duele la cabeza?   No, no me duele la cabeza.
¿Los pies?   ¿El estómago?   ¿Los oídos?   ¿La garganta?   ¿Los dientes?   ¿La espalda?

33 El médico pregunta. ⊗

¿Tienes dolor de cabeza?   Sí, me duele la cabeza.
¿Tiene ella dolor de estómago?
¿Tienen Uds. dolor de garganta?
¿Tienes dolor de espalda?
¿Tienen ellos dolor de oído?
¿Tenemos dolor de pies?

34 EJERCICIO DE CONVERSACIÓN

Tú estás enfermo, llamas al médico por teléfono y le describes tus síntomas.
1. ¿Cómo te sientes? 2. ¿Cuándo te enfermaste? 3. ¿Tienes fiebre? 4. ¿Cuánto marca el termómetro? 5. ¿Comiste hoy? 6. ¿Te duele el estómago? 7. ¿Qué otras partes del cuerpo te duelen? 8. ¿Tomaste algo para el dolor? 9. ¿Te acostaste?

35 EJERCICIO DE COMPOSICIÓN

Le escribes una carta a una amiga sobre la última vez que te enfermaste.
1. ¿Cuándo te enfermaste? 2. ¿Quién llamó al médico? 3. ¿Fuiste tú al médico o fue el médico a tu casa? 4. ¿Te tomó la temperatura el médico? 5. ¿Cuánta fiebre tuviste? 6. ¿Qué dolores tuviste? 7. ¿Qué te recetó el médico? 8. ¿Cuánto tiempo estuviste en- fermo(-a)?

36 Andrés tiene fiebre. ⊗

Si Andrés tiene 102°F (ciento dos grados Fahrenheit) de fiebre, tiene 38.8°C (treinta y ocho punto ocho grados centígrados) de fiebre. Si Andrés tiene 98.6°F (noventa y ocho punto seis grados Fahrenheit), tiene 37°C (treinta y siete centígrados), que es la temperatura normal del cuerpo.

37 ¿Cuál es la temperatura en centígrados?

In Spain and Latin America, the Celsius (centigrade) scale is used to measure temperature. The chart below shows how to find equivalent temperatures in the Celsius (°C) and Fahrenheit (°F) scales.

To change °F to °C	$\left(\dfrac{\text{°F} - 32}{9}\right) \times 5 = \text{°C}$
To change °C to °F	$\left(\dfrac{\text{°C}}{5} \times 9\right) + 32 = \text{°F}$

Normal body temperature on the Fahrenheit scale is 98.6°F. This corresponds to 37°C on the Celsius scale.

38 ¿Cuál es la temperatura en °C?

¿Si el termómetro marca 102°F?   Está a 38.9°C.
¿50°F?   ¿65°F?   ¿89°F?   ¿110°F?

39 ¿Cuánta fiebre tiene Andrés? (En °F)

¿Si el termómetro marca 38.9°C?   Tiene 102°F de fiebre.
¿38.3°C?   ¿39°C?   ¿40°C?

Termómetro

40 EXPRESSIONS WITH tener

In Unit 7 you saw several expressions using the verb **tener: tener hambre, tener sed, tener razón.** In this unit, Andres says **"Primero tengo frío y luego tengo calor."** *First I'm cold and then I'm hot.*

¿Tienes calor?	Sí, tengo calor.
¿Tienes frío?	Sí, tengo frío.

41 EJERCICIO DE COMPRENSIÓN ⊗

	0	1	2	3	4	5	6	7	8	9	10
tengo frío											
tengo calor	✓										

1–13

el **calor**   heat
la **cara**   face
el **diente**   tooth
la **enfermedad**   illness
la **enfermera, -o**   nurse
el **grado**   degree
la **medicina**   medication, medicine
la **ropa**   clothes
la **vecindad**   neighborhood

cansarse[1]   to get tired
   se cansa   (he) gets tired
cepillarse   to brush oneself
   se cepilla (los) dientes   (he) brushes (his) teeth
desayunarse   to eat breakfast
despertarse (ie)   to wake up
   se despierta   (he) wakes up
encontrarse (ue) con   to meet with
enfermarse   to get sick
   se enferma   (he) gets sick
escapar   to get away from, escape
irse   to go away, leave
   me voy ·   I go
   se va   (he) leaves
lavarse   to get washed, wash oneself
   se lava (la) cara   (he) washes (his) face
levantarse   to get up
   se levanta   (he) gets up
peinarse   to comb one's hair
   se peina   (he) combs (his) hair
ponerse   to put on, become, get
   se ponen   (they) become
sentirse (ie)   to feel (health)
   me siento   I feel
   se siente   (he) feels
   te sientes   you (fam.) feel
vestirse (i)   to get dressed, dress oneself
   me visto   I get dressed, dress myself
   se viste   (he) gets dressed, dresses (himself)
   te vistes   you (fam.) get dressed, dress yourself

me   myself
te   yourself (fam.)
se   himself

alegre   happy
contagioso, -a   contagious
insoportable   unbearable
mal   sick
sentado, -a   seated
solo, -a   alone

a lo mejor   perhaps, maybe
está a veintiocho grados   (it) is (at) 28°
¡qué calor!   it's so hot!
sin desayunarse   without eating breakfast

14–23

la **cabeza**   head
el **cuerpo**   body
el **doctor, -a**   doctor
el **dolor**   pain, ache
el **dolor de cabeza**   headache
el **dolor de estómago**   stomachache
   Dr.,-a.   abbreviations for doctor
el **estómago**   stomach
la **farmacia**   drugstore
la **fiebre**   fever
la **garganta**   throat
el **hijo**   son
el **jarabe**   syrup
el **médico, a**   doctor
el **pecho**   chest
los **pijamas**   pajamas
la **píldora**   pill
el **síntoma**   symptom
el **virus**   virus

acostarse (ue)   to lie down, to go to bed
doler (ue)   to hurt
enfermarse:
   se enfermaron   (they) got sick
examinar   to examine
marcar   to indicate, show
morir (ue)   to die
recetar   to write a prescription, prescribe
sentir (ie)   to feel, believe
sentirse (ie):
   nos sentimos   we feel
centígrado, -s   centigrade
pálido, -a   pale
serio, -a   serious

nos   ourselves
se   themselves

de vez en cuando   every now and then
tener calor   to be hot
tener frío   to be cold

24–41

el **alcohol**   alcohol
el **algodón**   cotton
el **antiácido**   antacid
la **aspirina**   aspirin
el **botiquín**   medicine cabinet
el **bolsillo**   pocket
el **brazo**   arm
la **curita**   bandaid
la **espalda**   back
la **herida**   cut, wound
el **oído**   (inner) ear
el **pie**   foot
la **pastilla**   pill, lozenge

el **vendaje**   bandage
el **yodo**   iodine
oír   to listen, to hear
preferir (ie)   to prefer
salir   to go out

normal   normal

¡ay!   ouch!

te veo mañana   I'll see you tomorrow

---

[1] Reflexive verbs are indicated by the **se** ending attached to the infinitive form.

La tertulia 18

Repaso y resumen

Throughout the Spanish-speaking world, the custom of sitting and talking for lengthy periods of time is very popular among people of all ages. In Spain, this get-together is called **la tertulia.** Professionals, artists, laborers, both young and old, will get together at someone's home, a café, a park bench—literally anywhere—to discuss almost any subject. The range of topics might include politics, religion, the arts, or a simple exchange of personal stories—perhaps about what happened last summer. The Spanish speaker loves to talk, and the most important thing is to speak well.

2 Mercedes nos cuenta. ⊗

Ignacio, Mercedes, Petra y su hermanita, Aida, se reúnen en una banca de un parque. Cada uno tiene su historia que contar. Mercedes es la primera y nos cuenta lo que hizo durante sus vacaciones.

"Pues yo pasé el verano entero trabajando en la tienda de artesanía de mi tía. La ayudé en todo y aprendí a hacer todo. El último día de mi empleo, ella me dejó atender el negocio sola. Me levanté y salí de casa más temprano que de costumbre. Llegué, abrí la tienda y coloqué algunos de los artículos más llamativos a la vista de los clientes. Al poco rato mi plan dio resultado. ¡Mi primer cliente y mi primera venta!

—Muy buenos días, señor, ¿lo puedo ayudar en algo?

—¡Cómo no, señorita! Estoy interesado en la bandeja plateada que Ud. tiene afuera. ¿En cuánto me la deja?

—Ud. tiene muy buen gusto, caballero. Recibimos tres ayer, y es la tercera que vendemos. Para Ud. el precio es solamente 900 pesetas. La primera y la segunda las vendí por mucho más.

Le vendí la bandeja y enseguida puse otro artículo en su lugar. En diez minutos hice mi segunda venta; y la tercera, cuarta y quinta en menos de una hora. En un día vendí más que lo que mi tía vendió en una semana."

3 Contesten las preguntas.

1. ¿Quiénes se reúnen? ¿Dónde?
2. ¿Qué hizo Mercedes durante las vacaciones de verano?
3. ¿Cuándo atendió ella sola la tienda?
4. ¿Cuándo salió ella de su casa?
5. ¿Qué hizo cuando llegó a la tienda?
6. ¿Qué pasó al poco rato?
7. ¿Cómo saludó Mercedes al cliente?
8. ¿Qué contestó él?
9. ¿Qué hizo Mercedes después de vender la bandeja?
10. ¿Quién vendió más, Mercedes o su tía?

4 ¿Y tú?

1. ¿Dónde te reúnes con tus amigos?
2. ¿De qué hablan Uds.?
3. ¿Trabajaste durante el verano?
4. ¿Dónde trabajaste?
5. ¿Qué fue lo que te gustó más del trabajo?
6. ¿Qué hiciste con el dinero?

5 PRÁCTICA ORAL ⊗

6 Los clientes de Mercedes hacen fila. ⊗

El primer señor compró una bandeja plateada. La primera señora compró un jarrón rojo. La segunda señora compró varias cosas, y el segundo señor compró solamente una cosa. La tercera señora compró tantas cosas que no pudo llevar las bolsas. El tercer señor compró unas tazas plateadas y unos platos dorados.

7 Contesten las preguntas.

1. ¿Cuántos clientes hacen fila?
2. ¿Qué compró el primer señor?
3. ¿Y el segundo señor?

4. ¿Qué compró la segunda señora?
5. ¿Y la tercera señora?
6. ¿Qué compró el tercer señor?

8 PRÁCTICA ORAL ⊗

9 THE ORDINAL NUMBERS

You have learned the cardinal numbers from 1 through 1,000. The following are ordinal numbers, first through tenth.

$1^{\circ}-1^{a}$ **primero, -a**

$2^{\circ}-2^{a}$ **segundo, -a**

$3^{\circ}-3^{a}$ **tercero, -a**

$4^{\circ}-4^{a}$ **cuarto, -a**

$5^{\circ}-5^{a}$ **quinto, -a**

$6^{\circ}-6^{a}$ **sexto, -a**

$7^{\circ}-7^{a}$ **séptimo, -a**

$8^{\circ}-8^{a}$ **octavo, -a**

$9^{\circ}-9^{a}$ **noveno, -a**

$10^{\circ}-10^{a}$ **décimo, -a**

1. Ordinal numbers agree in gender and number with the nouns they refer to.

el **segundo señor**   la **segunda señora**
los **primeros señores**   las **primeras señoras**

2. Ordinal numbers, when used as adjectives, go before the nouns they modify.

el **cuarto día**   la **cuarta semana**
el **quinto señor**   la **quinta señora**

3. The ordinal numbers **primero** and **tercero** drop the final **o** when they come before a masculine singular noun.

el **primer muchacho**   el **tercer mes**
el **tercer cliente**   el **primer día**

4. Ordinal numbers are not commonly used after the tenth. Cardinal numbers are used instead.

10 ¿Quién espera en fila? ⊗

Si él es el número dos…   entonces él es el segundo señor.
Si ella es el número tres…   entonces ella es la tercera señora.
Si ella es el número nueve…
Si él es el número tres…
Si él es el número uno…
Si ella es el número diez…

11 ¿Qué compran ellos? ⊗

La décima chica compró un vaso.   El décimo chico compró un vaso también.
La novena chica compró una taza.   El noveno chico compró una taza también.
La séptima chica compró un jarrón.
La quinta chica compró un plato.
La tercera chica compró una bandeja.
La primera chica compró un reloj.

12 EJERCICIO ESCRITO

Write down your answers to Exercises 10 and 11.

MORE ABOUT ADJECTIVES

13

Lean los siguientes ejemplos. ⊗

Él compró **tres platos.**　　Compré **varias cosas.**
No tengo **mucho dinero.**　　Compré **algunas cositas.**

In the above sentences, what words modify the nouns **platos, cosas, dinero,** and **cositas?** Are these four words adjectives? Are these adjectives placed before or after the nouns they modify?

14

Lean el siguiente resumen.

1. In Unit 3 you learned that *descriptive adjectives* describe or modify a noun. You learned that they agree in number and gender. They usually go after the noun they modify.

el **chico alto**　　la **chica alta**
los **chicos altos**　　las **chicas altas**

2. There is another type of adjective called *limiting adjectives*. A limiting adjective usually goes before the noun it modifies.

Mercedes vendió **tres vasos.**　　Mercedes vendió **muchas cosas.**

3. Three common types of limiting adjectives are:
   a. numbers—cardinal or ordinal.

las **tres** tazas　　el **primer** libro

   b. words that indicate quantity.

muchas cosas　　**varios** amigos

   c. possessive adjectives—**mi, tu, su,** etc.

mi tienda　　**tus** libros

15

¿Cuántas cosas vendió Mercedes? ⊗

¿Cuántas tazas vendió Mercedes, muchas?　　Sí, ella vendió muchas tazas.
¿Y cuántos jarrones, pocos?　　Sí, ella vendió pocos jarrones.
¿Y cuántas bandejas, tres?
¿Y cuántos vasos, varios?
¿Y cuántos relojes, algunos?
¿Y cuántas cosas, muchas?

16

¿Cómo son los clientes de Mercedes?

Look at the drawing on page 185 and answer the following questions.
1. ¿Cómo es el tercer señor? 2. ¿De qué color es su ropa? 3. ¿Compró él muchas o pocas cosas? 4. ¿Cómo es la quinta señora? 5. ¿De qué color es su sombrero? 6. ¿Y su abrigo? 7. ¿Cuántas bolsas tiene ella? 8. ¿Qué señor tiene el abrigo largo? 9. ¿Cómo es él? 10. ¿Compró él algunas cosas? 11. ¿Qué compró? 12. ¿De qué son las tazas? 13. ¿Y los platos?

17

EJERCICIO ESCRITO

Look at the drawing on page 185 and describe the first and fourth women, and the sixth and ninth men. What do they look like? What are they wearing? What did they buy?

18 Ignacio nos cuenta. ⊙

Después de oír a Mercedes contar sobre su triunfo como mujer de negocios, Petra habla sobre su trabajo de verano. Ignacio, impaciente por contar sobre su aventura en Santillana del Mar, la interrumpe.

"Por lo visto Uds. todas pasaron el verano trabajando. ¡Pues yo no! Mis padres me regalaron una moto—por mis buenas calificaciones, por supuesto—y pasé el verano viajando. Me acuerdo de un viaje en particular. Lo hice en agosto y fui a visitar a unos amigos en Santillana del Mar. Hablé con mis padres, y ellos me dieron permiso y les avisé a mis amigos.

Salí temprano para ver a una familia de pescadores preparando la red para la pesca. Luego pasé un largo rato admirando la bahía. ¡Qué bonita es la bahía de Santillana! Por fin llegué. —¿Quién te regaló esa moto?—me preguntó un amigo. —Me la compraron mis padres,—le contesté. Les enseñé el manual de la moto y luego todos me la pidieron prestada. Se la presté a los mayores, pero a los menores no, porque es demasiado peligrosa de manejar para niños."

19 Contesten las preguntas.

1. ¿Quién habla después de Mercedes?
2. ¿Sobre qué habla Petra?
3. ¿Qué le regalaron a Ignacio?
4. ¿Por qué?
5. ¿Qué hizo él durante el verano?

6. ¿Adónde fue Ignacio?
7. ¿A quién fue a visitar?
8. ¿Para qué salió temprano?
9. ¿Qué le preguntó un amigo?
10. ¿A quiénes les prestó él la moto?

20 ¿Y tú?

1. ¿Durante qué meses tienes vacaciones?
2. ¿Viajas o trabajas durante tus vacaciones?

3. ¿Adónde viajas?
4. ¿En dónde trabajas?

21 PRÁCTICA ORAL ⊙

22   THE PRETERIT TENSE

One of the ways of expressing past events is by using the *preterit tense*. The following chart shows the preterit forms of regular **-ar**, **-er**, and **-ir** verbs.

hablar	correr	decidir
hablé	corrí	decidí
hablaste	corriste	decidiste
habló	corrió	decidió
hablamos	corrimos	decidimos
hablaron	corrieron	decidieron

1. The preterit tense is used to express an event or an action that happened in the past.

        Ignacio **habló** conmigo.   *Ignacio spoke with me.*
        Él le **escribió** a ella.   *He wrote to her.*

2. Most of the regular **-ar** verbs form the preterit tense by adding **-é, -aste, -ó, -amos,** and **-aron** to the stem. Most of the regular **-er** and **-ir** verbs form the preterit by adding **-í, -iste, -ió, -imos,** and **-ieron** to the stem.

3. Notice that in all three conjugations the **yo** forms and the **Ud./él/ella** forms have written accents.

4. Some **-ar** verbs have a spelling change in the **yo** form if:
    a. the stem ends in **g**, like **llegar.** You must add **u** to the **yo** form before the ending.
        Llegué ayer.   *I arrived yesterday.*
    b. the stem ends in **c**, like **buscar.** You must replace the **c** of the stem with **qu** in the **yo** form.
        Busqué a Ana.   *I looked for Ana.*

5. The **-er** verbs whose stems end in **e** have a spelling change in the preterit. The **Ud./él/ella** form in the preterit ends in **-yó** and the **Uds./ellos/ellas** form ends in **-yeron.**
        Él **leyó** el mapa.   Ellos **leyeron** el manual.
The verb **creer** also follows this pattern.

23   ¿Qué hizo Ignacio? ⊗

¿Va a hablar Ignacio con sus padres?   No, él ya habló con sus padres.
¿Va a visitar él a sus amigos?   No, él ya visitó a sus amigos.
¿Va a avisar él a sus amigos?
¿Va a comprar él una moto?
¿Va a enseñar él su moto?
¿Va a prestar él su moto?

24   ¿Y ayer? ⊗

¿Cuándo decidiste ir?   Decidí ir ayer.
¿Cuándo comieron Uds. allí?   Comimos allí ayer.
¿Cuándo abrieron ellas la tienda?
¿Cuándo recibieron Uds. la invitación?
¿Cuándo prometiste llegar?

25 EJERCICIO ESCRITO

Change all the infinitives in parentheses to the appropriate preterit form.
1. Ignacio (hacer) un viaje a Santillana del Mar.   2. Él (leer) todos los mapas antes de salir.
3. Sus padres también (leer) los mapas antes de dar permiso.   4. Ignacio (buscar) el teléfono de sus amigos.   5. Él no (llamar) porque no (encontrar) el número.   6. Él (llegar) temprano a Santillana y (buscar) a sus amigos.   7. Luego él (escribir) en su diario: 8. "Yo (llegar) a Santillana temprano."   9. "(Buscar) a mis amigos y les (enseñar) mi moto."   10. "Todos (leer) el manual para aprender a manejar la moto."   11. "Pero ellos no (creer) que mis padres me (regalar) la moto por mis buenas calificaciones."

26 EJERCICIO DE COMPRENSIÓN ☉

	0	1	2	3	4	5	6	7	8
presente									
pretérito	✓								

27 Juego con el pretérito

Read Mercedes' story on page 184. Find all the preterit forms in her story. There are 17. Can you find them?

28 OBJECT PRONOUNS

In Units 14 and 16 you saw the indirect and direct object pronouns. The following charts show these pronouns.

Indirect Object Pronouns		Direct Object Pronouns	
me	nos	me	nos
te	les	te	los, las
le		lo, la	

1. Notice that **me, te,** and **nos** are used as both indirect and direct object pronouns.

2. a) The indirect object pronouns answer the questions "To whom?/To what?" or "For whom?/For what?" with the verb.
   Juan **me regaló** un libro.   Yo **le compré** un regalo.
   In these two examples, **me** answers the question "To whom?" and **le** answers "For whom?"
   b) The indirect object pronouns are placed immediately before the verb, as shown above.

3. a) The direct object pronouns answer the questions "What?" or "Whom?" with the verb.
   Juan **me llamó.**   Yo **la compré.**
   In these two sentences, **me** answers the question "Whom?" and **la** answers "What?"
   b) The direct object pronouns are placed immediately before the verbs, as shown above.

4. Indirect and direct object pronouns may be used together in a sentence.
   Juan **me lo regaló.**   Yo **te la compré.**

Whenever indirect and direct object pronouns appear together in a sentence, both are placed before the verb. The indirect object pronoun (usually a person) goes before the direct object pronoun (usually a thing). In the two examples above, **me** and **te** are the indirect object pronouns. They are placed before **lo** and **la,** which are the direct object pronouns. The verbs **regaló** and **compré** follow immediately.

5. The indirect object pronouns **le** and **les** change to **se** when they appear together with the direct object pronouns **lo, los, la,** or **las.**

Sus padres compraron **la moto para él.**   Sus padres **se la** compraron.

29 ¿Qué va a hacer Ignacio? ⊗

¿Va Ignacio a visitar a sus amigos?   No, ya los visitó.
¿Va él a hacer un viaje?   No, ya lo hizo.
¿Va él a llamar a sus amigas?   ¿Va él a comprar una moto?   ¿Va él a prestar su moto?
¿Va él a enseñar el manual?

30 ¿Qué compraste? ⊗

¿Compraste una bandeja?   Sí, me la vendió Mercedes.
¿Compró ella tazas?   Sí, se las vendió Mercedes.
¿Compré un jarrón?   ¿Compraste los vasos?   ¿Compraste la tienda?

31 EJERCICIO DE CONVERSACIÓN

Tertulias: hablas con dos o tres de tus amigos(-as) sobre uno de los siguientes temas. Cada uno te pregunta.

A. Una fiesta

1. ¿Por qué tuviste una fiesta? 2. ¿Dónde fue la fiesta? 3. ¿Cuándo? 4. ¿Qué compraste para la fiesta? 5. ¿A quiénes invitaste? 6. ¿Cuántos fueron? 7. ¿Qué hicieron? 8. ¿A qué hora terminó la fiesta? 9. ¿Quién te ayudó después de la fiesta?

B. Tu casa o apartamento

1. ¿Dónde vives? 2. ¿Es tu casa o apartamento grande o pequeño(-a)? 3. ¿Cuántos cuartos tiene? 4. ¿Cuáles son los cuartos? 5. ¿Cómo es tu cuarto? 6. ¿Qué muebles tienes en tu cuarto? 7. ¿Cuál es tu cuarto favorito? 8. ¿Por qué?

C. Comprando un regalo

1. ¿Para quién compraste un regalo? 2. ¿Por qué? 3. ¿A qué tiendas fuiste? 4. ¿Con quién fuiste? 5. ¿Cuánto mide la persona de estatura? 6. ¿Cuánto mides tú? 7. ¿Quién es más alto(-a)? 8. Por fin, ¿qué compraste? 9. ¿Cuánto costó? 10. ¿Le gustó a la persona?

D. Tu última enfermedad

1. ¿Cuándo te enfermaste? 2. ¿Dónde te enfermaste? 3. ¿Llamaron al médico? 4. ¿Quién lo llamó? 5. ¿Qué síntomas tuviste? 6. ¿Cuánta fiebre tuviste, en centígrados? 7. ¿Qué te recetó el médico? 8. ¿Cuánto tiempo estuviste enfermo(-a)?

32 EJERCICIO DE COMPOSICIÓN

Choose one of the **tertulias** *in Exercise 31. Using the questions as a guide, write a short composition.*

1–17

el **artículo** *item, article*
la **bandeja** *tray*
la **bolsa** *bag*
el **caballero** *sir, gentleman*
el **cliente,** la **c–** *customer*
el **empleo** *job, employment*
la **fila** *line, row*
la **historia** *story, tale*
el **jarrón** *vase*
el **minuto** *minute*
el **negocio** *business*
la **tertulia** *get-together*
la **tienda de artesanía** *handcrafts store*

atender(ie) *to look after, to take care of*
colocar:
  coloqué *I placed, put*
contar(ue) *to tell (about)*
hacer **fila** *to line up, stand in line*
recibir *to receive*
reunirse[1] *to meet, get together*

primer, -o, -a *first*
segundo, -a *second*
tercer, -o, -a *third*
cuarto, -a *fourth*
quinto, -a *fifth*

afuera *outside*
dorado, -a *gold-colored or -plated*
enseguida *right away*
llamativo, -a *showy*
plateado, -a *silver-colored or -plated*

por *for*

a la vista *in sight*
al poco rato *in a little while*
de costumbre *usually, customarily*
dio resultado *was successful*
en algo *with something, anything*
¿En cuánto me la deja? *How much will you let me have it for?*
estoy interesado, -a *I'm interested*
menos de *less than*
muy buen gusto *very good taste*
no pudo *(she) wasn't able*
puse *I put (pret.)*

18–32

la **bahía** *bay*
la **calificación** *grade, mark*
el **manual** *manual, handbook*
el **mayor,** la **m–** *the older one*
el **menor,** la **m–** *the younger one*
la **mujer** *woman*
el **niño,-a** *kid, child, little boy*
la **persona** *person*
la **pesca** *fishing*
el **pescador, -a** *fisherman, fisher-woman*
  Santillana del Mar *fishing village in Spain*
el **tema** *theme*

acordarse (ue) *to remember*
admirar *to admire*
avisar *to warn, inform, tell*
interrumpir *to interrupt*
manejar *to drive*
regalar *to give a present*

impaciente *impatient*
peligroso, -a *dangerous*

por *to, in order to, because of*

en particular *particularly, especially*
me la compraron *(they) bought it for me*
me la pidieron prestada *they asked (me) to borrow it*
por lo visto *it seems*
por supuesto *of course*
se la presté *I lent it to (them)*

[1] The present-tense forms of **reunirse** have a written accent except for the **nosotros, -as** form: **me reúno, te reúnes, se reúne, nos reunimos, se reúnen.**

Food

Agriculture, cattle, and fishing are major industries in most Latin American countries and Spain. The richness of the products and their great variety can be experienced through the many types of foods found in the marketplace, the neighborhood store, and, ultimately, on the dinner table. Spanish-speaking people take pride in their foods and their preparation. Wonderful recipes are passed on from generation to generation — and while the kitchen is ruled by the cook, everyone is welcome to pitch in.

Plate 18

Plate 19

Coconuts are native to tropical areas near the sea. The fronds of these trees are often used to make thatch roofs.

Banana plantations provide many thousands of Spanish-speaking people with their livelihood and provide a wonderful fruit for the rest of the world to enjoy.

Sugar cane is grown in vast fields of the tropics. After harvesting, it is taken to the *central* (sugar mill) for processing.

Coffee beans are picked when they ripen. They must be dried, roasted, and ground before brewing—and drinking.

At the town's marketplace or the neighborhood supermarket, the number of foods available is staggering. Tropical fruits and vegetables with exotic names like *guayaba, mamey,* and *malanga* are heaped in baskets or piled on stands. Next to them we find familiar items with unfamiliar names: *remolachas* (beets), *cebollas* (onions), *calabazas* (pumpkins).

Plate 21

There are many different types of cooking in the Spanish-speaking world. The development of the continental Spanish cuisine combines elements of French and Mediterranean cooking. After experiencing a Spanish dinner, one can understand the willingness of Columbus to sail around the world in order to reach India's spice trade. Each region of the Hispanic world has adapted and transformed the Spanish heritage, blending it with local ingredients and customs.

In many Latin American countries, corn plays a more important role in the daily diet than wheat — the principal grain of Europe and the United States. Many restaurants are outgrowths of the family kitchen. Entire meals are often cooked for taking out, on a daily subscription basis.

At home, in a restaurant, or on a grassy picnic area, mealtime is more than a time for re-charging the human body. Family and friends will sit at their leisure and enjoy each other's company as much as the dishes so carefully prepared. To enjoy life...*¡buen apetito!*

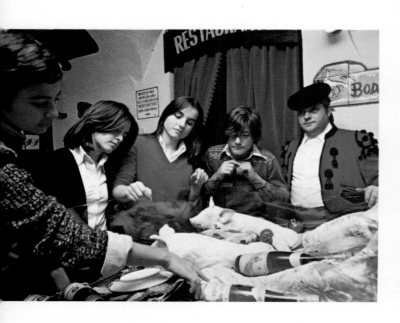

Plate 24

Una posada 19

1 Christmas is a happy and colorful time in Mexico. During **la Navidad** the parks and squares of small towns and large cities are carpeted with poinsettias—native to Mexico and in full bloom in December—and draped with Christmas lights. In fact, Mexico City has the largest display of Christmas lights in the world. **Árboles de Navidad, tarjetas de Navidad,** and even **Santa Claus** have now become part of the Christmas season.

For Alejandra, however, Christmas revolves around the nine days of **posadas. Posadas** are celebrations held in a different home for each of the nine days before Christmas. In a **posada,** the search of Mary and Joseph for a place to stay in Bethlehem is commemorated. Today, the **posada** is in Ale's home.

2 En el mercado de Cuernavaca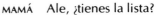

¡Qué mañana tan bonita! Así son siempre las mañanas en Cuernavaca—todo perfectamente tranquilo mientras que el sol sube lentamente para iluminar el cielo. Pero, ¿qué es ese ruido que oímos? "¡Apúrate Ale! Quiero salir temprano al mercado. Tú también, Carmen—¿me oyes?" "Sí, mamá, te oímos; ya vamos." Ah, son Ale, su mamá y su hermanita, Carmen. Las tres salen al mercado para comprar algunas cosas que necesitan para la posada.

MAMÁ   Ale, ¿tienes la lista?

ALE   Sí, mamá, y sé exactamente lo que necesito; pero primero quiero hablar con la señora de las piñatas.

MAMÁ   Pero, hija, tú ya sabes hacer piñatas.

ALE   Lo sé, pero no tengo mucho tiempo y ella hace fácilmente dos o tres en lo que yo difícilmente acabo una.

3 Contesten las preguntas.

1. ¿Dónde vive Ale?
2. ¿Cómo son las mañanas en Cuernavaca?
3. ¿Quiénes hablan?
4. ¿Qué contestan las muchachas?
5. ¿Adónde van las tres?
6. ¿Qué van a comprar?
7. ¿Quién tiene la lista?
8. ¿Con quién quiere hablar Ale?
9. ¿Qué sabe hacer Ale?
10. ¿Qué hace la señora fácilmente?

4 PRÁCTICA ORAL

5 Lo que Ale compró. ⊙

Ale habla brevemente con la señora de las piñatas. Le pide tres y promete volver por ellas a las dos de la tarde, aproximadamente. Se reúne inmediatamente con su mamá y su hermanita. ¡Tiene que comprar tantas cosas! Entre otras cosas compró:

250 gramos (g.) de galletitas,

500 g. de cacahuates,

1 kilogramo (Kg.) de dulces,

2 Kg. de naranjas,

4 litros (l.) de sidra

y 2 l. de agua de piña

6 PRÁCTICA ORAL ⊙

7 SOME METRIC AND ENGLISH EQUIVALENTS ⊙

You have learned to use the metric system to measure distance and temperature. The metric system is also used in Spanish-speaking countries to measure weight and volume. The following charts show some equivalent measures in the metric and English systems.

> 1 Kg. (un kilogramo o kilo) es 1.000 g. (mil gramos).
> ½ Kg. (medio kilo) es 500 g. (quinientos gramos).
> ¼ Kg. (un cuarto de kilo) es 250 g. (doscientos cincuenta gramos).
> ¾ Kg. (tres cuartos de kilo) es 750 g. (setecientos cincuenta gramos).

> 1 lb. (una libra) es 454 g.
> ½ lb. (media libra) es 227 g.
> ¼ lb. (un cuarto de libra) es 113.5 g. (ciento trece punto cinco gramos).
> 1 oz. (una onza) es 28.3 g. (veintiocho punto tres gramos).

> 1 l. (un litro) es .265 galón (punto dos seis cinco de galón).
> 4 l. (cuatro litros) son 1.06 galones (uno punto cero seis galones).

8 Aproximadamente...

Si un litro es aproximadamente un cuarto de galón, ¿cuántos litros son un galón y medio?
Si una libra es aproximadamente medio kilo, ¿cuántos kilos son seis libras?
Si una onza es aproximadamente 30 g., ¿cuántas onzas son 120 g.?
Si un kilo es aproximadamente dos libras, ¿cuántas libras son ocho kilos?
Si un galón es aproximadamente cuatro litros, ¿cuántos litros son tres galones?

9   THE IRREGULAR VERBS oír AND salir

The following charts show the present-tense forms of the verbs **oír,** *to hear,* and **salir,** *to leave* or *go out.*

oír	
Oigo	todo bien.
Oyes	el disco.
Oye	a su mamá.
Oímos	a la gente.
Oyen	todo mal.

salir	
Salgo	temprano.
Sales	tarde.
Sale	de su casa.
Salimos	mucho.
Salen	cuando no llueve.

10   ¿Qué hacen Uds. durante la Navidad? ⊗

¿Sales a visitar a tus amigos?   Siempre salgo a visitar a mis amigos.
¿Sale tu mamá a comprar?   ¿Salen tus amigos a cantar?   ¿Salen tus hermanos y tú al mercado?   ¿Salgo yo contigo?   ¿Sales a comprar regalos?

11   ¿Qué oyes durante la Navidad? ⊗

¿Oyes las canciones de Navidad?   A veces oigo las canciones de Navidad.
¿Oyen tus amigos las campanas?   ¿Oye tu hermano a los muchachos cantando?   ¿Oyen Uds. a los niños jugando?   ¿Oyen ellos el ruido del mercado?   ¿Oyes a tu mamá?

12   EJERCICIO ESCRITO

Write the answers to Exercises 10 and 11.

13   THE ADVERB

Lean los siguientes ejemplos. ⊗

Yo **hablo brevemente** con la señora.
Todo está **perfectamente tranquilo.**

What do these two sentences mean? In the first sentence, which word is the verb? Which word does **brevemente** modify? In the second sentence, which word is the adjective? Which word does **perfectamente** modify?

14   Lean el siguiente resumen.

1. An adverb is a word that modifies a verb, an adjective, or another adverb.

2. In Spanish, many adverbs are formed by adding the ending **-mente** to the feminine singular form of the adjective.

         estricta + **-mente** = **estrictamente** *(strictly)*
         perfecta + **-mente** = **perfectamente** *(perfectly)*

3. If the feminine and masculine forms of the adjective are the same, just add **-mente** to that form.

$$\text{fácil} + \text{-mente} = \text{fácilmente} \; (easily)$$
$$\text{alegre} + \text{-mente} = \text{alegremente} \; (happily)$$

4. Adverbs that modify verbs usually go <u>after</u> the verb.

Ale **sabe exactamente** lo que necesita.

Adverbs that modify adjectives usually go <u>before</u> the adjective.

Ale está **perfectamente tranquila.**

15 ¿Cuál es el adverbio?

Change the following adjectives to adverbs.

tranquila _____   última _____   inteligente _____
típica _____   normal _____   especial _____
suficiente _____   peligrosa _____   maravillosa _____

16 EJERCICIO ESCRITO

Rewrite and complete the following sentences, using the list of adverbs below.

difícilmente	inmediatamente	brevemente
fácilmente	ansiosamente	exactamente
perfectamente	lentamente	aproximadamente

1. Todo está _____ tranquilo en Cuernavaca.   2. El sol sube _____.   3. Ale y su mamá salen _____ al mercado.   4. Ale sabe _____ lo que necesita.   5. Ella habla _____ con la señora de las piñatas.   6. La señora hace _____ dos o tres piñatas. 7. Ale _____ acaba una.   8. Ale promete volver por las piñatas _____ a las dos de la tarde.   9. Ale se reúne _____ con su mamá y su hermanita.

17

The fun part of any **posada** is the breaking of the **piñata**. *Before the guests arrive, the* **piñata** *is filled with fruit, candy, nuts, and party favors. It is then suspended from a rope, in the center of an open area. All the guests gather around the* **piñata.** *One of the guests is blindfolded, given a stick, and twirled around three times. Another guest takes the rope and swings the suspended* **piñata** *while the blindfolded one tries to hit and break it. The rest of the guests clap their hands and sing:* ☉

¡Da - le, da - le, da - le!   No pier - das el ti - no,

Por - que si lo pier - des,   Pier - des el ca - mi - no.

18 Las preparaciones y la celebración ⊗

Ahora, ¿qué vemos? Son Ale y sus hermanitos. Parece que ya llegaron del mercado. ¡Hay tantas cosas que hacer! Ale se encarga de decorar el patio. Cuelga las linternas de papel y las otras decoraciones para la fiesta. Prepara la mesa para los refrescos y los aguinaldos. Mientras tanto, sus hermanitos llenan las piñatas con naranjas, dulces, nueces y muchas cosas más. Por fin cuelgan la piñata en medio del patio y todo está listo. Pero, ¡no! ¡Falta algo! Falta el Misterio: las imágenes de la Virgen María y de San José buscando una posada para el nacimiento del Niño Jesús.

Parece que ya estamos listos para la posada. Todos los jóvenes se reúnen en frente de la casa. Los mayores se reúnen adentro. Ale y su primo Chucho llevan el Misterio, y los demás muchachos van en la procesión. Llegan a la puerta de la casa y cantan los versos para pedir posada para la Virgen María y San José. Los mayores, dentro de la casa, responden a cada verso con un verso para dar posada. Después de los doce versos, abren las puertas y la celebración sigue.

10 11 12

¿Qué pasa? "¡Ésos son mis cohetes!" grita un chico. "¡No es cierto! Éstos no son, tus cohetes son ésos." "Voy a encender éste." "¡No—aquí no! Ése hace mucho ruido." Todos los chicos se divierten encendiendo y estallando cohetes. "Ésa es para mí," dice Chucho, de la piñata. "¡No!" contesta Ale, "cada uno tiene su turno. Primero va Rosario, y si ella no la rompe, voy yo. Si yo no puedo—y lo dudo—entonces vas tú." Pues parece que nadie va a seguir porque Rosario la rompe con el primer golpe y todos los chicos gritan, corren, tiran y empujan para llegar primero a la lluvia de frutas, dulces, nueces y las otras muchas cosas que caen de la piñata. Así es la posada—gritos de alegría, juegos, cohetes, canciones y piñatas. Al fin, Ale reparte los aguinaldos y los invitados se despiden de la familia.

Una vez más todo está tranquilo. Es la Nochebuena. Ale y su familia se reúnen en la sala de su casa para repartir los regalos de Navidad y luego todos salen para ir a la misa de gallo.

19 **Contesten las preguntas.**

1. ¿De dónde llegó Ale?
2. ¿De qué se encarga Ale?
3. ¿Qué llenan sus hermanitos? ¿Con qué?
4. ¿Qué falta? ¿Qué es?
5. ¿Dónde se reúnen los jóvenes? ¿Qué cantan?

6. ¿Dónde se reúnen los mayores?
7. ¿Cuándo abren las puertas?
8. ¿Cómo se divierten los muchachos?
9. ¿Quién rompe la primera piñata?
10. ¿Adónde va la familia después de repartir los regalos?

20 **PRÁCTICA ORAL** ⊙

21 **¿Y tú?**

1. ¿Celebras la Navidad?
2. ¿Dónde celebras la Navidad?
3. ¿Con quién la celebras?

4. ¿Quién pone el árbol de Navidad?
5. ¿Cuándo abres tus regalos?
6. ¿Qué regalos recibiste este año?

22 # THE DEMONSTRATIVE PRONOUNS

Lean los siguientes ejemplos. ⊙

Éste es **mi cohete.** **Ésta** es **mi piñata.**
Éstos son **mis cohetes.** **Éstas** son **mis piñatas.**

In the examples above, which two words mean *this?* Which two words mean *these?* Why are there two words meaning *this* and two words meaning *these?* Do all four words have a written accent?

Ése es **mi cohete.**   **Ésa** es **mi piñata.**
Ésos son **mis cohetes.**   **Ésas** son **mis piñatas.**

In the examples above, which two words mean *that?* Which two words mean *those?* Why are there two words meaning *that* and two words meaning *those?* Do all four words have a written accent?

23 Lean el siguiente resumen.

In Unit 13 you learned the demonstrative adjectives. The following chart shows the demonstrative pronouns.

		Singular	Plural
this (one)/these	Masculine	éste	éstos
	Feminine	ésta	éstas
that (one)/those	Masculine	ése	ésos
	Feminine	ésa	ésas

1. Demonstrative pronouns agree in gender and number with the nouns they refer to.

    este árbol y **ése**   *this tree and that (tree)*
    esa piñata y **ésta**   *that piñata and this (piñata)*

2. Notice that all of the above demonstrative pronouns have a written accent, whereas demonstrative adjectives do not.

    Este árbol es bonito.   *This tree is pretty.*
    Éste es bonito.   *This (one) is pretty.*

24 Ale le pregunta a Chucho. ☺

¿Qué piñata te gusta?   Me gusta ésta y también ésa.
¿Qué tarjetas de Navidad te gustan?   Me gustan éstas y también ésas.
¿Qué árbol de Navidad te gusta?   ¿Qué regalos te gustan?   ¿Qué dulces te gustan?
¿Qué linterna te gusta?   ¿Qué canción te gusta?

25 ¿De quién es? ☺

¿De quién es esta piñata?   Ésa es mi piñata.
¿De quién es este regalo?   Ése es mi regalo.
¿De quién son estas linternas?   ¿De quién son estos cohetes?   ¿De quién es este árbol?
¿De quién son estas imágenes?

26 EJERCICIO ESCRITO

Write the answers to Exercises 24 and 25.

27 EJERCICIO DE COMPRENSIÓN ☺

	0	1	2	3	4	5	6	7	8	9	10
pronombre demostrativo	√										
adjetivo demostrativo											

28 *At the beginning of every* **posada,** *the guests form two groups, as they did at Ale's party. One group goes outside, while the other remains inside the house. The group that goes out carries small statues of Joseph and Mary and sings before the locked doors to be allowed inside for the night. The group inside the house—playing the role of the innkeepers—answers each verse, refusing entry until the end, when the doors are opened and the festivities begin. The group asking for* **posada**—**posada** *means "inn, lodging"—sings six verses, which are answered by six other verses sung by the "innkeepers." Following are the first and last pairs of verses sung at every* **posada** *in Mexico.*

Primer verso para pedir posada.
En nombre del cielo
Les pido posada,
Pues° no puede andar°
Mi esposa° amada°.

Primer verso para dar posada.
Aquí no es mesón°
Sigan adelante°;
Yo no debo abrir
No sea algún tunante°.

Último (sexto) verso para pedir posada.
Dios pague°, señores,
Su gran caridad°.
Que los colme el cielo°
De felicidad°.

Último (sexto) verso para dar posada.
Dichosa° la casa
Que alberga° este día
A la Virgen pura°,
La hermosa° María.

PALABRAS ADICIONALES: pues: *because;* andar: *to walk;* la esposa: *wife;* amado, -a: *beloved;* el mesón: *inn;* sigan adelante: *keep going;* no sea algún tunante: *it might be a rascal;* Dios pague: *may God repay;* la caridad: *charity;* que los colme el cielo: *may heaven fill you;* la felicidad: *happiness;* dichoso, -a: *blessed;* albergar: *to give shelter;* puro, -a: *pure;* hermoso, -a: *beautiful*

29 EJERCICIO DE CONVERSACIÓN

Hablas con un compañero sobre las vacaciones de Navidad. Le preguntas:
1. ¿Dónde pasaste la Nochebuena y el día de Navidad? 2. ¿Qué hiciste para celebrar la Nochebuena? 3. ¿Se reunió la familia entera? 4. ¿Abriste tus regalos a la medianoche o al otro día? 5. ¿Recibiste muchos regalos? 6. ¿Qué te regalaron? 7. ¿Qué regalo te gustó más? 8. ¿Qué más hiciste durante las vacaciones? 9. ¿Fuiste a lugares nuevos? 10. Si tienes la oportunidad, ¿dónde quieres pasar la Navidad el año que viene?

30 EJERCICIO DE COMPOSICIÓN

Una amiga tuya que vive en México te escribe una carta y te cuenta de su posada. Un compañero te pregunta sobre la carta que recibiste:
1. ¿Cómo es la ciudad donde ella pasó la Navidad? 2. ¿Dónde tuvo la posada? 3. ¿Quién la ayudó con las preparaciones? 4. ¿Qué necesitó para la posada? 5. ¿Adónde fue ella para comprar lo que necesitó? 6. ¿Cómo decoró el lugar donde ella tuvo la posada? 7. ¿Cuántas piñatas tuvo? 8. ¿Las compró o las hizo ella? 9. ¿A qué hora llegaron los invitados? 10. ¿Qué más hicieron durante la posada?

VOCABULARIO

1–17

el adverbio adverb
el **agua de piña** drink made with water, pineapple peelings, and sugar
el **cacahuate** peanut
el **camino** way, path
el cielo sky, heaven
el **gramo (g.)** gram
el **galón** gallon
la **galletita** cookie
la **libra** pound
el **litro** liter
el **kilogramo, kilo (Kg.)** kilogram
el **mercado** marketplace
la **onza** ounce
la **posada** Christmas festivity
el **ruido** noise
la **sidra** apple cider
la **tarjeta de Navidad** Christmas card
el **tino** sense of direction

iluminar to light up
oír:
  oímos we hear
  oyes you (fam.) hear
pedir (i) to ask for, order, request
  pide (she) asks for, orders
salir to go out, leave

aproximadamente approximately
brevemente briefly
difícilmente hardly, difficultly
exactamente exactly
fácilmente easily
inmediatamente immediately
lentamente slowly
perfectamente perfectly
primero first, firstly

medio, -a half
tranquilo, -a quiet, peaceful

apúrate hurry up
dale hit it
de la tarde in the afternoon
no pierdas don't lose
¡Qué mañana tan bonita! What a beautiful morning!
tres cuartos de three quarters (fourths) of
un cuarto de a quarter (fourth) of
ya vamos we're coming

18–30

el adjetivo adjective
el **aguinaldo** Christmas gift
la **alegría** happiness
la **celebración** celebration
el **cohete** firecracker
la **decoración** decoration
el **golpe** blow, hit
el **grito** scream, shout
el **hermanito, -a** little brother, sister (dim.)
la **imagen** figure, small statue
los **jóvenes** young people
la **linterna de papel** paper lantern
la **lluvia** rain
los **mayores** adults
la **misa de gallo** Christmas midnight Mass
el **Misterio** nativity scene, crèche figures
el **nacimiento** birth
el **niño, -a** baby
la **Nochebuena,** Christmas Eve
la **nuez** (las **nueces**) nut
la **posada** inn, hostel
la **preparación** preparation
la **procesión** procession, parade
el pronombre pronoun
  San José Saint Joseph
los **refrescos** snacks, refreshments
el **turno** turn
el verso verse
la Virgen María the Virgin Mary

dar posada to give lodging
decorar to decorate
despedirse (i) to say goodbye
  se despiden de (they) say goodbye to
divertirse (ie) to amuse oneself
dudar to doubt
empujar to push
encargarse de to take charge of, be responsible for
encender (ie) to light, set on fire
estallar to blow up, explode
faltar to be missing
llenar to fill
pedir posada to ask for lodging
repartir to hand out
responder to answer
romper to break
seguir (i) to follow, continue
  sigue (it) continues

cierto true
demás other, rest of the
demostrativo, -a demonstrative

ésa that (fem.)
ésos those (masc.)
éste this (masc.)
éstos these (masc.)

adentro inside

en medio de in the middle of
en frente de in front of
parece (que) it seems (that)
una vez más once more

1 El paseo en bicicleta ⊗

Mayra tiene una bicicleta nueva. Su bicicleta es mejor que las bicicletas de sus dos amigas. Julia, que es mayor que ella, la invitó a dar una vuelta hasta el jardín botánico. Mayra es menor que Julia y Rosa; no sabe montar bien y necesita practicar más. Pronto llegan sus amigas y salen todas alegres en sus bicicletas.

Mayra es menor que sus amigas.

Todas salen de casa de Mayra.

JULIA   Tenemos que ir por la calle. No permiten montar por la acera.
MAYRA   ¡El semáforo está en luz roja!
ROSA   ¡Para! En la luz verde cruzamos.
MAYRA   No hay policía de tráfico. ¿Le preguntamos a un peatón cómo ir?
JULIA   ¡Oiga, señor! ¿Cómo llegamos hasta el jardín botánico?
SEÑOR   Siguen varias cuadras hasta un camino de tierra. Al final, doblan a la izquierda y siguen por la avenida. Ésta las lleva derecho hasta allá.

Julia y Rosa son mejores ciclistas.

2 Contesten las preguntas.

1. ¿Cómo es la bicicleta de Mayra?
2. ¿Quién es menor que las otras?
3. ¿Quién es mayor que Mayra?
4. ¿Por dónde no permiten montar?
5. ¿A quién le preguntan cómo ir?
6. ¿Hasta dónde siguen varias cuadras?
7. ¿Dónde doblan a la izquierda?
8. ¿Adónde las lleva la avenida?

3 ¿Y tú?

1. ¿Cómo es tu bicicleta?
2. ¿Es mejor o peor que las bicicletas de tus amigos?
3. ¿En qué luz tienes que parar?
4. ¿Y en qué luz cruzas la calle?
5. ¿Te gusta pasear solo(-a) o con amigos?

4 PRÁCTICA ORAL ⊗

5 ¿Qué más pasan ellas en sus bicicletas? ⊗

Montando por la ciudad para ir al jardín botánico, las muchachas

cruzan numerosas esquinas,

dan vueltas a varias glorietas

y atraviesan muchos cruces de peatones.

Siguen el carril de bicicletas en la carretera vieja,

pasan por avenidas grandes de dos sentidos

y por debajo de la autopista nueva.

6 Contesten las preguntas.

1. ¿Qué carril siguen las muchachas?
2. ¿Por dónde dan vueltas?
3. ¿Por dónde pasan?
4. ¿Qué cruzan ellas?
5. ¿Qué atraviesan?
6. ¿Y por debajo de qué pasan?

7 PRÁCTICA ORAL ⊗

8   IRREGULAR COMPARATIVE ADJECTIVES

Lean los siguientes ejemplos. ⊗

Tu bicicleta es **mejor que** mi bicicleta.
Mayra es **menor que** Julia.

What does the first sentence mean? and the second? In the first sentence, which word means *better?* and which word means *than?* In the second sentence, which word means *younger?* and which word means *than?*

9   Lean el siguiente resumen.

1. In Unit 15 you learned about comparatives, which are expressed by the constructions **más...que** or **menos...que.**

Tu bicicleta es **más grande que** ésta.   *Your bike is bigger than this one.*
Tu bicicleta es **menos grande que** ésa.   *Your bike is smaller (less big) than that one.*

2. Spanish, like English, has some irregular comparatives.

Singular			Plural	
Regular Form	Irregular Form		Regular Form	Irregular Form
más bueno, -a	**mejor**	*better*	más buenos, -as	**mejores**
más malo, -a	**peor**	*worse*	más malos, -as	**peores**
más grande	**mayor**	*bigger, older*	más grandes	**mayores**
más pequeño, -a⎫ más joven ⎭	**menor**	*smaller, younger*	más pequeños, -as⎫ más jóvenes ⎭	**menores**

3. **Mayor** and **menor,** when referring to people, usually mean *older* and *younger.*

10   Mayra y Julia comparan. ⊗

Esa calle es mala.

Esa chica es grande.
Ese chico es pequeño.
Esa carretera es buena.
Esas ciclistas son malas.

Esta calle es más mala que ésa.
Esta calle es peor que ésa.

11   Varios muchachos hablan de sus amigos. ⊗

Mayra y Rosa son más jóvenes que Julia.
Roberto es más malo que Homero.
Toni es más bueno que Pepe.
Marisa es más joven que Linda.
Oscar y Jorge son más buenos que Paco.

Mayra y Rosa son menores que Julia.

12   EJERCICIO ESCRITO

Write out the answers to Exercises 10 and 11.

13 Todos le dan instrucciones a Mayra. ⊛

JULIA Mayra, ¡para en la luz roja!
ROSA Ya está en verde. ¡Cruza ahora!
JULIA Dobla a la izquierda en la esquina y entra en esa calle con cuidado.
ROSA Mira a Oscar. Mayra, vuelve atrás y llama a los muchachos.
OSCAR Mayra, sube a la acera para hablar.
JULIA No, Oscar, sigue con nosotras al jardín botánico.
OSCAR Bueno, apúrate. ¡Corre más rápido!

¡Mira a Oscar y a sus amigos!

¡Entra a la avenida!

¡Corre más rápido!

Por fin llegan al jardín botánico y van a comprar las entradas a la taquillera.

MAYRA Srta., ¿cuánto cuesta la entrada?
SRTA. El precio para adultos es cincuenta centavos.[1]
JULIA ¿Y para menores y estudiantes?
SRTA. Solamente veinticinco centavos.
ROSA Mayra, toma cinco pesos y paga por todos. Luego dividimos los gastos.
SRTA. Los siete cuestan $1.75. Aquí tiene el cambio: $3.25.

Comprando las entradas en la taquilla

14 Contesten las preguntas.

1. ¿Quiénes le dan instrucciones a Mayra?
2. ¿Qué le dice Julia? ¿Y Rosa?
3. ¿A quién ve Rosa?
4. ¿Qué le dice Oscar a Mayra?
5. ¿Qué le pregunta Mayra a la taquillera?
6. ¿Cuánto son las entradas?

15 Y cuando tienes que pagar la entrada.

1. ¿Adónde vas para comprar la entrada?
2. ¿A quién le compras la entrada?
3. ¿Qué le preguntas?
4. ¿Qué haces con el cambio?

16 PRÁCTICA ORAL ⊛

[1] Prices are in Dominican currency—**pesos, centavos.** For the most recent rate of exchange, consult a newspaper or bank.

17 Las señales de tráfico son importantes. ⊗

Los amigos le dicen a Mayra lo que tiene que hacer en cada señal:

¡Para en la luz roja!   ¡Sigue en la luz verde!   ¡Para en esta señal! Después, sigue.   Sigue la dirección de la flecha.

Cede el paso.   No puedes entrar.   No puedes doblar a la derecha.   No puedes doblar a la izquierda.

18 PRÁCTICA ORAL ⊗

19 REGULAR FAMILIAR COMMANDS tú FORM

Lean los siguientes ejemplos. ⊗

¿**Julia para** en la luz roja?   Julia, **¡para** en la luz roja **tú!**
¿**Mayra sigue** en la luz verde?   Mayra, **¡sigue** en la luz verde **tú!**

In the above examples, the left-hand sentences are questions in the present tense, and the right-hand sentences are commands. In the present tense, what is the **Ud./él/ella** form of the verb **parar?** and of **seguir?** Are the verb forms used for the commands the same?

20 Lean el siguiente resumen.

1. Familiar commands direct or request someone—whom you address as **tú**—to do something. To form a familiar command, you use the **Ud./él/ella** form of the verb in the present tense.

   Oscar, **¡cruza** la calle!   *Oscar, cross the street!*
   Mayra, **mira** a Julia.   *Mayra, look at Julia.*

2. The subject pronoun **tú** can be used with the familiar command for emphasis. **Tú** usually follows the command form: **Trae tú** la bicicleta.   **Trae** la bicicleta **tú.**

3. In writing, familiar commands sometimes have exclamation points.

21 Mayra no lo quiere hacer. ⊗

Mayra, ¿quieres traer la bicicleta?   No, trae la bicicleta tú.
¿Quieres parar un rato?
¿Quieres preguntar cómo ir?
¿Quieres correr más rápido?
¿Quieres entrar al jardín botánico?
¿Quieres pagar la entrada?

22 Los muchachos ayudan a Mayra. ⊗

Rosa monta la bicicleta y dice:
Oscar para en la luz roja y dice:
Julia mira la luz verde y dice:
Jorge dobla a la izquierda y dice:
Juan entra a la avenida y dice:
Ramón sube a la acera y dice:

Mayra, ¡monta la bicicleta!
Mayra, ¡para en la luz roja!

23 Dando instrucciones.

¿Cómo le dices a un amigo lo que él tiene que hacer cuando ve estas señales?

 Sigue la dirección de la flecha.

1   2   3   4   5   6   7

24 EJERCICIO DE COMPRENSIÓN ⊗

	0	1	2	3	4	5	6	7	8	9	10
Question											
Command	✓										

25

Bicycle riding is very popular in Santo Domingo. Thousands of youngsters in this capital city belong to bicycle clubs. On weekends and during school vacations, numerous groups of riders can be seen on the main avenues — like the Mirador del Sur, which overlooks the city — and also on the bicycle paths around the Palacio de Deportes. Throughout the year, many bicycle races take place, with the best riders from each club competing. One of these races starts in Santo Domingo and follows a set course to San Pedro de Macorís, 70 kilometers away. International bicycle competitions are also entered by the best Dominican riders. Bicycle races between Dominicans and Puerto Ricans are held almost every year — sometimes in the Dominican Republic, other times in Puerto Rico. Any rider, whether competing or just out for a leisurely ride, must observe the traffic signs. In this lies the safety of riders and pedestrians alike.

26 Por el jardín botánico ⊗

ROSA ¿Vamos al norte, al jardín de las flores? ¡Es el más lindo!

OSCAR Al noreste, según el plano. Pero, ¿por qué no vamos al oeste, donde están las plantas acuáticas?

JULIA Deja a Mayra decidir. Hoy ella fue la mejor ciclista del grupo.

MAYRA ¿Y por qué no vamos al este, al jardín japonés? Podemos alquilar un coche de caballos para llegar.

JULIA Ésa es la peor manera de ir. En el trencito es la menos cara.

Y decididos, corren al tren a comprar sus boletos.

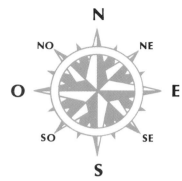

Los puntos cardinales: norte, sur, este y oeste

Ésta es la mejor manera de pasear.

En el jardín japonés

El trencito los lleva por todo el parque. Sale del sur y va primero al oeste, donde están las plantas acuáticas. De allí va hacia el norte, y al pasar por el noroeste, cruzan el bello jardín de las flores. Entonces siguen al este, al jardín japonés, donde paran a descansar un rato y tomar agua fría. Desde un puente pequeño miran el río que cruza el jardín. ¡Es uno de los más hermosos paseos de Santo Domingo!

27 Contesten las preguntas.

1. ¿En qué dirección quiere ir Rosa?
2. ¿Hacia dónde quiere ir Oscar?
3. ¿Por qué dejan a Mayra decidir?
4. ¿Hacia dónde quiere ir ella?
5. ¿Cuál es la peor manera de ir allá?
6. ¿Y cuál es la mejor? ¿Por qué?
7. ¿De qué punto cardinal sale el tren?
8. ¿Hacia dónde va primero?

28 PRÁCTICA ORAL ⊗

29 ¿Dónde vives? ⊗

Answer the following questions, using the opposite cardinal point.

¿Vives en el noreste?　　　　　　　　No, vivo en el suroeste.

¿Vives en el sur?　　¿Vives en el oeste?　　¿Vives en el sureste?　　¿Vives en el norte?
¿Vives en el este?

SUPERLATIVES

30

Lean los siguientes ejemplos. ⊗

El jardín japonés es **más lindo que** ése.
El jardín japonés es **el más lindo** de todos.

What does the first sentence mean? and the second? In the first sentence, which words mean *more beautiful than?* In the second sentence, which words mean *the most beautiful?*

31

Lean el siguiente resumen.

1. The superlative expresses the idea *-est* or *most*, as in *the prettiest girl, the most beautiful garden.* It also expresses the idea *least*, as in *the least beautiful garden.*

2. To form the superlative, Spanish uses:
   a. the definite article with **más** or **menos.**

Ese jardín es **el más lindo.**	*That garden is the most beautiful.*
Esas flores son **las menos lindas.**	*Those flowers are the least beautiful.*

   b. the definite article and an irregular comparative adjective.

la mejor ciclista	*the best cyclist*
los peores coches	*the worst carts*

32

Mayra y Rosa comparan las cosas. ⊗

Esa calle es más grande que las otras.　　　　Es la más grande.
Esas flores son más bonitas que las otras.
Ese jardín es menos hermoso que los otros.
Esos árboles son más altos que los otros.
Ese tren es menos caro que los otros.
Esa bicicleta es mejor que las otras.

33

¿Cómo son? ⊗

¿Es la avenida grande?　　　　Creo que es la más grande.
¿Son los boletos baratos?
¿Es el plano importante?
¿Es el coche caro?
¿Es el árbol alto?
¿Son las plantas hermosas?

34

EJERCICIO ESCRITO

Write the answers to Exercises 32 and 33.

35

EJERCICIO DE COMPRENSIÓN ⊗

	0	1	2	3	4	5	6	7	8	9	10
Comparative											
Superlative	✓										

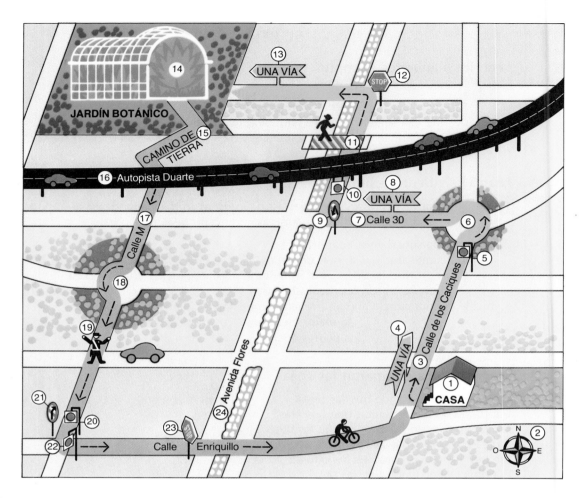

36 EJERCICIO DE CONVERSACIÓN

Using the map above, tell a friend—in Spanish—how to get from the Botanical Gardens (14) to your house (1). Make sure that you give your friend detailed instructions, including all the turns, names of streets, and traffic signs he or she will have to follow. (Use the familiar command forms throughout.)

37 EJERCICIO DE COMPOSICIÓN

Le escribes a tu prima de un viaje en bicicleta que hiciste desde tu casa hasta el Jardín Botánico. Le dices las calles y avenidas que pasaste, las señales de tráfico que viste y la dirección en que doblaste cada vez. Usa cada número del mapa como referencia. Por ejemplo:

¿De dónde saliste? (1)　　　　　　　　　　Salí de mi casa.
¿Hacia qué punto cardinal fuiste? (2)　　　Fui hacia el norte.
¿Cómo se llama la calle por donde fuiste? (3)　¿Cuántas vías tiene? (4)　¿En qué luz tuviste que parar? (5)　¿A qué le diste la vuelta? (6)　¿A qué calle entraste? (7)　¿Qué dice la señal? (8)　¿Qué dice la otra señal? (9)　¿En qué luz paraste debajo de la autopista? (10)　¿Por qué paraste aquí? (11)　¿Qué señal encontraste después del cruce de peatones? (12)　¿Qué dice la última señal? (13)　¿Adónde llegaste por fin? (14)

38 El Jardín Botánico Rafael M. Moscoso ⊗

El jardín botánico de Santo Domingo es uno de los más importantes del mundo. Las plantas y árboles tropicales de la isla crecen° en distintas° zonas del mismo°. Un guía° describe los diferentes tipos de vegetación mientras que uno recorre el jardín en trencito—como hacen nuestros amigos ciclistas—o en coche tirado° por caballos. También se puede° pasear por el jardín en botes que van por los lagos° y estanques de las plantas acuáticas. ¡Cuántos nombres exóticos oímos! Ceibas°, caobas°, palmas, mangos y flamboyanes° entre sus árboles más hermosos.

También tiene un bello jardín japonés en el que° la flora de ese lejano° país se ha aclimatado° perfectamente al clima° tropical de Santo Domingo. En él°, todos los edificios° y hasta° el puentecito que atraviesa el pequeño río que lo cruza son de auténtica arquitectura japonesa, para el placer de dominicanos y turistas que lo visitan.

PALABRAS ADICIONALES: crecer: *to grow;* distinto, -a: *different;* del mismo: *of the same;* el guía: *guide;* tirado, -a: *drawn, pulled;* se puede: *it is possible;* el lago: *lake;* la ceiba: *silk-cotton tree;* la caoba: *mahogany tree;* el flamboyán: *royal poinciana tree;* en el que: *in which;* lejano, -a: *faraway;* se ha aclimatado: *has adapted, been acclimatized;* el clima: *climate;* él: *it;* el edificio: *building;* hasta: *even*

39 VOCABULARIO

1–12

la **acera** sidewalk
la **autopista** superhighway, skyway
el **camino de tierra** dirt road
la **carretera** highway, road
el **carril** lane
el **ciclista** bicycle rider
el **cruce de peatones** crosswalk
la **cuadra** (street) block
la **esquina** corner, intersection
la **glorieta** traffic circle
la **luz (las luces)** light
el **paseo** ride, trip
el **peatón** pedestrian
el **policía** police officer
Santo Domingo capital of the Dominican Republic
el **semáforo** traffic light, semaphore
la **tierra** dirt, soil
el **tráfico** traffic

cruzar to cross (the street, etc.)
doblar to make a turn
montar to ride
para stop (command)
permitir to allow, let
siguen you (pl.) continue, follow

botánico, -a botanical
derecho straight (ahead)
mayor older, bigger
mejor better
menor younger, smaller
numeroso, -a numerous, many
peor worse
viejo, -a old

por on
que than

al final at the end
de dos sentidos two-way
dar una vuelta to ride around, go for a ride
¿qué más? what else?

13–25

el **adulto** adult
el **cambio** change (money)
el **centavo** cent, $\frac{1}{100}$ of a peso
la **dirección** direction
la **entrada** admission, ticket
la **flecha** arrow
el **gasto** expense
las **instrucciones** directions, instructions
los **menores** minors, children
el **peso** monetary unit of the Dominican Republic
la **señal** sign
la **taquilla** box office
la **taquillera, -o** ticket seller

apúrate hurry up (command)
correr to race
  corre race (command)
cruza go across (command)
dicen they say
dobla make a turn (command)
entra go in (command)
llama call (command)
mira look at (command)
paga pay (command)
sigue keep going, continue, follow (command)
sube (a) get up(on), go up (command)
toma take (command)
vuelve go back (command)

atrás back
rápido fast

a la derecha to the right
cede el paso yield right-of-way
con cuidado carefully, with care

26–37

el **boleto** ticket
el **coche de caballos** horse-drawn cart
el **este** east
la **flor** flower
la **manera** way, means
el **noreste** northeast
el **noroeste** northwest
el **norte** north
el **oeste** west
el **puente** bridge
el **punto cardinal** cardinal point
el **sur** south
el **sureste** southeast
el **suroeste** southwest
el **trencito** little train (dim.)

parar to stop

acuático, -a aquatic, living or growing in water
decidido, -a decided
frío, -a cold
japonés, -a Japanese

al pasar while passing
el **más lindo** the most beautiful, prettiest
la **mejor** the best
la **menos cara** the least expensive
la **peor** the worst
uno de los más hermosos one of the most beautiful

Un domingo en la playa

Pedro nos describe un día en la playa.

Es un domingo hermosísimo en la playa de Isla Verde, en San Juan, Puerto Rico. Miles de puertorriqueños como yo, y de turistas, vienen a disfrutar del brillante sol y del agua. Muchísimas personas pasean por la arena, descalzas o en sandalias. Otras descansan en cómodas sillas de playa o se acuestan en grandes toallas. Algunas están a la sombra de altas palmeras, y otras al sol para broncearse. Alegres muchachos se meten en el mar, y por todas partes vemos a grupos de jóvenes jugando una forma de tenis, con paletas cortas y una pelota pequeña. En la orilla, los niñitos hacen castillos de arena. Una alegría general parece flotar en la sabrosa brisa que nos refresca a todos.

El juego de paletas es divertidísimo.

Una muchacha lindísima se baña en las olas.

La piedra es pesadísima y no la pueden levantar.

Muchísimos niñitos andan descalzos en la arena caliente.

2 Contesten las preguntas.

1. ¿Cómo es el domingo?
2. ¿Cuántas personas pasean por la arena?
3. ¿Para qué se acuestan al sol?
4. ¿Quiénes se meten en el mar?

5. ¿Cómo es el juego de paletas?
6. ¿Quién se baña en las olas?
7. ¿Cómo es la piedra?
8. ¿Quiénes andan descalzos?

3 ¿Qué haces tú en el verano?

1. ¿Te gusta más la playa o la piscina?
2. ¿Andas descalzo(-a) o en sandalias?
3. ¿Te gusta estar a la sombra o al sol?

4. ¿Por qué?
5. ¿Te gusta nadar o estar en la arena?
6. ¿A qué playa o piscina te gusta ir?

4 PRÁCTICA ORAL ⊗

5 THE ENDINGS -ísimo AND -ísima

Lean los siguientes ejemplos. ⊗

Es una playa **muy linda.**
Es una playa **lindísima.**

What does the first sentence mean? and the second? In the first sentence, which words mean *very pretty?* In the second sentence, which word means *very pretty?*

6 Lean el siguiente resumen.

1. The ending **-ísimo** means *very* or *extremely*. This ending is added to most adjectives.

$$\text{fácil} \rightarrow \text{facilísimo} \qquad \textit{very easy}$$
$$\text{difícil} \rightarrow \text{dificilísimo} \qquad \textit{very difficult}$$

2. When the adjective ends in a vowel, the vowel is dropped before adding the ending.

$$\text{frío} \rightarrow \text{friísimo} \qquad \textit{very cold}$$
$$\text{grande} \rightarrow \text{grandísimo} \qquad \textit{very large}$$

3. The ending **-ísimo** has three other forms, **-ísima, -ísimos,** and **-ísimas,** to agree in gender and number with the noun it modifies. The **-ísimo** form of the adjective is usually called the *superlative form.*

Es un juego **divertidísimo.**   *It's a very amusing game.*
Son muchachas **lindísimas.**   *They're very pretty girls.*

7 Dos amigos hablan en la arena. ⊙

¿Tus sandalias son cómodas?   Son comodísimas.
¿El agua está sabrosa?
¿Las olas son grandes?
¿Las palmeras son altas?
¿El mar está tranquilo?
¿Las piedras son pesadas?

8 Oímos una conversación por teléfono. ⊙

¿Está hermoso el día?   Está hermosísimo.
¿Está brillante el sol?   ¿Está fría la brisa?   ¿Está azul el cielo?   ¿Está lindo el día?
¿Está sabroso el mar?

9 EJERCICIO ESCRITO

a. Write the answers to Exercises 7 and 8.

b. Rewrite the following sentences, changing the underlined adjectives to the appropriate superlative form using **-ísimo, -ísima, -ísimos,** *or* **-ísimas.**
1. El juego de paleta es <u>difícil</u>.   2. El mar está <u>azul</u>.   3. La silla es <u>cómoda</u>.   4. La tarde está <u>fría</u>.   5. El bote es <u>pesado</u>.   6. Las piedras son <u>grandes</u>.   7. El día está <u>feo</u>.   8. La pelota es <u>pequeña</u>.

10

The island of Puerto Rico has beautiful beaches with palm and coconut trees growing along their edges. In the capital city of San Juan there is a large span of sand stretching from the Condado area, where most of the tourist hotels are, to Boca de Cangrejos, east of the capital. One of the most popular spots on this beach is called Isla Verde. Large and modern condominiums have been built bordering this beach. We can see all types of boats cruising the ocean, and small craft lying on the sand. Thousands of bathers come here to make the most of the tropical sun, the cool ocean breezes, and the water. Year-round, many youngsters come to surf, water ski, skin-dive, or to go swimming or sailing—or simply to be with their friends.

Un domingo en la playa   217

11   Los muchachos traen muchas cosas a la playa. ⊗

Mientras que Pedro prepara su velero, unos amigos llegan a la playa. "Vamos a bucear," le dice uno, "vengo de casa y tengo mucho calor." "¿No ves que voy a navegar?" le contesta Pedro. "Pues si se hunde tu barco, aguanta la respiración. Si no, te ahogas," bromea otro. "¡Ya vienes con tus bromas!...pero, ¿y qué traes en ese maletín?" pregunta Pedro. "Pues traigo muchas cosas. Y mi hermana trae muchas más en el suyo."

| Traigo loción para broncear | y mi hermana trae espejuelos de sol. | Los dos traemos un colchón de aire | y aletas para nadar. |

Además, los amigos que vienen con nosotros traen:

| los trajes de baño, | una careta para bucear, | una toalla de playa, | dos paletas y una pelotita. |

12   Contesten las preguntas.

1. ¿Qué prepara Pedro?
2. ¿De dónde viene el amigo de Pedro?
3. ¿Por qué no quiere bucear Pedro?
4. ¿En qué trae las cosas su amigo?

5. ¿Qué trae en el maletín?
6. ¿Y qué trae su hermana?
7. ¿Qué traen los dos?
8. ¿Quiénes vienen con ellos?

13   Y cuando vienes a la playa o a la piscina.

1. ¿Qué traes en tu maletín?
2. ¿Y qué traes para jugar aquí?

3. ¿Te gusta más nadar o bucear?
4. ¿Qué usas para bucear?

14   PRÁCTICA ORAL ⊗

15

el verbo traer

In the present tense, the verb **traer,** *to bring*, is irregular only in the **yo** form. The following chart shows the present tense of **traer.**

traer			
Traigo	la loción.	**Traemos**	las caretas.
Traes	los espejuelos.		
Trae	el maletín.	**Traen**	las toallas.

Notice that the **yo** form adds **ig** to the verb stem in the present tense. All other present-tense forms of **traer** are regular.

16 ¿Quiénes traen las cosas a la playa? ⊗

¿Si Uds. quieren las paletas?   Uds. traen las paletas.
¿Si Pedro quiere el colchón de aire?
¿Si quiero la pelota?
¿Si queremos las sillas?
¿Si ella quiere las aletas para nadar?
¿Si quieres el traje de baño?
¿Si ellos quieren la careta?

17 EJERCICIO ESCRITO

Write out the answers to Exercise 16.

18   el verbo venir

The verb **venir,** *to come,* is irregular in the present tense. The following chart shows the verb **venir** in the present.

venir			
Vengo	de la playa.	**Venimos**	del barco.
Vienes	del mar.		
Viene	de la arena.	**Vienen**	del agua.

1. In the present tense, the **yo** form adds a **g** to the verb stem: **vengo.**
2. The **nosotros, -as** form is regular: **venimos.**
3. All other forms change the **e** of the verb stem to **ie: vienes, viene, vienen.**

19 Pedro le contesta a su amigo. ⊗

¿Vengo de la playa?   Claro que vienes de la playa.
¿Ellas vienen de la orilla?
¿Vienes de la arena?
¿Él viene del barco?
¿Venimos del agua?
¿Uds. vienen a bucear?

20 Todos le preguntan a Pedro. ⊗

¿Vas a jugar con las paletas?   Vengo de jugar con las paletas.
¿Ellas van a bucear en el mar?
¿Él va a jugar con la pelota?
¿Uds. van a navegar?
¿Vas a nadar?
¿Ellas van a buscar los trajes de baño?

21 EJERCICIO ESCRITO

Write the answers to Exercises 19 and 20.

¡Cuántos veleros en la playa! Siempre pasa cuando hace buen día.

Unos amigos me dieron su vela porque olvidé la mía. Por fin subí la vela y salí al mar.

Pronto vi a un muchacho surfeando en una tabla con vela.

Y cuando mis amigos del barquito pesquero me vieron, les di un gran saludo.

En una regata corta, otro velero dio un golpe contra el mío, pero les gané.

Una gran esquiadora casi choca conmigo, pero me vio y pasó de largo.

Al rato vi a una muchacha tirarse al agua para bucear con sus amigos.

Luego, todos ellos pasaron debajo de mi bote, practicando la pesca submarina.

Y en la orilla de una islita vi un juego de polo acuático divertidísimo.

10 En un barquito de vela vi a un niñito aprendiendo a navegar con su papá,

11 y luego vi a dos muchachitos en un botecito que ellos hicieron.

12 Y un joven surfeador se lanzó al agua con su tabla de surfear.

23 **Contesten las preguntas.**

1. ¿Qué clase de día hace?
2. ¿Qué le dieron los amigos a Pedro?
3. ¿A quién vio Pedro surfeando?
4. ¿Quiénes lo vieron a él?
5. ¿Contra qué dio otro velero?

6. ¿Quién pasó de largo a Pedro?
7. ¿Para qué se tiró la muchacha al agua?
8. ¿Por dónde pasaron todos ellos?
9. ¿Qué vio en la orilla de una islita?
10. ¿Con qué se lanzó al agua el surfeador?

24 **Y cuando tú estás en la playa.**

1. ¿Prefieres estar en un barco o estar en el agua?
2. ¿Surfeaste en tabla alguna vez? ¿Y en una tabla de vela?
3. ¿Te gustan más los veleros o los barcos pesqueros?

4. ¿Prefieres esquiar en el agua o practicar la pesca submarina?
5. ¿Te gusta más nadar en el mar o jugar polo acuático? ¿Sabes jugar polo acuático?
6. De todos los barcos que hay en la playa, ¿cuál te gusta más para navegar?

25 **PRÁCTICA ORAL** ☺

26 **En la arena**

1. ¿Qué usas para caminar en la arena?
2. ¿En qué te acuestas al sol?
3. ¿Qué usas para broncear?

4. ¿Cuánto tiempo estás al sol?
5. ¿Qué te gusta jugar en la playa?

27 **En el agua**

¿Te gusta nadar en el mar o en una piscina?
¿Sabes bucear? ¿Qué necesitas para bucear?
Y para surfear, ¿qué necesitas?

28   THE PRETERIT OF dar AND ver

The following charts show the forms of **dar,** *to give,* and **ver,** *to see,* in the preterit.

dar		
Le	**di**	el maletín.
Le	**diste**	la loción.
Le	**dio**	la tabla.
Le	**dimos**	la careta.
Le	**dieron**	la vela.

ver	
Vi	la playa.
Viste	el velero.
Vio	la islita.
Vimos	el barquito.
Vieron	la regata.

Notice that **dar** and **ver** have the same endings in the preterit as regular **-er** and **-ir** verbs, but the **yo** form and the **Ud./él/ella** form do not have a written accent: **di, vi, dio, vio.**

29   ¿Qué cosas dieron?

¿Le diste la tabla de surfear? Sí, le di la tabla de surfear.
¿Te dieron el bote de vela? Sí, me dieron el bote de vela.
¿Nos dieron los trajes de baño? ¿Les dimos las aletas para nadar? ¿Le dio el botecito?
¿Me diste la careta para bucear?

30   Dos amigos conversan a la orilla del mar. ☺

¿Cuándo dices que viste al surfeador? Creo que lo vi ayer.
¿Cuándo dices que vi el bote pesquero? Creo que lo viste ayer.
¿Cuándo dices que ella vio la regata?
¿Cuándo dices que vi el velero?
¿Cuándo dices que vimos a los surfeadores?
¿Cuándo dices que los viste buceando?

31   EJERCICIO ESCRITO

a. Write out the answers to Exercises 29 and 30.

b. Rewrite the following sentences, changing the underlined verbs to the preterit.
1. Pedro le <u>da</u> la tabla de surfear a un amigo. 2. Luego, él y otro muchacho <u>ven</u> una regata interesantísima. 3. Más tarde, ellos le <u>dan</u> los esquíes a un surfeador. 4. Pronto el amigo <u>ve</u> a unos jóvenes practicando la pesca submarina. 5. Después de un rato, yo los <u>veo</u> volver a la playa y <u>damos</u> una vuelta en el bote. 6. Desde la orilla <u>vemos</u> a un grupo que va a bucear. 7. "¿<u>Ves</u> qué fácil?" me grita uno de ellos. 8. Les <u>damos</u> nuestras aletas; así pueden nadar más rápido.

32   EJERCICIO DE COMPRENSIÓN ☺

	0	1	2	3	4	5	6	7	8	9	10
presente											
pretérito	√										

MORE ABOUT ADJECTIVES

33

In Spanish, some adjectives that end in **-o** in the masculine singular form, drop the final **o** before a masculine singular noun. **Bueno** and **malo** follow this rule.

Él es un **buen** esquiador. *BUT* Él es un esquiador **bueno.**
Ése es un **mal** velero. *BUT* Ése es un velero **malo.**

Grande has a shortened form, **gran,** which is used before *any* singular noun—masculine or feminine.

Él es un **gran** esquiador. *BUT* Ellos son **grandes** esquiadores.
Ella es una **gran** esquiadora. *BUT* Ellas son **grandes** esquiadoras.

Grande means *great (terrific)* when used before a noun; *large* or *big* when used after a noun.

Él es **un gran esquiador.** *He's a great (terrific) skier.*
Él es **un esquiador grande.** *He's a big (large) skier.*

34 **Como piensan los muchachos.** ⊗

Es un esquiador malo.   Sí, es un mal esquiador.
Es un botecito bueno.
Es un día malo.
Es un velero bueno.
Es un pescador malo.
Es un surfeador bueno.

35 **No es grande, pero...** ⊗

¿Es una playa grande?   No, pero es una gran playa.
¿Es un bote grande?
¿Es una vela grande?
¿Es un colchón de aire grande?
¿Es una tabla de surfear grande?

36 **EJERCICIO DE CONVERSACIÓN**

Conversas con un amigo o una amiga de un día que van a pasar en la playa. ¿Qué cosas llevas tú? ¿Qué otras cosas puede llevar tu amigo o amiga? ¿Quieres invitar a otros más? ¿Cómo van a ir hasta la playa? ¿Qué van a hacer en la playa? ¿Qué pueden jugar? ¿En qué clase de barco quieren navegar? ¿Lo pueden alquilar en la playa? ¿Cuesta mucho o poco alquilar un bote? ¿Qué otras cosas pueden hacer en el mar?

37 **EJERCICIO DE COMPOSICIÓN**

Le escribes a un amigo o a una amiga sobre el día que pasaste en la playa.
1. ¿Con quiénes fuiste?   2. ¿A qué hora saliste de tu casa?   3. ¿A qué hora llegaste a la playa?   4. ¿Cómo fuiste?   5. ¿Qué usaste para broncear?   6. ¿Qué usaste cuando te acostaste en la arena?   7. ¿Qué necesitaste para jugar paleta?   8. ¿Y para esquiar en el agua?   9. ¿Y para bucear?   10. ¿Dónde te acostaste para descansar?   11. ¿Por dónde caminaste?   12. ¿Dónde te bañaste?   13. ¿Nadaste mucho?   14. ¿Qué clase de barcos viste?   15. ¿Cómo fue el día?

1–10

la **arena**   sand
la **brisa**   breeze
el **castillo**   castle
la **forma**   type, kind
　Isla Verde   beach near San
　　Juan, P.R.
el **mar**   sea
el **niñito, -a**   little boy, girl (dim.)
la **ola**   wave
la **orilla**   shore
la **paleta**   paddle
la **palmera**   palm tree
la **playa**   beach
la **sandalia**   sandal
el **sol**   sun
la **sombra**   shade
la **toalla**   towel
el **turista, la t–**   tourist

bañarse   to bathe (oneself), go in
　the water
broncear(se)   to tan (oneself)
describir   to describe
flotar   to float
levantar   to lift, raise
meterse   to get oneself into
refrescar   to cool, refresh

brillante   bright
caliente   hot
cómodo, -a   comfortable
descalzo, -a   barefoot
divertidísimo, -a   very amusing
general   general
hermosísimo, -a   very pretty, very
　beautiful
lindísimo, -a   very pretty, very
　beautiful
muchísimos, -as   very many
pesadísimo, -a   very heavy
sabroso, -a   delightful

por todas partes   everywhere

11–21

la **aleta**   fin
el **barco**   boat, ship
la **broma**   joke
la **careta**   mask
el **colchón de aire**   air mattress
los **espejuelos de sol**   sunglasses
la **loción para broncear**   suntan
　lotion
el **maletín**   bag, small suitcase
la respiración   breath
el **traje de baño**   swimsuit
el **velero**   sailboat

aguantar   to hold
ahogarse   to drown (oneself)
bromear   to joke
bucear   to skin-dive
hundirse   to sink (oneself)
navegar   to sail, navigate
traer:
　trae   (she) brings
　traemos   we bring
　traen   (they) bring
　traes   you (fam.) bring
　traigo   I bring

pues   well

22–37

el **barquito**   little boat (dim.)
el **botecito**   little boat (dim.)
el **esquiador, -a**   water-skier
el **muchachito, -a**   little kid
el **polo acuático**   water polo
la **regata**   regatta, boat race
el **surfeador**   surfer
la **tabla**   board
la **tabla de surfear**   surfboard
la **vela**   sail

dar:
　di   I gave
　dieron   (they) gave
chocar   to crash, collide
lanzarse   to dive
subir   to raise
surfear   to surf
tirarse   to dive, throw oneself
ver:
　vi   I saw
　vieron   (they) saw
　vio   (he, she) saw

buen   good
gran   great
pesquero, -a   fishing
submarino, -a   underwater

dio un golpe   it hit, struck
les gané   I beat them, won
pasó de largo   (she) passed by

1 Celebrando el santo ⊛

El 4 de octubre era el día del santo de Kiko[1], el hermanito de Xochi. Todos sus amiguitos estaban en el parque de Chapultepec, cerca del lago, desde muy temprano. Era una fiesta magnífica. Mientras los mayores conversaban, los niños corrían y jugaban por todas partes. Se divertían con payasos, globos, pelotas de colores, y una gran piñata llena de juguetes y caramelos. Unos músicos animaban la fiesta, cuando Diego, un amigo de Xochi, les pidió la guitarra. Entonces él la empezó a tocar, y pronto todos cantaban alegres canciones mexicanas.

Diego y Xochi saludaban a los invitados…

mientras los payasos hacían reír a los niños.

Una niñita trataba de romper una piñata.

La pareja cantaba canciones mexicanas.

2 Contesten las preguntas.

1. ¿Cuál era la fecha del santo de Kiko?
2. ¿Dónde estaban?
3. ¿Quiénes animaban la fiesta?

4. ¿A quiénes saludaban Diego y Xochi?
5. ¿Qué hacían los payasos?
6. ¿Qué trataba de hacer una niñita?

3 PRÁCTICA ORAL ⊛

4

Catholics in Spain and Latin America celebrate **el día del santo** — *a day considered as important as a person's birthday.* **El día del santo** *is the feast day of the saint after whom a person is named, as it appears in the calendar of the Catholic Church.* **El santo** *is celebrated with presents, cards, and a festive gathering with family and friends.*

[1] **Kiko** is a nickname for **Francisco** or **Enrique**; **Xochi** is a shortened form of **Xochitl**.

5 THE IMPERFECT OF -ar VERBS

Lean los siguientes ejemplos. ☉

Xochi **canta** muy bien.
Ellos **cantan** muy bien.
Do these sentences refer to actions in the present or in the past?

El año pasado, Xochi **cantaba** muy bien.
El año pasado, ellos **cantaban** muy bien.
Do these sentences refer to actions in the present or in the past?

6 Lean el siguiente resumen.

In Units 11 and 13 you learned the preterit tense, one way of expressing the past. The *imperfect tense* is another way of expressing the past. The following charts show the verbs **cantar** and **hablar,** two -ar verbs, in the imperfect tense.

hablar	
Hablaba	con Diego.
Hablabas	por teléfono.
Hablaba	español.
Hablábamos	de México.
Hablaban	mucho.

cantar	
Cantaba	muy bien.
Cantabas	con ellos.
Cantaba	a menudo.
Cantábamos	en la fiesta.
Cantaban	en español.

1. The imperfect tense of **-ar** verbs is formed by adding the endings **-aba, -abas, -aba, -ábamos,** and **-aban** to the stem of the verb.
   If you add **-aba** to the stem **habl-,** you get **hablaba.**
   If you add **-aban** to the stem **cant-,** you get **cantaban.**

2. Notice that the **nosotros, -as** form has a written accent: **hablábamos, cantábamos.**

3. The **yo** form and the **Ud./él/ella** form are the same: **yo cantaba, Xochi cantaba.**

4. All **-ar** verbs are regular in the imperfect tense.
   Kiko jugaba con sus amigos.   *Kiko was playing with his friends.*
   Todos estaban en el parque.   *They were all in the park.*

7 Diego le pregunta a Xochi. ☉

¿Celebrabas tu santo cuando niña?   Sí, celebraba mi santo cuando niña.
¿Invitaban tus papás a mucha gente?   ¿Compraban Uds. muchas cosas?   ¿Te regalaban tus amigos muchas cosas?   ¿Llenaban tus hermanitos la piñata?   ¿Jugabas diferentes juegos?

8 Durante la fiesta del año pasado ☉

¿Quién tocaba la guitarra? ¿Xochi?   Creo que Xochi tocaba la guitarra.
¿Quién jugaba por todo el parque? ¿Los chicos?   ¿Quién cantaba canciones mexicanas?
¿Tú?   ¿Quién preparaba los refrescos? ¿Uds.?   ¿Quién animaba la fiesta? ¿Yo?

9 EJERCICIO ESCRITO

Rewrite the following sentences, changing all the underlined verb forms from the present tense to the imperfect tense.

1. Todos los domingos caminamos al parque de Chapultepec.   2. Yo llamo a varios amigos y nos encontramos en el parque.   3. Ya en el parque, hablamos y bromeamos.   4. Xochi siempre lleva su guitarra.   5. Ella toca y canta muy bien.   6. Después de un rato, nuestros amigos se cansan y caminan a la orilla del lago y ahí descansan.   7. Y Xochi y yo paseamos por el parque.

10 THE IMPERFECT OF -er AND -ir VERBS

The following charts show the verbs **comer** and **vivir** in the imperfect tense.

comer	
Comía	en la fiesta.
Comías	temprano.
Comía	a veces conmigo.
Comíamos	tarde.
Comían	con sus amigos.

vivir	
Vivía	con mis primos.
Vivías	en la ciudad.
Vivía	cerca del parque.
Vivíamos	en México.
Vivían	en una gran casa.

1. The imperfect tense of **-er** and **-ir** verbs is formed by adding the endings **-ía, -ías, -ía, -íamos,** and **-ían** to the stem of the verb.
   If you add **-ía** to the stem **com-,** you get **comía.**
   If you add **-ían** to the stem **viv-,** you get **vivían.**

2. Notice that all the verb forms in the charts above have a written accent on the **i.**

3. The **yo** form and the **Ud./él/ella** form are the same.

11 Xochi le pregunta a Diego. ⊙

Para tu santo, ¿te divertías mucho?	Claro que me divertía mucho.
¿Corrías por todo el parque?	Claro que corría por todo el parque.
¿Te traían tus amigos muchos regalos?	
¿Abrías los regalos inmediatamente?	
¿Ponían tus papás una piñata?	
¿Rompías la piñata con el primer golpe?	
¿Comían tus amigos y tú mucho?	

12 ¿Y antes? ⊙

¿Vives cerca de Chapultepec?   No, pero antes vivía cerca de Chapultepec.
¿Te hacen muchas piñatas?   ¿Como mucho en las fiestas?   ¿Te diviertes mucho en las fiestas?   ¿Los payasos hacen reír a los niños?   ¿Tienes una guitarra?

13 EJERCICIO ESCRITO

Write your answers to Exercises 11 and 12.

14 En el parque de diversiones ⊙

Ya era mediodía cuando Xochi y Diego dejaban la fiesta un rato para montar en los aparatos del parque. Iban muy divertidos, entrando en las casetas de atracciones, el tiro al blanco y la casa de los sustos.

XOCHI ¡Qué padre! ¿No tenías miedo?
DIEGO ¡No soy miedoso! Por eso no tenía miedo, aunque veía fantasmas por todas partes.
XOCHI Eran trucos con espejos y luces. Pero, mira. Vamos a montar en el látigo volador.

Todos hacían cola para montar.

Ahora iban a subir al látigo volador.

Era muy divertido dar vueltas aquí.

Iba tan rápido que todo lo veían borroso.

De aquí fueron a dar una vuelta en el carrusel, en la estrella y, finalmente, en la montaña rusa. ¡Qué emoción...y qué miedo! Pero ya no podían bajarse. El carrito subía, subía, y de repente... ¡bajaba a toda velocidad! El corazón les saltaba en el pecho. Todo el mundo gritaba.... Por fin pararon. ''Hay que volver a la fiesta para la merienda,'' le dice Diego y salta del carrito, contento de tener una excusa para no montar más.

15 Contesten las preguntas.

1. ¿Qué hora era?
2. ¿Quiénes iban muy divertidos?
3. ¿En dónde entraban?
4. ¿En qué montaban finalmente?
5. ¿Qué hacía el carrito?
6. ¿Por qué tenían que volver?

16 Y si tú vas a un parque de diversiones.

1. ¿Qué diversiones te gustan?
2. ¿En qué aparatos puedes dar una vuelta?
3. ¿Qué más puedes hacer en el parque?
4. ¿Crees en fantasmas? ¿Por qué?
5. ¿Qué sientes cuando montas en la montaña rusa?

17 PRÁCTICA ORAL ⊙

18   THE IMPERFECT OF ver, ir, AND ser

Only three verbs are irregular in the imperfect tense: **ver, ir,** and **ser.** The following charts show the imperfect-tense forms of these three verbs.

ver		ser		ir	
veía	veíamos	era	éramos	iba	íbamos
veías		eras		ibas	
veía	veían	era	eran	iba	iban

1. In the imperfect tense, the verb **ver** adds the regular endings, **-ía, -ías, -ía, -íamos, -ían,** to the verb stem **ve-.**   **Veíamos** los espejos.   Ellas **veían** el carrusel.

2. The imperfect-tense forms of **ser** and **ir** have a written accent in the **nosotros, -as** form only.   Todos **íbamos** al látigo volador.   Nosotras **éramos** muy alegres.

19   ¿Adónde iban? ⊗

Uds. veían el carrusel.   Uds. iban al carrusel.
Xochi veía la montaña rusa.   Xochi iba a la montaña rusa.
Tú veías el tiro al blanco.   Ellos veían al payaso.   Yo veía las casetas de atracciones.
Nosotros veíamos el látigo volador.   Uds. veían la casa de los sustos.   Tú veías la estrella.

20   EJERCICIO ESCRITO ⊗

Write the answers to Exercise 19.

21   Las muchas caras de Tato y Lola en el parque ⊗

Lola está muy contenta.   Tato está un poco triste.   Aquí Lola está enojada.   Tato está preocupado.   Tiene un poco de miedo.   Y Lola está sorprendida.

22   PRÁCTICA ORAL ⊗

23   EJERCICIO ESCRITO

Rewrite the following sentences, using the words below.

          sorprendido   contento   triste   enojado   miedo

Tato no ganaba, así que estaba _____. Él veía fantasmas y tenía mucho _____. Luego le daban un regalo y estaba _____. Un payaso sabía el nombre de él, por lo que estaba _____. Al rato empezaba a llover y estaba _____.

24 La merienda con la familia ⊗

¡Cuánta gente y cuántas cosas divertidas veían Xochi y Diego por el camino! Una niñita montaba en un carrito tirado por un chivo; un elegante charro mexicano montaba un hermosísimo caballo. Al poco rato ellos paraban en la caseta del canario de la buenaventura, para saber el horóscopo del día. Un poco más adelante compraban algodón de azúcar y un globo para Kiko. Todo era gritería, ruido y diversión.

1 Un chivo tiraba del carrito.

2 El canario lo sabía todo.

3 Estaba toda la familia.

4 ¡Qué sabrosa era la comida!

Ya eran las cuatro cuando volvían para la merienda. Allí estaban la abuelita, los padres, varios tíos y tías, algunos primos, Kiko, los demás hermanos de Xochi y amigos de todos ellos. Había gente de todas las edades. ¡Y qué sabrosa la comida y la torta! Una maravillosa fiesta para celebrar el santo de Kiko.

25 Contesten las preguntas.

1. ¿En qué montaba una niñita?
2. ¿Qué animal tiraba del carrito?
3. ¿Quién montaba un caballo?
4. Al rato, ¿dónde paraban?
5. ¿Para qué?

6. ¿Qué compraban más adelante?
7. ¿Qué hora era?
8. ¿Para qué volvían Xochi y Diego?
9. ¿Quiénes estaban allí?
10. ¿Cómo era la fiesta?

26 ¿Y tú?

1. ¿Cómo son las fiestas a que tú vas?
2. ¿Está la familia en tus fiestas o solamente la gente joven?

3. ¿Crees que son divertidas las fiestas de las familias mexicanas?
4. ¿Por qué?

27 PRÁCTICA ORAL ⊗

28 SOME USES OF THE IMPERFECT

The imperfect tense is used to talk about an event or action that was going on in the past. The beginning and the end of the event or action are not indicated. The imperfect tense is used:

a. To express what was happening, used to happen, or happened over and over in the past.

Yo hablaba con él después de clase.	*I used to speak to him after class.*
Los lunes me levantaba temprano.	*I used to get up early on Mondays.*
Las fiestas eran siempre divertidas.	*The parties were always enjoyable.*

b. To express an event or an action which was (already) going on when something else happened.

Comíamos cuando ellas llegaron.	*We were eating (already) when they arrived.*
Él estaba ahí cuando llamé.	*He was there (already) when I called.*

Notice that the second verb is in the preterit tense.

c. To express the time of day in the past.

Eran las cuatro de la tarde.	*It was four in the afternoon.*

29 Una amiga conversa con Xochi. ⊗

¿Todos jugaban en la fiesta?   Sí, todos jugaban en la fiesta.

¿Un chivo tiraba del carrito?   ¿Paseabas por el parque a menudo?   ¿Uds. se divertían mucho por el camino?   ¿Había mucha gente comprando globos?   ¿Ya eran las cuatro de la tarde?   ¿Estaba tu abuelita en la merienda?

30 ¿Qué hicieron en la fiesta? ⊗

¿Uds. comían mucho?   Comíamos mucho todo el tiempo.
¿Los niños corrían por los jardines?
¿Tu prima estaba en la merienda?
¿Cantabas con los músicos?
¿Uds. jugaban con los invitados?

31 EJERCICIO ESCRITO

a. *Write out the answers for Exercises 29 and 30.*

b. *Rewrite the following paragraph, changing all the underlined verbs to the imperfect tense.* En este parque de diversiones, nosotros <u>vemos</u> muchas cosas interesantes: un charro que <u>monta</u> un hermoso caballo; un canario que <u>da</u> unos papelitos con los horóscopos; un chivo que <u>tira</u> de un carrito; y unos vendedores que nos <u>venden</u> algodón de azúcar, globos y muchas cosas más. Luego, en la merienda, mientras Diego le <u>hace</u> un regalo a Kiko, yo <u>preparo</u> la comida para los dos.

32 EJERCICIO DE COMPRENSIÓN ⊗

	0	1	2	3	4	5	6	7	8	9	10
pretérito											
imperfecto	✓										

33 EJERCICIO DE CONVERSACIÓN

Le preguntas a un compañero o a una compañera sobre un día que pasó con un amigo en un parque de diversiones.
1. ¿Qué veían allí?   2. ¿Qué cosas hacían en el parque?   3. ¿Les daban algún regalo a ellos?
4. ¿En qué aparatos montaban?   5. ¿En cuáles podían dar una vuelta?   6. ¿Qué sentían en la montaña rusa?   7. ¿Qué cosas compraban en el parque?

34 EJERCICIO DE COMPOSICIÓN

Piensa que fuiste a un parque de diversiones para celebrar el santo del hermanito de alguna amiga mexicana. Escribe una composición contando las cosas que allí veías y hacías.
1. ¿Dónde celebraban el santo?   2. ¿Quiénes animaban la fiesta?   3. ¿Qué ponían dentro de las piñatas?   4. ¿Qué canciones cantaban?   5. ¿Qué cosas interesantes veían por el parque?
6. ¿Qué aparatos tenía el parque?   7. ¿Qué cosas podían comprar?   8. ¿A qué hora daban la merienda?   9. ¿Quiénes estaban allí de la familia del niño?   10. ¿De qué edades eran los invitados?   11. ¿Qué había de comer?   12. ¿Cómo era la fiesta?

35 Allá en el Rancho Grande

A - llá en el ran - cho gran - de, A - llá don - de vi -
ví - a, Ha - bía u - na ran - che ri - ta° Que a -
le - gre me de - cí - a, Que a - le - gre me de - cí - a.
Te voy a ha - cer tus cal - zo - nes°,
Co - mo los u - sa el ran - che - ro°;
Te los co - mien - zo° de la - na°,
Te los a - ca - bo de cue - ro°.

PALABRAS ADICIONALES: el rancherito, -a: *ranch hand (dim.)*; los calzones: *britches*; el ranchero, -a: *farm hand*; comenzar (ie): *to begin*; la lana: *wool*

1–13
el **amiguito, -a**   *little friend (dim.)*
el **caramelo**   *candy*
el **globo**   *balloon*
el **juguete**   *toy*
el **lago**   *lake*
el **músico**   *musician*
la **pareja**   *couple*
el **parque de Chapultepec**   *a park in Mexico City*
el **payaso, -a**   *clown*
el **santo**   *name day*

animar:
  animaban   *(they) were livening up*
cantar:
  cantaban   *(they) were singing*
conversar:
  conversaban   *(they) were talking*
correr:
  corrían   *(they) were running*
divertirse (ie):
  (se) divertían   *(they) were having fun*
empezar (ie):
  empezó   *(he) began*
era   *(it) was*
estar:
  estaban   *(they) were*
hacer:
  hacían   *(they) were making*

jugar (ue):
  jugaban   *(they) were playing*
pedir (i):
  pidió   *(he) asked for*
reír (i)   *to laugh*
saludar:
  saludaban   *(they) were greeting*
ser:
  era   *(it) was*
tocar   *to play (an instrument)*
tratar:
  trataba   *(she) was trying*

magnífico, -a   *great, splendid*

14–23
el **aparato**   *ride (in amusement park)*
la **cara**   *face, expression*
el **carrito**   *little cart (dim.)*
el **carrusel**   *carrousel, merry-go-round*
la **casa de los sustos**   *fun house*
la **caseta**   *booth*
la **caseta de atracciones**   *amusement-park booth*
el **corazón**   *heart*
la **emoción**   *excitement, emotion*
el **espejo**   *mirror*
la **estrella**   *Ferris wheel*
la **excusa**   *excuse*
el **fantasma**   *ghost*
el **látigo volador**   *whip (amusement ride)*
la **merienda**   *snack, light meal in the afternoon*
el **miedo**   *fright, fear*
la **montaña rusa**   *roller coaster*
el **parque de diversiones**   *amusement park*
el **tiro al blanco**   *shooting gallery*
el **truco**   *trick*
la **velocidad**   *speed*

bajarse   *to get off*
ir:
  iba   *(it) was going*
  iban   *(they) were going*
saltar (de)   *to jump (out of, from)*
ver:
  veía   *(I) was seeing*
  veían   *(they) were seeing*

borroso, -a   *blurred*
contento, -a   *happy*
divertido, -a   *merry, glad*
enojado, -a   *mad, angry*
finalmente   *finally*
miedoso, -a   *cowardly*
preocupado, -a   *worried*
sorprendido, -a   *surprised*
triste   *sad*

aunque   *although*
tan   *so (much)*

a toda velocidad   *at full speed*
dar vueltas   *to go around*
de repente   *suddenly*
El corazón les saltaba en el pecho.   *Their hearts skipped a beat.*
hacer cola   *to stand in line*
hay que + inf.   *we have to + inf. it is necessary to + inf.*
por eso   *for that reason*
¡Qué padre!   *Out of sight!*
tener miedo   *to be scared*

24–34
el **algodón de azúcar**   *cotton candy*
el **canario**   *canary*
el **canario de la buenaventura**   *fortune-telling canary*
el **charro**   *Mexican cowboy*
el **chivo**   *goat*
la **diversión**   *fun, amusement*
la **edad**   *age*
la **gritería**   *yelling*
el **horóscopo**   *horoscope*
el **imperfecto**   *imperfect (tense)*
la **torta**   *cake*

demás   *other, rest of the*
elegante   *elegant*
maravilloso, -a   *marvelous*
tirado, -a   *drawn, pulled*

adelante   *ahead*
había   *there were, there was*

por el camino   *on the way*
un poco más adelante   *a little farther ahead*
Ya eran las cuatro.   *It was already four o'clock.*

¡Bienvenidos a Puerto Rico!

Si quieres tener una aventura en el Mar Caribe, en los sitios que Cristóbal Colón descubrió en el Nuevo Mundo. . . . ¡Ven a Puerto Rico! Haz tus maletas y ve al aeropuerto más cercano. En unas horas estás en San Juan, la capital de esta bella isla.

Sal al campo a disfrutar el maravilloso panorama. Te esperan paisajes que nunca cambiaron con el tiempo. . . . Una isla de tranquilos pueblos pesqueros y lindas playas. Cafetales y plantaciones de piña; bellos palmares y cañaverales a lo largo de la costa.

Estás en . . . **Borinquén. ¡La Isla del Encanto!**

Puerto Rico — isla tropical de 100 millas de largo por 35 de ancho. Tiene una cordillera central, cubierta de vegetación, a lo largo de la isla, y en sus bosques hay pájaros de todos colores. Hay aún algunos caminos rurales por donde llevan el ganado de una finca a otra. Pero Puerto Rico es también moderno. Tiene grandes industrias y fábricas, modernas autopistas y carreteras. Por toda la capital y sus afueras hay grandes urbanizaciones de viviendas. Y al puerto de San Juan llegan barcos con toda clase de carga.

Doce meses de verano—pero un verano agradable por el fresco de los vientos alisios del este. La temperatura anual de 77° no cambia más de 6° entre los meses más fríos y los más calientes.

Hermosos flamboyanes de maravillosas flores rojas y numerosos platanales crecen al borde de sus caminos. Aquí vemos casetas donde venden deliciosas frutas tropicales: guayabas, mangos, melones, piñas, cocos, plátanos. Y cerca de la costa, el olor a pescado frito y langosta nos hace la boca agua cuando paramos en algún puesto de pescadores.

10

11

12

13

2 Contesten las preguntas.

1. ¿En qué mar está Puerto Rico?
2. ¿Cuál es la capital de la isla?
3. ¿Cómo es Puerto Rico?
4. ¿Cuál es otro de sus nombres?
5. ¿Cuántas millas tiene de largo?
6. ¿Y cuántas tiene de ancho?
7. ¿Cómo es el verano? ¿Por qué?
8. ¿Cuál es la temperatura anual?
9. ¿Cuántos grados cambia?
10. ¿Cuáles son algunas frutas tropicales?

14

3 ¿Y en tus vacaciones?

1. ¿Prefieres las montañas o la playa?
2. ¿Dónde pasaste tus últimas vacaciones?
3. ¿Qué plantas viste allí?
4. ¿Qué cosas hiciste?

4 PRÁCTICA ORAL ⊗

15

IRREGULAR FAMILIAR COMMANDS
tú FORM

5

Lean los siguientes ejemplos. ⊙

Paco, ¡**ven** a Puerto Rico!
Marta, ¡**sal** al campo!

Are these two sentences statements or commands? What is the infinitive of **ven?** and of **sal?**

6 ### Lean el siguiente resumen.

In Unit 20 you learned the regular forms of the familiar commands. In Spanish, there are eight verbs that have irregular forms for the familiar commands. The following chart shows the familiar command forms of these verbs.

Infinitive	Familiar Command		
decir	**Di** (tú)	lo que viste.	Tell what you saw.
hacer	**Haz** (tú)	todo temprano.	Do everything early.
ir	**Ve** (tú)	al aeropuerto temprano.	Go to the airport early.
poner	**Pon** (tú)	las frutas en la mesa.	Put the fruit on the table.
salir	**Sal** (tú)	al campo.	Go out to the country.
ser	**Sé** (tú)	bueno y compra unas piñas.	Be good and buy some pineapples.
tener	**Ten** (tú)	todo en orden.	Have everything in order.
venir	**Ven** (tú)	temprano.	Come early.

Note that you use these verb forms with people you address as **tú.** However, the pronoun is used rarely, and then only for emphasis.

7 ### Tu amiga quiere saber. ⊙

¿Hago los planes para el viaje?   Seguro, haz los planes para el viaje.
¿Digo que quiero un billete de ida y vuelta?
¿Pongo el billete en la cartera?
¿Salgo para el aeropuerto?
¿Voy primero a San Juan?
¿Vengo a tu casa después del viaje?

8 ### ¿Y si quieres? ⊙

Quiero ir a Puerto Rico.   Pues ve a Puerto Rico.
Quiero hacer un viaje al Caribe.
Quiero venir solo.
Quiero decir todo lo que vi.
Quiero ser tu compañera de viaje.
Quiero salir a pasear.

9 EJERCICIO ESCRITO

a. Write the answers to Exercises 7 and 8.

b. Rewrite the following paragraph, changing the underlined verbs to the familiar commands.
¡<u>Vas</u> a la Isla del Encanto! <u>Haces</u> tus planes y <u>pones</u> el traje de baño en la maleta. <u>Eres</u> buen turista y <u>tienes</u> todo listo desde temprano. Entonces <u>vienes</u> hasta la capital, San Juan. De aquí <u>sales</u> al campo y <u>vas</u> a los palmares bellos de Puerto Rico.

10 EJERCICIO DE COMPRENSIÓN ⊗

	0	1	2	3	4	5	6	7	8	9	10
Statement											
Command	✓										

11

Puerto Rico is the easternmost of the islands that are known as the Greater Antilles—part of the West Indies. Its shores are washed by the Atlantic Ocean and the Caribbean Sea, and are world-known for their miles of white, sandy beaches. A coastal plain surrounds the central mountain range—**la Cordillera Central**—which runs the length of the island. Cerro de Punta, its highest mountain, reaches a height of 4,348 ft (1,325 m). But Puerto Rico is also rich in history. On his second trip to the New World, in 1493, Columbus discovered the island. In 1508, Ponce de Leon explored the island and founded the city of San Juan. Today, many of the old buildings in Old San Juan have been restored in an effort to preserve the historical past.

12

16

17

13 ¡A unas pocas millas de San Juan! ⊗

La carretera No. 3 sale de San Juan hacia el este y te lleva a playas tan bellas como las más hermosas de la isla.

1. PLAYA LUQUILLO: gran favorita de los sanjuaneros. Es una maravillosa playa de arena blanca a 30 millas de la capital.

2. EL YUNQUE: saliendo de la capital, por la misma carretera, está tan cerca como Luquillo. Pero tienes que doblar en Palmer para subir su montaña. Esta montaña es parte de la Sierra de Luquillo. Cerca de su mayor altura—3,500 pies—hay una torre desde la cual puedes ver el este de Puerto Rico, el Atlántico y, a veces, las Islas Vírgenes. Estas montañas son un bello santuario de pájaros. Y en sus 28,000 acres hay más de 200 clases de árboles. Sus cascadas, arroyos y caminos que entran a la montaña hacen de El Yunque un lugar ideal para picnics.

18

19

3. FAJARDO: pequeño pueblo cerca de la costa del mar. Sus hoteles ofrecen campos de golf y canchas de tenis. Tiene excelentes marinas llenas de barcos de todas clases.

4. LAS CROABAS: es un famoso pueblo pesquero a pocos minutos de Fajardo. De aquí salen tantas excursiones como de Fajardo, para ir a las playas cercanas de Isla Palominitos y Cayo Icacos.

14 Contesten las preguntas.

1. ¿De dónde sale la carretera No. 3?
2. ¿Hacia dónde va?
3. ¿Adónde te lleva?
4. ¿Qué altura tiene El Yunque?

5. ¿Cuántas clases de árboles tiene?
6. ¿Qué tiene Fajardo?
7. ¿De qué están llenas las marinas?
8. ¿Qué clase de pueblo es Las Croabas?

15 PRÁCTICA ORAL ⊗

16 COMPARATIVES: tan/tanto…como

Lean los siguientes ejemplos. ⊗

> Esta playa es **tan linda como** ésa.
> Él nada **tan bien como** yo.

In these two sentences, which words mean *as…as?* Is the word **linda** an adjective or an adverb? Is the word **bien** an adjective or an adverb?

> De aquí veo **tantas montañas como** tú.
> Aquí oigo **tanto ruido como** allá.

In the first sentence, which words mean *as many…as?* Is the word **montañas** a noun? Which word agrees in gender and number with **montañas?** In the second sentence, which words mean *as much…as?* Is the word **ruido** a noun? Which word agrees in gender and number with **ruido?**

17 Lean el siguiente resumen.

1. To express the comparison *as…as,* Spanish uses:

> **tan** + *adjective or adverb* + **como**

> Esta playa es **tan linda como** ésa.   *This beach is as beautiful as that one.*
> Él nada **tan bien como** yo.   *He swims as well as I do.*

2. To express the comparison *as much…as, as many…as,* Spanish uses:

> **tanto (-a, -os, -as)** + *noun* + **como**

> Tengo **tanto dinero como** tú.   *I have as much money as you.*
> Hay **tantas montañas como** playas.   *There are as many mountains as beaches.*

Tanto (-a, -os, -as) agrees in gender and number with the noun it modifies: **tanto dinero, tantas playas.**

18 Dos amigos comparan las cosas. ⊗

Esa playa es buena.   Esta playa es tan buena como ésa.
Esa montaña es grande.   Esa arena es blanca.   Esa torre es alta.   Ese pueblo es famoso.

19 ¿Qué pasó? ⊗

¿Navegó bien por la costa?   Navegó tan bien como yo.
¿Salió temprano para el paseo?   ¿Subieron lentamente la montaña?   ¿Llegó tarde a la excursión?   ¿Estuvieron cerca del pueblo pesquero?

20 ¿Qué vas a hacer? ⊗

¿Vas a conocer a mucha gente?   Voy a conocer a tanta gente como el año pasado.

¿Va a costar mucho dinero?   ¿Vas a ver muchas cosas?   ¿Vas a ir a muchas excursiones?
¿Vas a pasear a muchos lugares?

20

21

21   El Viejo San Juan ⊗

Los españoles fundaron la capital de Puerto Rico hace cuatrocientos sesenta años, en 1521. Hoy es el mayor centro comercial del Caribe. En su puerto hay barcos de pesca y barcos de carga con toda clase de mercancía. También hay lujosos barcos turísticos y yates.

San Juan es una ciudad alegre. Tiene altos edificios y anchas carreteras que cruzan sus numerosos suburbios, zonas verdes y lagunas. En sus hermosas playas de Isla Verde y El Condado hay lujosísimos hoteles y condominios. Aquí vemos teatros, restaurantes, *boutiques* y discotecas que son el centro de su animada vida nocturna.

Pero a la entrada de la bahía encontramos la ciudad colonial, el Viejo San Juan. Son unas siete manzanas cuadradas, antiguamente protegidas por la muralla de la ciudad, el fuerte de El Morro y el castillo de San Cristóbal. El Viejo San Juan es el centro de cuatro siglos de herencia hispana. Tiene calles de adoquines, patios interiores adornados con losas, balcones y típicas rejas españolas. Es la segunda ciudad colonial más antigua del hemisferio.[1] Pero no es solamente un museo restaurado; es un activo centro comercial. Su restauración comenzó hace 25 años. Muchos profesionales, artistas y comerciantes se mudaron para las viejas casas restauradas y viven y trabajan allí.

22

23

24

25

22   Contesten las preguntas.

1. ¿Cuándo fundaron San Juan?
2. ¿De qué es el mayor centro comercial?
3. ¿Qué clase de barcos hay en su puerto?
4. ¿Cómo es la ciudad? ¿Qué playas hay?
5. ¿Qué es el Viejo San Juan? ¿Cuántas manzanas tiene?
6. ¿De qué es el centro?
7. ¿Es solamente un museo? ¿Qué más es?

23   PRÁCTICA ORAL ⊗

[1] Santo Domingo, the capital of the Dominican Republic, was founded in 1496.

24   hace WITH EXPRESSIONS OF TIME

Lean los siguientes ejemplos. ⊙

> Los españoles fundaron San Juan **hace 460 años.**
> Los puertorriqueños restauraron la ciudad **hace 25 años.**
> Me mudé para allí **hace tres semanas.**

What do these sentences mean? When did the action take place in the first sentence? and in the second? and in the third? What part of the third sentence means *three weeks ago?*

25   Lean el siguiente resumen.

1. When **hace** is used in a sentence that is in the preterit tense, with an expression of time (such as years, months, hours, or minutes), the expression **hace...** means ...*ago* in English.

Fui a Isla Verde **hace un mes.**	*I went to Isla Verde a month ago.*
Estuve en El Morro **hace una hora.**	*I was in El Morro an hour ago.*

2. To ask the question *How long ago...?* Spanish uses the expression **¿Cuánto hace que...?**

   ¿Cuánto hace que visitaste El Condado?   *How long ago did you visit El Condado?*

3. If an expression of time is used within the question, then the Spanish expression is **¿Cuánto + *(time expression)* + hace que...?**

¿Cuántos días hace que fuiste?	*How many days ago did you go?*
¿Cuánto tiempo hace que ella llegó?	*How long ago did she arrive?*

26   ¿Qué hiciste en Puerto Rico? ⊙

¿Hace dos meses que fuiste a Puerto Rico?   Sí, fui a Puerto Rico hace dos meses.
¿Hace una semana que volviste del Caribe?
¿Hace mucho tiempo que visitaste San Juan?
¿Hace tres horas que estuviste en la playa?
¿Hace más de un año que fuiste a El Yunque?

27   ¿Y cuánto hace que él...? ⊙

Yo llegué hace tres días.   ¿Y cuántos días hace que él llegó?
Fui hace cinco semanas.   ¿Y cuántas semanas hace que él fue?
Volví hace dos años.
Estuve allá hace varias horas.
Los vi hace seis meses.
Me mudé hace mucho tiempo.

28   EJERCICIO ESCRITO

Rewrite and complete the following sentences with time expressions and **hace.**

1. Dicen que Paco se mudó _____ tres meses para El Condado.   2. ¿De veras, y _____ hace _____ tú lo viste?   3. Estuve con él _____ seis días.   4. ¿Sabes si Marta fue al Viejo San Juan _____ un mes?   5. No, hablé con ella _____ unos días y todavía está en Isla Verde. 6. ¿_____ días _____ _____ hablaste con ella?   7. _____ dos días _____ hablé con ella.

Océano Atlántico

Bahía de San Juan

FUERTE SAN CRISTÓBAL

EL VIEJO SAN JUAN

29 A pie por el Viejo San Juan ⊛

Los colonizadores° fundaron la ciudad de San Juan (hoy el Viejo San Juan) en varias colinas°. Muchas de sus estrechas° calles tienen vista° a la bahía y a la ciudad moderna. Aquí podemos entrar en sus tiendas de artesanía y galerías de arte. Y podemos descansar en sus frescos parques y plazas. También podemos visitar iglesias y conventos históricos, o almorzar en algunos de los variados° restaurantes.

FOLLETO° TURÍSTICO — lugares para ver:

1. **EL MORRO:** Defendió la ciudad contra Sir Francis Drake hace más de 350 años.
2. **LA MURALLA:** queda° parte de ella.
3. **CALLES DE ESCALERAS°:** Callejón de las Monjas° y Caleta del Hospital.
4. **IGLESIA DE SAN JOSÉ:** una de las más antiguas y bellas del hemisferio.
5. **LA FORTALEZA°:** palacio del gobernador. Antigua defensa contra los indios.
6. **LA CATEDRAL:** saqueada° por los ingleses. Restaurada en el siglo XIX.
7. **CASA BLANCA:** casa de la familia de Ponce de León, primer gobernador de Puerto Rico y descubridor° de La Florida.

26

27

28

PALABRAS ADICIONALES: el colonizador, -a: *settler;* la colina: *hill;* estrecho, -a: *narrow;* la vista: *view;* variado, -a: *diverse, varied;* el folleto: *pamphlet, brochure;* quedar: *to remain;* el anochecer: *nightfall;* cerrar: *to close;* la escalera: *stairs;* la monja: *nun;* la fortaleza: *fortress;* saqueado, -a: *looted;* el descubridor, -a: *discoverer*

30 Contesten las preguntas.

1. ¿Dónde vive el gobernador de la isla?
2. ¿Cómo se llama el fuerte de la bahía?
3. ¿Quién descubrió La Florida?
4. ¿Qué puertas cerraban al anochecer?
5. ¿Qué iglesia saquearon los ingleses?
6. ¿Cuál es una de las calles de escaleras?

31 EJERCICIO DE CONVERSACIÓN

Le cuentas a un compañero o a una compañera qué hiciste durante tus últimas vacaciones. Le dices que fuiste a una isla del Caribe, la temperatura que había allí, cómo eran las montañas, las plantas que tienen, las frutas tropicales que comiste, lo que viste en el campo, en las playas o en una ciudad o un pueblo.

32 EJERCICIO DE COMPOSICIÓN

Haz un folleto turístico sobre algún lugar que te gusta para pasar tus vacaciones. Usa como modelo el folleto nuestro sobre Puerto Rico. Usa mapas, fotos y dibujos. Tu folleto debe contestar preguntas como:

1. ¿Dónde está este lugar?
2. ¿Cómo vas hasta allá?
3. ¿A qué distancia está de donde vives?
4. ¿Qué tiempo toma para llegar hasta allá?
5. ¿Qué es más interesante: el campo, la playa, las montañas o alguna gran ciudad?
6. ¿Qué cosas interesantes podemos ver?
7. ¿Qué cosas interesantes podemos hacer?

33 LAS VISTAS DE PUERTO RICO

1. Torre de El Morro 1a. En el Viejo San Juan 2. El sol al anochecer 2a. La costa de San Juan 3. Vista de playas 4. El ganado por un camino rural 5. Autopistas modernas 6. El Condado, desde el Viejo San Juan 7. Industrias y fábricas 8. Urbanizaciones de viviendas 9. Barco de carga 10. Barco pesquero 11. Langostas 12. Pescados del Caribe 13. Pescadores con red 14. Flamboyán 15. Playa Luquillo 16. Vista desde El Yunque 17. Platanal 18. Fajardo: marina 19. Isla Palominitos: playa 20. Castillo de El Morro 21. El Condado: vista nocturna 22. Torre de El Morro 23. Tienda de artesanía 24. Colina en el Viejo San Juan 25. Balcón colonial 26. Cerca de la Catedral 27. En el Viejo San Juan 28. Plaza en el Viejo San Juan 29. El mar tranquilo 30. La costa del mar 31. Palmar

29

30

31

1–11

la **piña** pineapple
la **plantación** plantation
el **platanal** banana grove
el **plátano** banana
el **pueblo** town
el **puerto** port
el **puesto** stand, booth
el **sitio** place
la **urbanización de viviendas** housing development
la **vegetación** vegetation
los **vientos alisios** trade winds

el **aeropuerto** airport
las **afueras** outskirts, suburbs
Borinquén Indian name for Puerto Rico
el **cafetal** coffee plantation
el **camino** road, path
el **campo** countryside
el **cañaveral** sugar-cane field
la **carga** cargo, load
el **coco** coconut
la **cordillera** mountain range
la **costa** coast
Cristóbal Colón Christopher Columbus
el **encanto** enchantment
la **fábrica** factory
la **finca** farm
el **flamboyán** royal poinciana tree
el **fresco** refreshing wind
el **ganado** cattle
la **guayaba** guava (a tropical fruit)
la **industria** industry
la **isla** island
la **langosta** lobster
el **mango** mango (a tropical fruit)
el **mundo** world
el **olor** smell
el **pájaro** bird
el **paisaje** landscape
el **palmar** palm grove
el **panorama** panorama, view

crecer to grow
hacer:
  haz make, pack (command)
ir:
  ve go (command)
salir:
  sal go out (command)
venir:
  ven come (command)

agradable agreeable, pleasant
anual annual, yearly
central central
cercano, -a near, close
cubierto, -a covered
frito, -a fried
pesquero, -a fishing
rural rural
tropical tropical

aún still

a lo largo de along, throughout the length of
al borde de along the edge of
cerca de near
de ancho wide
de largo long
nos hace la boca agua makes our mouths water
por toda la capital throughout the capital

12–20

el **acre** acre
la **altura** height
el **arroyo** stream, brook
el **Atlántico** Atlantic Ocean
el **campo de golf** golf course
la **cascada** waterfall
la **cancha de tenis** tennis court
el **cayo** islet, key (small island)
la **excursión** excursion, pleasure trip
el **hotel** hotel
las **Islas Vírgenes** Virgin Islands
la **marina** marina, boat service area
No. (número) number

el **picnic** picnic
el **santuario de pájaros** bird sanctuary
la **torre** tower

ofrecer to offer

excelente excellent
famoso, -a famous, well-known
pocos, as few
sanjuanero, -a from San Juan

desde la cual from which
su mayor altura its greatest height
tan...como as...as
tanto (-a, -os, -as)...como as much, as many...as

3,500 tres mil quinientos
28,000 veintiocho mil

21–33

el **adoquín** cobblestone
el **artista, la a–** artist
la **bahía** bay
el **balcón** balcony
el **barco de pesca** fishing boat
el **barco de carga** freight boat, freighter
el **comerciante, la c–** merchant
el **condominio** condominium
la **discoteca** discothèque
el **edificio** building
la **entrada** entrance
el **español, -a** Spaniard
el **fuerte** fort, fortress
el **hemisferio** hemisphere
la **herencia** heritage
la **laguna** pond, lagoon
la **losa** tile
la **mercancía** merchandise, goods
la **muralla** city wall
el **profesional, la p–** professional
la **reja** grille, wrought-iron work

la **restauración** restoration, renewal
el **siglo** century
el **suburbio** suburb
la **vida** life
el **yate** yacht
la **zona** zone

comenzar (ie) to begin
fundar to found, establish
mudarse to move (to a house)

activo, -a active, busy
adornado, -a decorated
ancho, -a wide
antiguamente formerly, in olden times
antiguo, -a ancient, old

colonial colonial
comercial commercial
español, -a Spanish
hispano, -a Hispanic, from Spain
interior inner, interior
lujoso, -a luxurious
nocturno, -a of the night
protegido, -a protected
restaurado, -a restored
turístico, -a tourist
viejo, -a old

el **mayor centro comercial** the most important commercial center
hace...años ...years ago
siete manzanas cuadradas seven-block square (seven by seven)

La televisión

Nuestros amigos se divierten con la televisión.

¹ Ana piensa que los mejores programas son los de variedades. Los ve siempre que puede, si encuentra el tiempo entre estudios.

² Pepe prefiere los programas de deportes—especialmente las competencias televisadas desde los Estados Unidos.

³ Paco sigue las series de detectives como *Kojak*—donde los malos siempre pierden.

⁴ Lupe piensa que los documentales sobre la naturaleza y la historia son interesantes.

2 Contesten las preguntas.

1. ¿Con qué se divierten nuestros amigos?
2. ¿Cuáles son los mejores programas para Ana?
3. ¿Cuándo los ve?

4. ¿Qué prefiere ver Pepe?
5. ¿De dónde son las competencias?
6. ¿Qué sigue Paco?
7. ¿Y qué piensa Lupe?

3 PRÁCTICA ORAL ⊚

4 ¿Qué piensan nuestros amigos de la televisión? ⊚

ANA: El año pasado fui a la Ciudad de México. Los programas que más me gustaron fueron los de variedades musicales, algunas novelas y las series norteamericanas. Me divertí muchísimo con la televisión mexicana.

PEPE: A mí me gustan más los programas de deportes. El año pasado seguí la serie mundial televisada desde los EE.UU. A veces pongo programas sobre problemas actuales, como la conservación de la energía, y veo el noticiario todos los días.

PACO: La semana pasada, en Puerto Rico, pasaron programas estupendos. Los mejores fueron los de detectives, policías y espías. También quería ver una película de ciencia-ficción pero papá cambió el canal para ver un juego de fútbol.

LUPE: Cuando yo vivía en la Ciudad de México, los programas que más me gustaban eran sobre la naturaleza. Teníamos un televisor en colores, y con qué gusto veíamos los animales y otras maravillas de la naturaleza.

5 Contesten las preguntas.

1. ¿Dónde pasó Ana el año pasado?
2. ¿Qué programas le gustaron más a ella?
3. ¿Qué serie vio Pepe? ¿Cuándo?
4. ¿Qué programas pone a veces Pepe?

5. ¿Qué pasaron la semana pasada?
6. ¿Qué cambió el papá de Paco? ¿Por qué?
7. ¿Dónde vivía Lupe? ¿Qué programas veía?
8. ¿Qué clase de televisor tenían?

6 PRÁCTICA ORAL ⊗

7 STEM-CHANGING VERBS IN THE PRESENT TENSE

Lean los siguientes ejemplos. ⊗

Ana no **encuentra** el tiempo para ver televisión.
Ellos **piensan** que los deportes son divertidos.

What do these two sentences mean? What is the infinitive form of the verb in the first sentence? and of the verb in the second? What is the stem of the verb **encontrar** in the first sentence? What is the stem of the verb **pensar** in the second? If you looked in the vocabulary page, what would you find in the parentheses after the verb **encontrar?** and after the verb **pensar?**

8 Lean el siguiente resumen.

You have seen several **-ar, -er,** and **-ir** verbs that take regular endings, but whose stems change in all forms of the present tense except the **nosotros, -as** form.

encontrar: *stem changes to* **ue** — **encuentro**
perder: *stem changes to* **ie** — **pierdes**
medir: *stem changes to* **i** — **mide**

There are three groups of stem-changing verbs.

GROUP 1

This group includes both **-ar** and **-er** stem-changing verbs.

encontrar		pensar		perder		poder	
encuentro	encontramos	pienso	pensamos	pierdo	perdemos	puedo	podemos
encuentras		piensas		pierdes		puedes	
encuentra	encuentran	piensa	piensan	pierde	pierden	puede	pueden

a) If the last vowel of the stem is an **o (encontr-),** it will change to **ue** in all forms of the present tense except the **nosotros, -as** form.

b) If the last vowel of the stem is an **e (pens-),** it will change to **ie** in all forms of the present tense except the **nosotros, -as** form.

c) The stem change is indicated in the vocabulary list after the infinitive of a stem-changing verb. Other verbs of this group, which you have seen, include **acordarse (ue), acostarse (ue), almorzar (ue), atravesar (ie), colgar (ue), comenzar (ie), contar (ue), costar (ue), despertarse (ie), empezar (ie), sonar (ue), atender (ie), doler (ue), encender (ie), encontrarse (ue), llover (ue), querer (ie),** and **volver (ue).**

This group includes **-ir** verbs only.

preferir		dormir	
prefiero	preferimos	duermo	dormimos
prefieres		duermes	
prefiere	prefieren	duerme	duermen

a) If the last vowel of the stem is an **e** (**prefer-**), it will change to **ie** in all forms of the present tense except the **nosotros, -as** form.

b) If the last vowel of the stem is an **o** (**dorm-**), it will change to **ue** in all forms of the present tense except the **nosotros, -as** form.

c) Other verbs you have seen from this group include **divertirse (ie), morir (ue), sentir (ie),** and **sentirse (ie).**

GROUP 3

This group includes **-ir** verbs only.

pedir		medir	
pido	pedimos	mido	medimos
pides		mides	
pide	piden	mide	miden

a) In this group, the last **e** (**ped-**), of the stem will change to **i** in all forms of the present tense except the **nosotros, -as** form.

b) Other verbs of this group include **despedirse (i), reír (í),** and **vestirse (i).**

9 ¿Qué quieres ver? ⊙

¿Quieres ver un programa de variedades?　　Prefiero ver otra cosa.
¿Quieren Uds. ver una novela?　　Preferimos ver otra cosa.
¿Quiere él ver el juego de fútbol?　　¿Quieren ellas ver los documentales?　　¿Quieres ver una película de policías?　　¿Quieren Uds. ver las competencias?

10 ¿Qué piensan ellos? ⊙

¿Qué piensas de las películas mexicanas?　　Me divierten mucho.
¿Qué piensa Pepe de los deportes?　　Lo divierten mucho.
¿Qué piensan Uds. de la serie mundial?　　¿Qué piensas de las series norteamericanas?
¿Qué piensa ella de las películas de espías?　　¿Qué piensan Uds. de la televisión mexicana?

11 EJERCICIO ESCRITO

Rewrite the following sentences, using the present-tense forms of the verbs in parentheses.
1. Nuestros amigos (pensar) _____ diferentes cosas de la televisión.　2. Ana (preferir) _____ los programas de variedades.　3. Ella dice, "Los programas de variedades musicales me (divertir) _____ mucho."　4. Pepe (pensar) _____ que los programas de deportes son más interesantes.　5. Él dice, "Si (poder) _____ ver un juego de fútbol americano no (perder) _____ la oportunidad."　6. Si Lupe (encontrar) _____ el tiempo y (poder) _____, ella ve los noticiarios.

12 Los anuncios comerciales de la tele ⊗

Además de los muchos programas que nuestros amigos ven, todos se entretienen muchísimo con los anuncios comerciales. Algunos son tan interesantes y cómicos como una película.

Ana goza con este anuncio.

¡Las toallas LIMPI! —las más absorbentes y las más fuertes. Con un pliego puedes limpiar la cocina entera y la toalla no se rompe. ¡LIMPI para limpiar! La mejor de todas.

Pepe se muere de risa con éste.

¿Por qué te miran siempre todos los chicos? ¿Por qué? Porque tú usas EL SOL para broncear tu bella piel. En loción o crema—menos cara que las otras y da más protección que todas. ¡EL SOL! lo único que necesitas para broncear la piel.

Para Paco el más gracioso es éste.

¿Son difíciles de peinar tus cabellos? Pues usa champú CLARIL. Te deja el pelo más limpio, más suave, más fácil de peinar. CLARIL para tener el cabello tan suave como un niño. CLARIL es tan bueno como barato. ¡CLARIL—el mejor champú para tu pelo!

Pero Lupe cree que éste es el mejor.

¿Quieres tomar una gran foto cada vez? Pues, ¡apunta! ¡clic! —¡ya está! —una foto perfecta. ¡Tan fácil como rápido! ¡STILO! la cámara para hoy. STILO garantiza la calidad de todas tus fotos. STILO es la más cara pero es la mejor.

13 Contesten las preguntas.

1. ¿Con qué más se entretienen nuestros amigos?
2. ¿Cómo son las toallas LIMPI?
3. ¿Para qué es EL SOL?
4. ¿Cómo te deja CLARIL el cabello?
5. ¿Qué cree Lupe?
6. ¿Qué es STILO?
7. ¿Qué garantiza STILO?

14 PRÁCTICA ORAL ⊗

COMPARATIVES AND SUPERLATIVES

COMPARATIVES	
OF SUPERIORITY/INFERIORITY: **más/menos...que**	
REGULAR	IRREGULAR
Este televisor es **menos caro que** ése. Este televisor es **más caro que** ése.	Este televisor es **peor que** ése. Este televisor es **mejor que** ése. Este televisor es **menor que** ése. Este televisor es **mayor que** ése.
OF EQUALITY: **tan/tanto...como**	
WITH ADJECTIVES/ADVERBS	WITH NOUNS
Este televisor es **tan caro como** ése. Este televisor trabaja **tan bien como** ése.	Uso **tanto champú como** tú. Veo **tanta televisión como** tú. Voy a **tantos lugares como** tú. Veo **tantas películas como** tú.

1. To express the idea that something is *better than* or *inferior to* something else, Spanish uses the construction **más...que** or **menos...que,** or one of the four irregular comparatives.

2. To express the idea that something is *as good as* or *equal to* something else, Spanish uses the construction **tan...como** with an adjective or adverb.

3. The construction **tanto...como** is used with nouns to express comparison of *equal* things or persons.

SUPERLATIVES	
ABSOLUTE	RELATIVE
Este televisor es **grandísimo.** Estos televisores son **grandísimos.**	Este televisor es **el más grande.** Estos televisores son **los más grandes.**

1. By adding the endings **-ísimo, -ísima, -ísimos, -ísimas** to an adjective, you form the *absolute superlative.* The absolute superlative is not a comparison but rather expresses the idea *very* or *extremely:* **grandísimo** means *very large.*

2. This form of the absolute superlative is formed by dropping the final vowel of the adjective (if it ends in a vowel) and adding the ending that agrees in number and gender with the noun modified.

televisor grandísimo	*very large television set*
casas grandísimas	*very large houses*

3. The *relative superlative,* which is used when comparing two or more persons or things, is formed by the definite article — **el, la, los, las** — with **más/menos** or an irregular comparative adjective.

la más grande	*the biggest*
los menos interesantes	*the least interesting*
el peor	*the worst*

16 EJERCICIO DE COMPRENSIÓN ⊗

	0	1	2	3	4	5	6	7	8	9	10
comparativo											
superlativo	✓										

17 ¿Qué ven en la televisión? ⊗

¿Vas a ver novelas esta noche? Voy a ver tantas novelas como tú.
¿Vas a ver programas de detectives? ¿Vas a ver películas de ciencia-ficción? ¿Vas a ver fútbol americano? ¿Vas a ver documentales? ¿Vas a ver noticiarios?

18 Hablando sobre la televisión ⊗

¿Es tu televisor grande? Es muy grande.
Es grandísimo.
Es el más grande de todos.

¿Es la novela interesante? ¿Son los programas divertidos? ¿Es el juego animado?
¿Son esos televisores caros?

19 Vamos a hacer anuncios comerciales. ⊗

Este programa es muy divertido. Este programa es menos divertido que ése.
Este programa es más divertido que ése.
Este programa es tan divertido como ése.

Este champú es muy bueno. Estas cámaras son muy baratas. Esta toalla es muy fuerte.
Estos televisores son muy caros. Estos documentales son muy interesantes.

20 Seis pasos para disfrutar mejor tu televisor ⊗

1. Busca el botón para encender el televisor. Enciende el televisor.
2. Ahora ajusta el botón para el volumen. No debe estar ni muy alto ni muy bajo.
3. Consulta la teleguía para decidir lo que vas a ver. Si no, usa el selector y escoge un canal con un programa interesante.
4. Si el televisor es en blanco y negro, ajusta el botón para la claridad; si es televisor en colores, ajusta los colores.
5. Hay botones para las rayas horizontales o verticales, y a veces tienes que mover la antena para evitar sombra.
6. Al terminar, apaga el televisor.

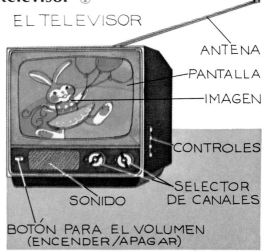

EL TELEVISOR

ANTENA
PANTALLA
IMAGEN
CONTROLES
SELECTOR DE CANALES
SONIDO
BOTÓN PARA EL VOLUMEN (ENCENDER/APAGAR)

21 PRÁCTICA ORAL ⊗

Sábado

4 de marzo

MAÑANA—TARDE—NOCHE

TELEVISA es EL MUNDIAL, Argentina

SÁBADO 4 San Casimiro

6.30 **5** 24 HORAS. Noticiario. (El de anoche.) Jacobo Zabludovsky.

7.00 **2** HOY MISMO. Noticiario.

8.00 **5** PELÍCULA. TARZÁN Y LA FUENTE MÁGICA. (Aventuras.) Lex Barker y Brenda Joyce. Una mujer piloto cae en la selva. Una tribu le salva la vida y vive con ellos. Tarzán sabe que la mujer es testigo para probar la inocencia de un hombre. Pero la tribu que guarda la "fuente de la juventud" no deja pasar a nadie.

10.10 **2** QUÍMICA. LA LECHE Y SUS DERIVADOS. (Primera parte.)
5 LAS AVENTURAS DE GULLIVER. Dibujos animados. Liliputienses en peligro.
11 MUNDO DEPORTIVO. Comentaristas: Sergio Villamar y Mac Cimas.

11.00 **8** EL REY LEONARDO. Dibujos animados. Los bongós no suenan bien.
11 MÚSICA, MÚSICA.
13 RETURN 90 MINUTOS CON ...MARTHA GRAHAM. Danza. Dueña de un estilo insuperable en el ballet moderno. Sus cincuenta años en la danza.

1.00 **2** NOTICIARIO.

1.30 **2** CIENCIAS SOCIALES. George W. F. Hegel.

2.00 **2** HISTORIA DE MÉXICO. Causas internas de la Guerra de Independencia.
5 TEMAS EDUCATIVOS.
11 MÚSICA, MÚSICA.

2.30 **2** BIOLOGÍA. La foto y el cine en la biología.
4 PELÍCULA. EL PUMA. (Aventuras.) René Cardona Jr., Dagoberto Rodríguez, David Reynoso, René Cardona, Lorena Velázquez, Sofía Álvarez, Andrés Soler. Toda la región está bajo el terror del puma hasta que los vecinos terminan con él.
5 ANTROPOLOGÍA. Documental. LA PINTURA MURAL EN LA NUEVA ESPAÑA.
8 BULLWINKLE. Dibujos animados.

3.00 **2** LA ZULIANITA. Telenovela.
5 KUNG FU. Aventuras Oeste. CASA DE DIVERSIONES. Caine entra a trabajar en una casa de diversiones, como cocinero. Encuentra a una chica maltratada por el dueño.
11 FIESTAS DE MÉXICO. Costumbres y folklore.

4.00 **2** EL SHOW DE CEPILLÍN.
8 KOJAK. Policiaca.

4.30 **2** ACOMPÁÑAME Telenovela.
5 FÚTBOL SÓCCER. Desde el Estadio Azteca, en el D.F. 29ª fecha del Campeonato de Liga. Cruz Azul Vs. UNAM.
11 ÓPERAS, CONCIERTOS, BALLET. Transmisiones desde Bellas Artes.

5.00 **2** PACTO DE AMOR. Telenovela.
5 BUGS BUNNY. Dibujos animados.
8 VIAJE AL FONDO DEL MAR. Ciencia-ficción. LA REBELIÓN DE LAS MÁQUINAS.

6.00 **2** HUMILLADOS Y OFENDIDOS. Telenovela.
4 GUITARRAS Y AMOR. Musical. Los Montejo y los Santos.
5 NOTICIARIO.
11 EN EL MUNDO DE LOS NIÑOS. Programa de niños.

7.00 **4** CIENCIA Y TECNOLOGÍA EN IMÁGENES. Documental.
5 EL HOMBRE NUCLEAR. Ciencia-ficción.
13 EL IDIOTA. Telenovela.

8.30 **2** EL CHAVO. Comedia. Roberto Gómez Bolaños, "Chespirito," Ramón Valdés, Carlos Villagrán, María Antonieta de las Nieves, Horacio Gómez, Edgar Vivar.
5 DISNEYLANDIA. Aventuras de la vida real.
13 NOSTALGIA. Música y canciones de ayer. (Segunda parte.)

9.00 **2** LA CRIADA BIEN CRIADA. Comedia.
11 ESPECIAL. Documental. EL CUERPO HUMANO.
13 AMOR PERDIDO. Musical.

9.30 **2** CORAZÓN SALVAJE. Telenovela.

10.00 **5** STARSKY Y HUTCH. Policiaca.

10.15 **11** TOROS Y TOREROS. Documental. EL TOREO COMO ARTE.

10.30 **2** 24 HORAS. Noticiario.

11.00 **4** PELÍCULA. LAS DOS HUÉRFANAS. (Drama.) Susana Guízar, Julián Soler, María Elena Marqués, Anita Blanch, Rafael Baledón. Director: José Benavides. La historia de dos jóvenes en el tiempo de la Revolución Francesa.
5 BARNABY JONES. Policiaca. FANTASÍA DEL TERROR.

11.45 **8** ARTISTAS, MUSEOS Y GALERÍAS. Documental.

12.00 **2** VARIEDADES DE MEDIANOCHE. Musical, entrevistas. Manuel "Loco" Valdés, Alicia Juárez, Yolanda Liévana, Jacqueline Voltaire, Rosella, Pablo Beltrán Ruiz y su orquesta.

PALABRAS ADICIONALES: El Mundial:*World Cup (soccer);* recomendar (ie):*to recommend;* la mujer:*woman;* el piloto:*pilot;* la tribu:*tribe;* salvar:*to save;* la vida:*life;* el (la) testigo:*witness;* probar (ue):*to prove;* la inocencia:*innocence;* guardar:*to keep, protect;* la juventud:*youth;* el (la) comentarista:*commentator;* el (la) liliputiense:*Lilliputian, tiny person;* el dueño,–a:*owner;* la danza:*dance;* la guerra:*war;* bajo:*under;* maltratado,–a:*mistreated, abused;* policiaco,–a:*pertaining to the police;* acompáñame:*come with me;* el campeonato: *championship;* la liga:*league;* la transmisión:*telecast;* el pacto de amor:*love agreement;* el fondo:*bottom;* la máquina:*machine;* humillado,–a:*humiliated;* ofendido,–a:*insulted, offended;* el chavo,–a:*kid;* el criado,–a:*servant;* bien criado,–a:*well brought-up;* perdido, –a:*lost;* el corazón:*heart;* salvaje:*savage;* el toro:*bull;* el torero,–a:*bullfighter;* el toreo:*bullfighting;* el huérfano,–a:*orphan;* la entrevista: *interview*

23

Spain and the countries of Latin America enjoy, to some extent, the many and varied advantages of modern television. In many cases, these countries have turned to television as a means to reach remote — and sometimes inaccessible — villages. It is not unusual to see large numbers of townspeople gather at the neighborhood grocery store to watch a newscast or some other favorite television program. In the larger cities, many families own their television sets or rent them for small monthly fees.

Mexican television is probably the best example of how the medium has grown. In recent years, Mexican programs have crossed the border to entertain Spanish-speaking audiences from California to New York. Such programs as **24 horas** — a daily news broadcast from Mexico City — have won international acclaim. There are educational programs like **Encuentro** — a forum to discuss almost any current topic — and colorful variety shows like **Siempre en domingo,** which has become a Sunday favorite with many Spanish-speaking people here in the United States.

A look through the **teleguía** will show you that many of your favorite American programs are also shown on Mexican television channels.

24 EJERCICIO DE CONVERSACIÓN

¿Cuántos canales tiene la televisión mexicana?
¿Hay muchos programas americanos?
¿Cuáles son algunos de ellos?
¿Cuál de estos programas te gusta más? ¿Por qué?
¿Cuál de estos programas no te gusta? ¿Por qué no?
¿Qué clases de películas te gustan? ¿Por qué?
¿Cuál es tu programa favorito de los Estados Unidos?
¿Cómo se llama este programa en español?

25 EJERCICIO DE COMPOSICIÓN

Choose one of the following:

A. Escribe sobre un día que pasaste en un parque de diversiones. (Usa el pretérito.)
1. ¿Cuándo fuiste? 2. ¿Adónde fuiste? 3. ¿Con quién fuiste? 4. ¿Qué tiempo hizo? 5. ¿Qué viste? 6. ¿En qué aparatos montaste? 7. ¿Cuál te gustó más? 8. ¿Cuál te gustó menos? 9. ¿Qué comiste? 10. ¿Dónde comiste? 11. ¿A qué hora volviste a tu casa?

B. Vas a describir una película para la teleguía.
1. ¿Cómo se llama la película? 2. ¿Qué clase de película es? 3. ¿Quiénes la hicieron? 4. Usando el imperfecto, di algo de lo que pasa en la película. 5. ¿Te gusta la película? ¿Por qué? 6. Si no te gusta, ¿por qué no?

C. Escribe una carta a un amigo(-a). Le tienes que escribir sobre Puerto Rico.
1. ¿Dónde está la isla? 2. ¿Cómo es el tiempo? 3. ¿Cómo es la geografía de la isla? 4. Describe alguna playa. 5. ¿Qué puede tu amigo(-a) hacer en la playa? 6. ¿Cuál es la capital de Puerto Rico? 7. ¿Cómo es el Viejo San Juan? 8. ¿Cuál es tu lugar favorito? 9. ¿Por qué?

D. Tienes que escribir un anuncio comercial para la televisión.
1. ¿Cómo se llama lo que quieres vender? 2. ¿Qué es? 3. ¿Dónde lo venden? 4. ¿Cuánto cuesta? 5. ¿Por qué lo deben comprar? 6. Usando el comparativo y el superlativo, di por qué es mejor que los otros.

VOCABULARIO

1–11

el **canal**   *channel, station*
la **ciencia-ficción**   *science-fiction*
la **conservación**   *conservation*
el **detective**   *detective*
el **documental**   *documentary*
la **energía**   *energy*
el **espía**, la e–   *spy*
el **estudio**   *study*
el **malo, -a**   *the bad one*
la **maravilla**   *wonder, marvel*
la **naturaleza**   *nature*
el **noticiario**   *newscast, news show*
la **novela**   *TV serial, soap opera*
la **película**   *movie, film*
el **policía**   *police officer*
el **programa**   *program, show*
la **serie**   *series*
la **serie mundial**   *World Series*
el **televisor**   *TV set*
el **televisor en colores**   *color TV set*
las **variedades**   *variety show*

pasar   *to show, broadcast*

actual   *current, present-day*
especialmente   *especially*
malo, -a   *bad*
muchísimo, -a   *a lot (superlative)*
mundial   *(of the) world*
musical   *musical*
norteamericano, -a   *North American*
televisado, -a   *televised, broadcasted*

el año pasado   *last year*

12–25

la **antena**   *aerial, antenna*
el **anuncio**   *ad, commercial*
el **botón**   *button, knob*
el **cabello**   *hair*
la **calidad**   *quality*
la **cámara**   *camera*
la **claridad**   *brightness*
el **comparativo**   *comparative*
el **control**   *control*
la **crema**   *cream*
el **champú**   *shampoo*
la **imagen**   *image*
la **loción**   *lotion*
la **pantalla**   *screen*
el **paso**   *step*
la **piel**   *skin*
el **pliego**   *sheet*
la **protección**   *protection*
la **raya**   *line*
el **selector**   *selector, dial*
la **sombra**   *shadow*
el **sonido**   *sound*
el **superlativo**   *superlative*
la **tele**   *TV, television*
la **teleguía**   *TV schedule*
el **televisor en blanco y negro**   *black-and-white TV set*
el **volumen**   *volume*

ajustar   *to adjust*
apagar   *to turn off*
apuntar   *to aim, focus*
broncear   *to tan*
consultar   *to consult, look in*
encender (ie)   *to turn on*
entretenerse (ie)   *to amuse oneself*
escoger   *to choose*
evitar   *to avoid*
garantizar   *to guarantee*
gozar   *to have fun*
limpiar   *to clean*
morirse (ue)   *to die*
mover (ue)   *to move*
peinar   *to comb*
romperse   *to fall apart*
usar   *to use*

absorbente   *absorbent*
alto, -a   *loud*
bajo, -a   *low*
bello, -a   *beautiful*
caro, -a   *expensive*
cómico, -a   *funny*
gracioso, -a   *cute*
horizontal   *horizontal*
suave   *soft*
vertical   *vertical*

al terminar   *at the end, when you're through*
cada vez   *every time, each time*
clic   *click*
lo único   *the only thing*
ni...ni   *neither...nor*
se muere de risa   *(he) dies laughing*

Leisure

Leisure time is time away from work, or school, or the responsibility of running a household. It is seldom idle time—and it is never wasted.

Amusement parks are popular throughout Spain and Latin America. Parents take their children—or is it the other way around?—for a day of rides, an opportunity to get away from the everyday routine, a chance to spend a few hours outdoors.

More people participate in leisuretime activities than ever before—and they have more time to participate.

Team sports are popular among Spanish-speaking people. Soccer is played wherever there is an open space, a few players, and a ball. Baseball and volleyball are also among the popular sports played by young people.

Plate 26

Not all sports require a team effort. Many people prefer sports activities that allow them to develop their skills at their own pace. All players, regardless of the particular sport, can look forward to competition sometime.

Plate 27

Plate 28

Sunday afternoon is usually the time for doing something relaxing and enjoyable. After getting together for Sunday Mass, a family may pack a lunch and spend the rest of the afternoon on a colorful *botecito* in the floating gardens of Xochimilco. Or they may gather grandparents, children, and grandchildren to watch some of the strolling clowns and magic shows found in the local parks and plazas. Some may use the afternoon to meet with friends, visit a museum, and take out time for a photograph or two. Still others will pass away the hours in an often-heated—but always enjoyable—game of dominoes.

Plate 29

Traditionally, the Spanish family spent a lot of time together. In recent times, social demands have changed this to some degree. In many families, both parents must work, and the older children take part-time jobs after school and during vacations. But even today, when they have the time and the opportunity, they choose to spend their time with family members and friends—a division which is often blurred in the Hispanic society. Friends become members of the family and family members become best friends. An after-dinner game of

Plate 30

dominoes, a picnic in the park, a baptism, a birthday, someone's *santo*, a weekend excursion all become occasions to strengthen relationships between family members and old friends. *Mi casa es su casa*—my home is your home. Or maybe it's only a quiet hour on the porch or in the living room after a simple meal, or a gathering around the television set—perhaps a time alone with a good book or an interesting magazine. It's time to do with as we please—time to be happy or sad or even very busy working on a special project, alone or with others. But it's our own time.

Plate 31

Plate 32

Grammatical Summary

Articles

	Definite Articles			Indefinite Articles	
	Masculine	Feminine		Masculine	Feminine
Singular Plural	el chico los chicos	la chica las chicas	Singular Plural	un chico unos chicos	una chica unas chicas

Contractions of the Definite Article

a + el → al
de + el → del

Adjectives

Adjectives That End in −o

	Masculine	Feminine
Singular Plural	chico alto chicos altos	chica alta chicas altas

Adjectives That End in −e

	Masculine	Feminine
Singular Plural	chico inteligente chicos inteligentes	chica inteligente chicas inteligentes

Adjectives That Drop the Final −o Before a Masculine Singular Noun

bueno	buen chico
malo	mal chico
primero	primer chico
tercero	tercer chico

Adjectives That End in a Consonant

	Masculine	Feminine
Singular Plural	chico menor chicos menores	chica menor chicas menores

Demonstrative Adjectives

	este			ese	
	Masculine	Feminine		Masculine	Feminine
Singular Plural	este chico estos chicos	esta chica estas chicas	Singular Plural	ese chico esos chicos	esa chica esas chicas

Possessive Adjectives

Possessive Adjectives: Short Forms

mi hijo, mi hija mis hijos, mis hijas	nuestro hijo, nuestra hija nuestros hijos, nuestras hijas
tu hijo, tu hija tus hijos, tus hijas	
su hijo, su hija sus hijos, sus hijas	

Possessive Adjectives: Long Forms

hijo mío, hija mía hijos míos, hijas mías	hijo nuestro, hija nuestra hijos nuestros, hijas nuestras
hijo tuyo, hija tuya hijos tuyos, hijas tuyas	
hijo suyo, hija suya hijos suyos, hijas suyas	

Negation

Negative Words

no	no, not
nada	nothing
nunca	never
ni...ni	neither...nor

Pronouns

Subject Pronouns	Direct Object Pronouns	Indirect Object Pronouns	Reflexive Pronouns	Objects of Prepositions
yo	me	me	me	mí**
tú	te	te	te	ti**
él, ella, Ud.	lo, la	le*	se	él, ella, Ud.
nosotros, – as	nos	nos	nos	nosotros, – as
ellos, ellas, Uds.	los, las	les*	se	ellos, ellas, Uds.

*Note: **Se** replaces **le** and **les** before **lo, los, la, las.**
Note: With the preposition **con, the forms **conmigo** and **contigo** are used.

Comparatives
Comparisons of Unequal Quantities

$$\left.\begin{array}{l} \text{más} \\ \text{menos} \end{array}\right\} + \text{que}$$

Note: Spanish has four irregular comparative adjectives: **mejor, peor, menor, mayor.**

Comparisons of Equal Quantities

$$\text{tan} + \left\{\begin{array}{l} \textit{adjective} \\ \textit{adverb} \end{array}\right\} + \text{como}$$

tanto, –a + {*singular noun*} + como
tantos, –as + {*plural noun*} + como
tanto + como

Superlatives

Adjective (with final vowel dropped) + **–ísimo (–a, –os, –as)**

VERBS
REGULAR VERBS

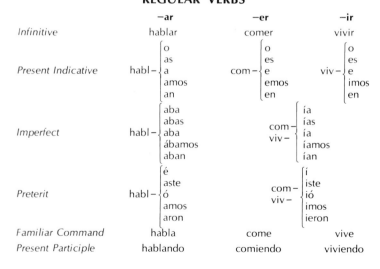

	–ar	**–er**	**–ir**
Infinitive	hablar	comer	vivir
Present Indicative	habl– { o / as / a / amos / an	com– { o / es / e / emos / en	viv– { o / es / e / imos / en
Imperfect	habl– { aba / abas / aba / ábamos / aban	com– / viv– { ía / ías / ía / íamos / ían	
Preterit	habl– { é / aste / ó / amos / aron	com– / viv– { í / iste / ió / imos / ieron	
Familiar Command	habla	come	vive
Present Participle	hablando	comiendo	viviendo

Progressive Forms

Present Progressive	estoy / estás / está / estamos / están } hablando	comiendo	viviendo

VERBS WITH IRREGULAR FORMS

VERB	PRESENT	PRETERIT	IMPERFECT	tú COMMAND
CONOCER	conozco conoces conoce conocemos conocen			
DAR	doy das da damos dan	di diste dio dimos dieron		
ESTAR	estoy estás está estamos están	estuve estuviste estuvo estuvimos estuvieron		
HACER	hago haces hace hacemos hacen	hice hiciste hizo hicimos hicieron		haz
IR	voy vas va vamos van	fui fuiste fue fuimos fueron	iba ibas iba íbamos iban	ve
OÍR	oigo oyes oye oímos oyen			
PODER	puedo puedes puede podemos pueden			
PONER	pongo pones pone ponemos ponen			pon
QUERER	quiero quieres quiere queremos quieren			
SABER	sé sabes sabe sabemos saben			
SALIR	salgo sales sale salimos salen			sal

SER	soy eres es somos son	fui fuiste fue fuimos fueron	era eras era éramos eran	sé
TENER	tengo tienes tiene tenemos tienen	tuve tuviste tuvo tuvimos tuvieron		ten
TRAER	traigo traes trae traemos traen			
VENIR	vengo vienes viene venimos vienen			ven
VER	veo ves ve vemos ven	vi viste vio vimos vieron	veía veías veía veíamos veían	

Reflexive Verbs

These are verbs for which the subject and object of the action are the same:

¿Quién se viste ahora?
Yo me visto ahora, y luego ellos se visten.

Note the use of the reflexive pronouns with the verb.

Other reflexive verbs:

ir(se)	encontrarse
lavarse	levantarse
ponerse	llamarse
sentirse	aburrirse

Hay

There is and there are are expressed in Spanish with the word **hay:**

Hay un libro en la mesa.   *There is a book on the table.*
Hay muchos estudiantes en su clase.   *There are many students in her class.*

Ser *vs.* estar

ser

a. for origin:
¿De dónde es Lupe?
Ella es de México.

b. for physical features or personality:
¿Cómo es Paco?
Él es muy alto.
¿Cómo es la maestra?
Ella es muy estricta.

c. to tell who someone is:
¿Quién es don Luis?
Él es el papá de Paco.

d. for time:
¿Qué hora es?
Son las tres y media.

estar

a. for location:
¿Dónde está Juan?
Juan está en la escuela.

b. for health:
¿Cómo están los maestros?
Ellos están enfermos.

Stem-Changing Verbs

| GROUP I | | GROUP II | | GROUP III |
Present		Present		Present
o → ue	e → ie	o → ue	e → ie	e → i
encontrar	**pensar**	**dormir**	**preferir**	**pedir**
encuentro	pienso	duermo	prefiero	pido
encuentras	piensas	duermes	prefieres	pides
encuentra	piensa	duerme	prefiere	pide
encontramos	pensamos	dormimos	preferimos	pedimos
encuentran	piensan	duermen	prefieren	piden

Other Similar Verbs in Each Group

GROUP I		GROUP II	GROUP III
acordarse (ue)	doler (ue)	divertirse (ie)	medir (i)
acostarse (ue)	empezar (ie)	morir (ue)	reír (í)
almorzar (ue)	encender (ie)	sentir (ie)	vestirse (i)
atender (ie)	llover (ue)	sentirse (ie)	
atravesar (ie)	querer (ie)		
contar (ue)	poder (ue)		
costar (ue)	sonar (ue)		
despertarse (ie)	volver (ue)		

Spelling (Orthographic) Changing

c > qu *before* e	g > gu *before* e	i > y *between vowels*	
Preterit	*Preterit*	*Preterit*	
buscar	**llegar**	**creer**	**leer**
busqué	llegué	creí	leí
buscaste	llegaste	creíste	leíste
buscó	llegó	creyó	leyó
buscamos	llegamos	creímos	leímos
buscaron	llegaron	creyeron	leyeron

Verbs That Require a Preposition Before an Infinitive

Verbs That Require "a"	Verbs That Require "con"	Verbs That Require "de"
aprender	encontrarse	acabar
ayudar		
empezar		
enseñar		
invitar		
ir(se)		
venir		

Word Order

The most common word order for a simple sentence in Spanish is:

subject,	negative word,	indirect object,	direct object,	verb,	complements
Yo	**no**	**se**	**lo**	**di**	**ayer.**

Yo no se lo di ayer.

In a question the word order is usually:

question word (subject),	negative word,	indirect object,	direct object,	verb,	complements
¿Quién	**no**	**me**	**lo**	**dio**	**ayer?**

¿Quién no me lo dio ayer?

Spanish-English Vocabulary

All the words appearing in the 24 units of **Nuestros amigos** are included in this vocabulary. Exceptions are most proper nouns, forms of verbs other than the infinitive, and new forms of words that have been treated in a grammar section. Also excluded are words from passive readings (the menu, the TV schedule, etc.), if these words are glossed or listed in the end-of-unit **Vocabulario,** or are cognates that you should recognize.

Each noun is listed with its definite article. Nouns that refer to people and have masculine and feminine forms are noted. Nouns that have irregular plural forms are also noted.

Following each definition is a numeral that refers to the unit in which the word first appears. If several numerals follow a single definition, the first numerals show passive uses of the word; the last, the unit in which the word becomes active.

The following abbreviations are used in this list.

adj	adjective	dim	diminutive	m	masculine	prep	preposition
adv	adverb	f	feminine	obj	object	pron	pronoun
com	command	fam	familiar	pl	plural	ref	reflexive
conj	conjunction	lang	language	pol	polite	sing	singular

A

a to, 1; at, 5; a casa (toward) home, 14; a ellos: les van a comprar a ellos you're going to buy for them, 16; a favor in favor, 9; a la derecha to the right, 20; a la izquierda to the left, 14; (seis días) a la semana (six days) a week, 5; a la una at one o'clock, 5; a la vista in sight, 18; a las ocho at eight o'clock, 5; a lo largo along, throughout the length, 23; a lo mejor perhaps, maybe, 17; a menudo often, 8; a mí: ¿me llamas a mí? are you calling me? 16; a pie on foot, 11; a propósito by the way, 12; ¿a qué hora? what time? 5; a sus horas regularly, 10; a toda velocidad at full speed, 22; a veces sometimes, 8

la **abeja** bee, 8
el **abrigo** coat, 3
abril April, 12
abrir to open, 13
absorbente absorbent, 24
la **abuela** grandmother, 2
el **abuelito, −a** grandpa, grandma, 7
el **abuelo** grandfather, 2; los abuelos grandparents, grandfathers, 2
aburrido, −a, boring, 4
acabar to finish, 8; acabar de + inf to have just + past participle, 14; acaba de jugar has just played, 14
acampar to camp out, 15
la **acera** sidewalk, 20
la **aclaración** clarification, 9
acordarse (ue) to remember, 18
el **acordeón** accordion, 8
acostarse (ue) to lie down, to go to bed, 17
el **acre** acre, 23
la **actividad** activity, 8
activo, −a active, 10; busy, 23
actual current, present-day, 24
acuático, −a aquatic, living or growing in water, 20; el polo acuático water polo, 21
adelante let's get on, onward, 9; ahead, 22; un poco más adelante a little farther ahead, 22
además besides, 3
adicional additional, 1; adicionales additional, 1
adentro inside, 19
adiós good-bye, 5
el **adjetivo** adjective, 19
admirar to admire, 18
¿**adónde?** (to) where? 5
el **adoquín** cobblestone, 23
adornado, −a decorated, 23
el **adulto** adult, 4, 20
el **adverbio** adverb, 19
el **adversario, −a** opponent, 9
aéreo, −a: el correo aéreo air mail, 12
el **aeropuerto** airport, 23
afectuosamente affectionately, 12
afuera outside, 18
las **afueras** outskirts, 15; suburbs, 23
agarrar to grab, 9
agosto August, 12
agradable agreeable, pleasant, 23
el **agua** (f) water, 7; el agua de piña drink made with water, pineapple peelings, and sugar, 19; hacen la boca agua make the mouth water, 7; nos hace la boca agua makes our mouths water, 23
aguantar to hold, 21
el **aguinaldo** Christmas gift, 19

¡**ah!** ah! 3
ahí there, 10
ahogarse to drown (oneself), 21
ahora now, 4
el **aire: el colchón de aire** air mattress, 21
el **ajedrez** chess, 8
ajustar to adjust, 24
al (a + el) to the (contraction), 5; al borde de along the edge of, 23; al contrario on the contrary, 9; al fin finally, 14; al final at the end, 20; al lado de beside, 10; al otro día the next day, 10; al pasar while passing, 20; al poco rato in a little while, 18; al revés backward, 14; al terminar at the end, when you're through, 24
el **alcohol** alcohol, 17
la **aldea** village, 15
alegre happy, 17
alegremente happily, 10
la **alegría** happiness, 13, 19
la **aleta** fin, 21
el **alfabeto** alphabet, 4
la **alfombra** rug, 14
algo something, 7; algo de comer something to eat, 15; en algo with something, 18
el **algodón** cotton, 17; el algodón de azúcar cotton candy, 22
alguno, −a, −os, −as some, 4
alisios: los vientos alisios trade winds, 23
allá (over) there, 12; por allá (through) there, 8
allí there, 10
los **almacenes** department store, 11
almorzar (ue) to lunch, 11; (nos) da de almorzar he gives (us) lunch, 14
el **almuerzo** lunch, 7

¿aló? hello? 6
alquilar to rent, 11
alto, −a tall, 3; high, 10; loud, 24; más altas highest, 5
la **altura** height, 23
el **alumno, −a** student, pupil, 4
amarillo, −a yellow, 3
el **Amazonas** the Amazon River, 5
americano, −a American, 4; el fútbol americano football, 9
el **amigo, −a** friend, 1; los amigos friends, 1; nuestros amigos hablan español our friends speak Spanish, 1; pregunten a sus amigos ask your friends, 1
el **amiguito, −a** little friend (dim), 22
anaranjado, −a orange (color), 3, 14
ancho, −a wide, 23; de ancho wide, 23
andar (con) to go around (with), 6
los **Andes** the Andes (mountains in South America), 5
los **ángeles** angels, 1
animado, −a animated, exciting, 9
animar to liven up, 11; animaban (they) were livening up, 22
el **ánimo** spirit, 9
anoche last night, 11
anotar to make notes, 11; anotó (she) made notes, 11
ansiosamente anxiously, 10
anteayer the day before yesterday, 12
la **antena** aerial, antenna, 24
antes before, 12
el **antiácido** antacid, 17
antiguamente formerly, in olden times, 23
antiguo, −a ancient, old, 23
las **Antillas** Antilles, West Indies, 13
anual annual, yearly, 23
el **anuncio** ad, commercial, 24
el **año** year, 1; el año pasado last year, 24; ¿cuántos años tiene ella? how old is she? 1; ¿cuántos años tienes tú? how old are you? 1; ella tiene 15 años she's 15 years old, 1; hace...años ...years ago, 23; tener...años to be...years old, 1; yo tengo...años I'm...years old, 1
apagar to turn off, 24
el **aparador** china closet, 14
el **aparato** ride (in amusement park), 22
el **apartamento** apartment, 11
el **apetito** appetite, 11
apreciado, −a dear, appreciated, 12
aprender to learn, 13; aprender a + inf to learn to + inf, 13
aproximadamente approximately, 19
apuntar to aim, focus, 24
apúrate hurry up (com), 19, 20
aquí here, 4; por aquí through here, 8
la **araña** spider, 8
el **árbitro** referee, 9

el **árbol** tree, 2; el árbol genealógico family tree, 2
la **ardilla** squirrel, 10
la **arena** sand, 21; el castillo de arena sand castle, 21
el **aroma** aroma, smell, 14
la **arquitectura** architecture, 20
arriba de on, on top of, 10
el **arroyo** stream, brook, 23
el **arroz** rice, 7; el arroz con pollo chicken with rice, 14
el **arte: la galería de arte** art gallery, 23
la **artesanía: la tienda de artesanía** handicrafts store, 18
el **artículo** item, article, 18
el **artista, la artista** artist, 23
asado, −a: el cochinillo asado roast suckling pig, 11; el lechón asado roast pork, 14
así that way, then, 10; así es la vida that's life, 9; así siempre dices that's what you always say, 13
la **aspirina** aspirin, 17
atención attention, 5
atender(ie) to look after, to take care of, 18
el **Atlántico** Atlantic (Ocean), 5, 23, el Océano Atlántico Atlantic Ocean, 5
las **atracciones: la caseta de atracciones** amusement park booth, 22
atrás back, 20
atravesar (ie) to go through, cross, 15
aún even, 11; still, 23
aunque although, 22
ausente absent, 5
auténtico, −a authentic, 20
el **autobús** bus, 11
la **autopista** highway, skyway, 20
avanza come on, hurry up (com), 10
la **avenida** avenue, 11
la **aventura** adventure, 15
el **avestruz** ostrich, 10
el **avión** airplane, 4
avisar to warn, inform, tell, 18
ayer yesterday, 11
la **ayuda** help, 14
ayudar to help, 12
la **ayudita** help (dim), 14
el **azúcar** (f) sugar, 7; el algodón de azúcar cotton candy, 22
azul blue, 3

B

el **bacalaíto** codfish fritter, 13
la **bahía** bay, 18, 23
bailar to dance, 6; bailé I danced, 11
el **baile** dance, 6
bailé I danced, 11
bajar to go down, 8
bajarse to get off, 22
bajo, −a short (height), 3; low, 24
el **balcón** balcony, 23

el **balón** ball (basket, volley, soccer), 9
la **banca** bench, 10
la **bandeja** tray, 18
bañarse to bathe (oneself), go in the water, 21
el **baño** bathroom, 14; el traje de baño swimsuit, 21; las facilidades de baño bathroom facilities, 15
barato, −a cheap, inexpensive, 16
el **barco** boat, ship, 21; el barco de carga freight boat, freighter, 23; el barco de pesca fishing boat, 23
el **barquito** little boat (dim), 21
el **barrio** neighborhood, 10
la **base** base (baseball), 9
el **básquetbol** basketball, 9
bastante enough, 13
el **batboy** batboy (baseball), 9
el **bate** bat, 9
el **batido** milkshake, 7
beber to drink, 7
la **bebida** beverage, 7
bebiendo: está bebiendo (it) is drinking, 10
bebieron (they) drank, 13
bebimos we drank, 13
el **béisbol** baseball, 9
bellísimo, −a very beautiful, 11
bello, −a beautiful, 24
el **besito** kiss (dim), 12
la **bicicleta** bicycle, bike, 8
bien fine, well, 4; pues bien well then, 16; ¡qué bien! how nice! 6
el **billete** bill, 16; el billete del tren train ticket, 11
la **biología** biology, 5
el **bistec** steak, 7
el **bizcocho** cake, 13
blanco, −a white, 3; el televisor en blanco y negro black and white TV set, 24; el tiro al blanco shooting gallery, 22
la **blusa** blouse, 3
la **boca** mouth, 1; hacen la boca agua make the mouth water, 7; nos hace la boca agua makes our mouths water, 23
el **bocadillo** sandwich, 11
la **bodega** grocery store, 10
la **bola** ball (bowling), 9
la **bolera** bowling alley, 9
el **bolero** Latin American dance, 13
el **boleto** ticket, 20
el **bolillo** roll (bread), 7
los **bolos** bowling (game), 9
la **bolsa** bag, 18
el **bolsillo** pocket, 17
bonito, −a pretty, 3; más bonito, −a prettier, 15; ¡qué mañana tan bonita! what a beautiful morning! 19
el **boquerón** anchovy, 11
el **borde: al borde de** along the edge of, 23
Borinquén Indian name for Puerto Rico, 23
borroso, −a blurred, 22

el **bosque** *forest, woods, 15*
la **bota** *boot, 4, 16*
botánico, −a *botanical, 20*
el **bote** *boat, 11*
el **botecito** *little boat (dim), 21*
la **botella** *bottle, 10*
el **botiquín** *first-aid kit, 15; medicine cabinet, 17*
el **botón** *button, knob, 24*
la **"boutique"** *boutique, 11*
el **brazo** *arm, 17*
brevemente *briefly, 19*
brillante *bright, 21*
brincar *to jump, 10*
el **brinco** *jump, 10; es un brinco it's a skip and a hop, 10*
la **brisa** *breeze, 21*
la **brocha** *paintbrush, 14*
la **broma** *joke, 21*
bromear *to joke, 21*
broncear *to tan, 24; la loción para broncear suntan lotion, 21*
broncearse *to tan oneself, 21*
el **Bronx** *the Bronx (section of New York City), 10*
la **brújula** *compass, 15*
bucear *to skin-dive, 21*
buen: hace buen tiempo *it's nice out, 9; muy buen gusto very good taste, 18*
buenas: buenas tardes *good afternoon, 6; buenas noches good evening, good night, 6*
la **buenaventura: el canario de la buenaventura** *fortune-telling canary, 22*
bueno, −a *good*
¿bueno? *hello? 6*
buenos: buenos días *good morning, 4*
el **bul** *fruit punch, 13*
buscar *to look for, 6*
la **butaca** *armchair, 14*

C

el **caballero** *sir, gentleman, 18*
el **caballo** *horse, 8; montar a caballo to ride horseback, 8; el coche de caballos horse-drawn cart, 20*
el **cabello** *hair, 24*
la **cabeza** *head, 17; el dolor de cabeza headache, 17*
la **cabina** *cabin, 10*
el **cacahuate** *peanut, 19*
el **cácher** *catcher (baseball), 9*
el **cacto** *cactus, 10*
cada *each, 9; cada vez every time, each time, 24*
caer *to fall, 9*
el **cafetal** *coffee plantation, 23*
la **cafetería** *cafeteria, 14*
el **cajón** *large box, 1*
el **calamar** *squid, 11*
el **calcetín** *sock, 3*
la **calidad** *quality, 24*
caliente *warm, 10; hot, 21; el perro caliente hot dog, 7*

la **calificación** *grade, mark, 18*
el **calor** *heat, 17; hace (mucho) calor it's (very) hot, 9; ¡qué calor! it's hot!, 17; tener calor to be hot, 17*
¡cállate! *shut up! 7*
la **calle** *street, 11*
el **callejón** *alley, 11*
la **cama** *bed, 4, 14*
la **cámara** *camera, 24*
cambiar *to change, 9*
el **cambio** *change (money), 20*
caminando: está caminando *(he) is walking, 10*
caminar *to walk, 10*
la **caminata** *hike, 15; hacer caminatas to go hiking, 9*
el **camino** *way, 19; road, path, 23; el camino de tierra dirt road, 20; por el camino on the way, 22*
la **camisa** *shirt, 3*
la **camiseta** *T-shirt, 16*
el **campamento** *camping site, 15*
la **campana** *bell, 10*
la **campaña: la tienda de campaña** *camping tent, 15*
el **campeonato** *championship, 9*
el **camping** *camping ground, campsite, 15*
el **campista, la campista** *camper, 15*
el **campo** *countryside, 23; el campo de golf golf course, 23; la casa de campo country house, 15*
el **canal** *channel, station, 24*
el **canario** *canary, 22; el canario de la buenaventura fortune-telling canary, 22*
la **canasta** *basket, 9, 16*
cancelar *to cancel, 15*
la **canción** *song, 11*
la **cancha de tenis** *tennis court, 23*
la **canica** *marble, 8*
cansado, −a *tired, 6*
el **cansancio: muerto, −a de cansancio** *dead tired, 15*
cansarse *to get tired, 17; se cansa (he) gets tired, 17*
cantar *to sing, 11; cantaban (they) were singing, 22; canté I sang, 11*
la **cantimplora** *canteen, 15*
el **cañaveral** *sugar-cane field, 23*
la **capital** *capital city, 2; por toda la capital throughout the capital, 23*
la **cara** *face, 17; expression, 22: se lava (la cara) (he) washes (his face), 17*
el **caramelo** *candy, 22*
cardinal: el punto cardinal *cardinal point, 20*
la **careta** *mask, 21*
la **carga** *cargo, load, 23; el barco de carga freight boat, 23*
el **Caribe** *the Caribbean, 8; el Mar Caribe the Caribbean Sea, 5*
el **cariño** *affection, love, 10*
cariñosamente *with love, 12*

la **carne** *meat, 7; el chile con carne Mexican dish of beans, ground beef, and chili, 69*
caro, −a *expensive, 16, 20; la menos cara the least expensive, 20*
la **carretera** *highway, road, 20*
el **carril** *lane, 20*
el **carrito** *little cart (dim), 22*
el **carro** *car, 2*
el **carrusel** *carrousel, merry-go-round, 22*
la **carta** *menu, 7; letter, 11*
las **cartas** *playing cards, 8*
la **cartera** *purse, pocketbook, 16*
la **casa** *house, 1, 2; a casa (toward) home, 14; en casa at home, 14; la casa de campo country house, 15; la casa de los sustos fun house, 22*
la **cascada** *waterfall, 23*
la **caseta** *booth, 22; la caseta de atracciones amusement park booth, 22*
casi *almost, 8*
el **castillo** *castle, 21; el castillo de arena sand castle, 21*
el **catchup** *ketchup, 7*
la **catedral** *cathedral, 23*
catorce *fourteen, 1*
el **cayo** *islet, key (small island), 23*
la **cebra** *zebra, 10*
cede: cede el paso *yield right-of-way, 20*
la **celebración** *celebration, 13, 19*
celebrar *to celebrate, 8*
la **cena** *supper, dinner, 7*
el **centavo** *cent, 20*
centígrado, −s *centigrade, 17*
el **centímetro** *centimeter, 16*
central *central, 23*
el **centro** *downtown, 7; center, 16; el mayor centro comercial the most important commercial center, 23*
cepillarse *to brush oneself, 17; se cepilla los dientes (he) brushes his teeth, 17*
cerca *near, 10; cerca de near, 23; más cerca closer, 15*
cercano, −a *near, close, 23*
el **cereal** *cereal, 7*
cero *zero, 1*
el **ciclismo** *cycling, 9*
el **ciclista, la ciclista** *rider, 20*
el **cielo** *sky, heaven, 19*
cien *one hundred, 5*
la **ciencia-ficción** *science fiction, 24*
ciento *one hundred, 16*
cierto *true, 19*
cinco *five, 1*
cincuenta *fifty, 5*
el **cine** *movie, 8*
la **cintura** *waist, 16; medir...de cintura to measure...at the waist, 16*
el **cinturón** *belt, 3; el cinturón de cuero leather belt. 16*
la **ciudad** *city, 2; la Ciudad de México Mexico City, 16*
la **claridad** *brightness, 24*

el **clarinete** *clarinet*, 8
claro *of course*, 14
la **clase** *class*, 4; *type*, 7
clic *click*, 24
el **cliente**, la **cliente** *customer*, 8
el **clóset** *closet*, 14
el **club** *club*, 14; el club ecuestre *(horse) riding club*, 13
el **coche** *car*, 11; el coche de caballos *horse-drawn cart*, 20
el **cochinillo: el cochinillo asado** *roast suckling pig*, 11
la **cocina** *kitchen*, 14
el **coco** *coconut*, 23
el **cóctel: el cóctel de frutas** *fruit cocktail*, 13
el **cohete** *firecracker*, 19
la **col: la ensalada de col** *cole slaw*, 7
la **cola: hacer cola** *to stand in line*; 22
el **colchón: el colchón de aire** *air mattress*, 21
la **colección** *collection*, 8
coleccionar *to collect*, 8
el **colegio** *school*, 4
colgar (ue) *to hang*, 14; cuelgan *they hang*, 14
la **colina** *hill*, 15
colocar *to place, to put*, 14, 18; **Colombia** *Colombia (country)*, 1
colonial *colonial*, 13, 23
coloqué *I placed, I put*, 14, 18
el **color** *color*, 3; ¿de qué color es? *what color is it?*, 3; el televisor en colores *color TV set*, 24
la **combinación** *combination*, 9
el **comedor** *dining room*, 14; la silla de comedor *dining room chair*, 14
comemos *we eat*, 7
comenzar (ie) *to begin*, 23
comer *to eat*, 7; comemos *we eat*, 7; comieron *(they) ate*, 13; comimos *we ate*, 13; están comiendo *(they) are eating*, 10; la mesa de comer *dining table*, 14
comercial *commercial, business*, 23
el **comerciante**, la **comerciante** *merchant*, 23
cómico, −a *funny*, 24; las tiras cómicas *comic strips*, 8
la **comida** *dinner, meal, food*, 7
comiendo: están comiendo *(they) are eating*, 10
comieron *(they) ate*, 13
comimos *we ate*, 13
como *like*, 9; *since, about*, 16; como recuerdo *as a souvenir*, 11; tan...como *as...as*, 23; tanto (−a, −os, −as)...como *as much/many ...as*, 23
¿cómo? *what*, 1; *how*, 4, 5; ¿cómo eres tú? *what are you like?*, 3; ¿cómo es él? *what is he like?*, 3; ¿cómo se llama él *what is his name?*, 1; ¿cómo se llama ella? *what is her name?*, 1; ¿cómo somos?

what are we like? 3; ¿cómo son? *what are they like?* 3; ¿cómo son ustedes? *what are you like?* 3
¡cómo no! *why not!* 13
la **cómoda** *dresser*, 14
cómodo, −a *comfortable*, 21
el **compañero, −a** *pal, classmate*, 3; pregunten a sus compañeros *ask your classmates*, 3
comparar *to compare*, 14
el **comparativo** *comparative*, 24
la **competencia** *competition*, 9
la **composición** *composition*, 3; el ejercicio de composición *composition exercise*, 3
la **compra** *purchase, buy*, 14; ir de compras *to go shopping*, 16
comprar *to buy*, 7; le compras *you buy for (her)*, 14; les compro *I buy for (them)*, 14; tenemos que comprar *we have to buy*, 10
la **comprensión** *comprehension*, 1; el ejercicio de comprensión *(listening) comprehension exercise*, 1
con *with*, 3; con cuidado *carefully, with care*, 20; con mucha pena *with great sadness*, 11
el **condado** *county*, 14; el Condado *beach near San Juan, Puerto Rico*, 21; el condado de Dade *Dade County, Florida*, 14
el **condominio** *condominium*, 23
el **cóndor** *condor*, 10
conmigo *with me*, 7
conoce *(he) knows*, 13
conocemos *we know*, 13
conocen *you (pl) know*, 13
conocer *to know (a person, place), meet*; conoce *(he) knows*: conocemos *we know*; conocen *you (pl) know*; conoces *you (fam) know*; conozco *I know*, 13
conoces *you (fam) know*, 13
conozco *I know*, 13
la **conservación** *conservation*, 24
consultar *to consult, look in*, 24
el **contacto** *contact*, 15
contagioso, −a *contagious*, 17
contar (ue) *to tell (about)*, 12
contento, −a *happy, glad*, 22
contestar *to answer*, 1, 4; contesté *I answered*, 11; contesten *answer (com)*, 1
contesté *I answered*, 11
contesten *answer (com)*, 1
contigo *with you*, 7
la **continuación** *continuation*, 12
contra *against*, 9
contrario, −a: al contrario *on the contrary*, 9
el **control** *control*, 24
el **convento** *convent*, 23
conversaban *(they) were talking, chatting*, 22
la **conversación** *conversation*, 1, 6; el ejercicio de conversación *conversation exercise*, 1

conversar *to chat*, 5; conversaban *(they) were talking, chatting*, 22
el **corazón** *heart*, 22; el corazón les saltaba en el pecho *their hearts skipped a beat*, 22
la **corbata** *tie*, 3
la **cordillera** *mountain range*, 23
corre *race (com)*, 20
el **correo: el correo aéreo** *air mail*, 12
correr *run*, 9; *to race*, 20; corre *race (com)*, 20; están corriendo *(they) are running*, 10
corresponden *(they) correspond*, 9
corriendo: están corriendo *(they) are running*, 10
cortar *to cut*, 13
la **cortina** *curtain*, 14
corto, −a *short (length)*, 3
la **cosa** *thing*, 7; cualquier cosa *anything*, 8
la **costa** *coast*, 23
costar (ue) *to cost*, 14
el **costo** *cost*, 15
la **costumbre: de costumbre** *usually, customarily*, 18
crecer *to grow*, 23
el **crédito: la tarjeta de crédito** *credit card*, 16
creer *to think, believe*, 8; creer que *to think that*, 8
la **crema** *cream*, 24
Cristóbal Colón *Christopher Columbus*, 23
el **cruce: el cruce de peatones** *crosswalk*, 20
las **cruces** *crosses*, 1
el **crucigrama** *crossword puzzle*, 8
cruza *go across (com)*, 20
cruzar *to cross (the street, etc)*, 20; cruza *go across (com)*, 20
el **cuaderno** *notebook*, 5
la **cuadra** *street block*, 20
cuadrado, −a: siete manzanas cuadradas *seven-blocks square (seven by seven)*, 23
¿cuál *which (one)?* 4; ¿cuál es tu nombre? *what's your name?* 4
¿cuáles? *which?, which ones?* 5, 6
cualquier: cualquier cosa *anything*, 8
cuando *when*, 5; de vez en cuando *every now and then*, 24
¿cuándo? *when?* 6
¿cuánto? *how much?* 10; *how?* 16 ¿cuánto cuestan? *how much are they?* 10; ¿cuánto mide ella de estatura? *how tall is she?* 16; ¿cuánto mides tú? *how tall are you?* 16; ¿en cuánto me la deja? *how much will you let me have it for?* 18
¿cuántos, −as? *how many?* 2, 5; ¿cuántos años tiene alla? *how old is she?* 1; ¿cuántos años tienes tú? *how old are you?* 1
cuarenta *forty*, 5; cuarenta y uno *forty-one*, 5

el **cuarto** *room*, 6; el cuarto de dormir *bedroom*, 14

cuarto, −a *fourth*, 18; menos cuarto *a quarter to (the hour)*, 5; tres cuartos de *three quarters (fourths) of*; un cuarto de *a quarter (fourth) of*, 19; y cuarto *a quarter after (the hour)*, 5

cuatro *four*, 1; ya eran las cuatro *it was already four o'clock*, 22

cuatrocientos, −as *four hundred*, 16

Cuba *Cuba*, 13

cubanísimo, −a *very Cuban*, 14

cubano, −a *Cuban*, 14

cubano-americano, −a *Cuban-American*, 14

cubierto, −a *covered*, 23; la terraza cubierta *covered terrace*, 14

cubrir *to cover*, 14

la **cuchara** *spoon*, 7

la **cucharita** *teaspoon*, 7

el **cuchillo** *knife*, 7

cuelgan *they hang*, 14

el **cuello** *neck*, 10

la **cuenta** *check, bill*, 7

la **cuerda** *rope*, 15

Cuernavaca *city near Mexico City*, 12

el **cuero** *leather, cowhide*, 16, 22; el cinturón de cuero *leather belt*, 16

el **cuerpo** *body*, 17

la **cuesta** *hill*, 8

cuestan: ¿cuánto cuestan? *how much are they?* 10

la **cueva** *cave*, 10

¡cuidado! *careful! watch out!* 9; con cuidado *carefully, with care*, 20

el **cumpleaños** *birthday*, 13

curioso, −a *curious*, 8

la **curita** *bandaid*, 17

CH

el **champú** *shampoo*, 24

chao *good-bye (from Italian ciao)*, 6

Chapultepec: el parque de Chapultepec *park in Mexico City*, 22

ls **chaqueta** *jacket*, 3

la **charla** *chat, talk*, 6

charlar *to chat*, 13

el **charro** *Mexican cowboy*, 22

la **chica** *girl*, 1; las chicas *girls*, 1, 2

el **chico** *boy*, 1; los chicos *boys*, 1, 2

el **chicharrón** *fried pork rind*, 13

el **chile: el chile con carne** *Mexican dish of beans, ground beef and chili*, 7

chileno, −a *Chilean*, 9

la **china** *orange (Puerto Rico)*, 13

el **chiste** *joke*, 15

el **chivo** *goat*, 4, 22

chocar *to crash, collide*, 21

el **chocolate** *chocolate*, 7

el **churro** *Spanish fritter, cruller*, 11

D

dale *hit it (com)*, 19

las **damas** *checkers*, 8

damos *we give*, 14

dar *to give*, 2, 14; damos *we give*, 14; dar posada *to give lodging*, 19; dar una vuelta *to ride around, go for a ride*, 20; dar vueltas *to go around*, 22; das *you (fam) give*, 14; den *give (com)*, 2; di *I gave*, 21; dieron *(they) gave*, 21; dio resultado *(it) was successful*, 18; doy *I give*, 14; (nos) da de almorzar *(he) gives (us) lunch*, 14

das *you (fam) give*, 14

de *from*, 1; *of*, 1, 2, 3; *in*, 3; *about*, 6; *with*, 9; *for*, 14; de ancho *wide*, 23; de costumbre *usually, customarily*, 18; ¿de dónde? *(from) where?* 1; ¿de dónde es ella? *where is she from?* 1; de dos sentidos *two-way*, 20; de él/ella *his, her(s)*, 2; de gratis *for free*, 14; de ida y vuelta *round-trip*, 11; de la estación *in season*, 7; de la tarde *in the afternoon*, 19; de largo *long*, 23; de moda *fashionable*, 16; de noche *at night*, 12; de papel *(made of) paper*, 13; de plástico *(made of) plastic*, 13; de plata *(made of) silver*, 18; de pronto *suddenly*, 13; ¿de qué? *(from) what?* 1; ¿de qué color es? *what color is it?* 3; ¿de qué país es él? *what country is he from?* 1; ¿de quién? *whose?* 2; ¿de veras? *really?* 6; de vez en cuando *every now and then*, 17; debajo de *under*, 10; delante de *in front of*, 10; detrás de *behind*, 10; el barco de pesca *fishing boat*, 23; el cinturón de cuero *leather belt*, 16; el colchón de aire *air mattress*, 21; el panel de madera *wood panel*, 14; hay de todo *there's everything*, 10; la familia de Paco *Paco's family*, 2; la mano de pintura *coat of paint*, 14; los espejuelos de sol *sunglasses*, 21; se muere de risa *(he) dies laughing*, 24

debajo de *under*, 10

deber *should*, 7; debes ir *you (fam) should go*, 7

deciden *(they) decide*, 8

decidido, −a *decided*, 20

decidiendo: están decidiendo *(they) are deciding*, 10

decidió *(he) decided*, 13

decidiste *you (fam) decided*, 13

decidir *to decide*, 8; deciden *(they) decide*, 8; decidido, −a *decided*, 20; decidiste *you (fam) decided*, 13; están decidiendo *they are deciding*, 10; tienen que decidir *(they) have to decide*, 10; tienes que decidir *you (fam) have to decide*, 10

decir (i) *to say*, 3; así siempre dices *that's what you always say*, 13; dice *says*, 3; *(she) says*, 6; dice que *(he) says that*, 8; dicen *(they) say*, 3; dices *you (fam) say*, 13; ¿diga? *hello?* 6

la **decisión** *decision*, 9

la **decoración** *decoration*, 19

decorar *to decorate*, 19

defender *to defend*, 23

la **defensa** *defense*, 9, 23

deja: deja de soñar *stop dreaming (com)*, 15; ¿en cuánto me la deja? *how much will you let me have it for?* 18

dejar *to leave*, 7; *to leave behind*, 11; *to allow, to let*, 16

dejo: la dejo en *I'll let it go for*, 16

del (de + el) *of the (contraction)*, 5; del mundo entero *from all over the world*, 10

delante de *in front of*, 10

delgado, −a *thin*, 3

delicioso, −a *delicious*, 7

demás *other, rest of the*, 19; los demás *the rest of, others*, 9, 22

demasiado *too (much)*, 16

demostrativo, −a *demonstrative*, 19

den *give (com)*, 2

¡dentro! *it's in!*, 9; dentro de *inside*, 10

el **deporte** *sports*, 5

la **derecha: a la derecha** *to the right*, 20

derecho *straight (ahead)*, 20

la **derrota** *defeat*, 8

desayunarse *to eat breakfast*, 17; sin desayunarse *without eating breakfast*, 17

el **desayuno** *breakfast*, 7

descalzo, −a *barefoot*, 21

descansar *to rest*, 10

describir *to describe*, 20, 21

descubrir *to discover*, 8

desde *from*, 14; desde la cual *from which*, 23

la **despedida** *good-bye, farewell*, 6

despedirse (i) *to say good-bye*, 19; se despiden de *(they) say good-bye to*, 19

despertarse (ie) *to wake up*, 17; se despierta *(he) wakes up*, 17

después *afterwards, then*, 5; después de *after*, 13

el **destinatario** *addressee*, 12,

el **detective** *detective*, 24'

detrás de *behind*, 10

di *I gave*, 21

el **día** *day*, 8; al otro día *the next day*, 10; el día de Reyes *Feast of the Three Kings, the Epiphany*, 12; todo el día *all day long*, 8; los días: buenos días *good morning*,

4; **todos los días** every day, 5
el **diario** diary, 11
el **dibujo** drawing, 5
dice says, 3; (she) says, 6
dice que (he) says that, 8
dicen (they) say, 20
dices you (fam) say, 13
diciembre December, 12
la **dicha: ¡qué dicha!** what joy!, 12
diecinueve nineteen, 1
dieciocho eighteen, 1
dieciséis sixteen, 1
diecisiete seventeen, 1
el **diente** tooth, 17; **cepillarse los dientes** to brush one's teeth, 17; **se cepilla los dientes** (he) brushes his teeth, 17
dieron (they) gave, 21
diez ten, 1; **y diez** ten after (the hour), 5
diferente different, 8
difícil difficult, 4
difícilmente difficultly, hardly, 19
¿diga? hello? 6
el **dinero** money, 10
dio: dio resultado was successful, 18; **dio un golpe** it hit, 21
la **dirección** direction, 20
el **directorio** directory, 6; **el directorio telefónico** telephone directory, 6
el **disco** phonograph record, 4, 8; **poner (un disco)** to play, put on (a record), 13
la **discoteca** discothèque, 23
la **discusión** discussion, 15
discutir to discuss, 15
disfrutar to enjoy, 11
la **diversión** fun, amusement, 22; **el parque de diversiones** amusement park, 22
divertidísimo, −a very amusing, 21
divertido, −a fun, amusing, 8; merry, 22; **¡qué divertido!** what fun! 7
divertirse (ie) to amuse oneself, 19; **se divertían** (they) were having fun, 22
dividen (they) divide, 8
dividir to divide, 8; **dividen** (they) divide, 8
dobla make a turn (com), 20
doblar to make a turn, 20; **dobla** make a turn (com), 20
la **doble falta** double fault (tennis), 9
doce twelve, 1
el **doctor, −a** doctor, 17
el **documental** documentary, 24
el **dólar** dollar, 10
doler (ue) to hurt, 17
el **dolor** pain, ache, 17; **el dolor de cabeza** headache, 17; **el dolor de estómago** stomachache, 17
el **domingo** Sunday, 7
dominicano, −a Dominican, from the Dominican Republic, 20
el **dominó** dominoes, 8

don title of respect used with a man's first name, 2
doña title of respect used with a woman's first name, 2
donde where, 7; **por donde** on which, 23
¿dónde? where? 1; **¿de dónde?** from where? 1; **¿de dónde es ella?** where is she from? 1
dorado, −a gold-colored or gold-plated, 18
dormir (ue) to sleep, 10; **el cuarto de dormir** bedroom, 14; **el saco para dormir** sleeping bag, 15; **voy a dormir** I'm going to sleep, 10
dos two, 1; **de dos sentidos** two-way, 20; **dos o tres veces** two or three times, 12
doscientos, −as two hundred, 10
doy I give, 14
Dr., −a. abbreviations for doctor, −a, 17
Drake, Sir Francis English buccaneer, 21
dudar to doubt, 19
el **dulce: la pasta de dulce** solid fruit jelly, 13; **los dulces** candy, sweets, 7
durante during, 8

E

el **ecuador** the equator, 5
ecuestre equestrian, (horse) riding, 13; **el club ecuestre** (horse) riding club, 13
la **edad** age, 22
el **edificio** building, 23
la **educación: la educación física** physical education (gym), 5
EE. UU. abbreviation for Estados Unidos, 2
el **ejemplo** example, 2; **por ejemplo** for example, 8
el **ejercicio** exercise, 1, 10; **el ejercicio de composición** composition exercise, 3; **el ejercicio de comprensión** comprehension exercise, 1; **el ejercicio de conversación** conversation exercise, 1; **el ejercicio escrito** written exercise, 1; **la rueda de ejercicio** exercise wheel, 10
el the, 1
él he, 1; **¿cómo es él?** what is he like? 3; **¿cómo se llama él?** what's his name? 1; **él es** he/it is, 1, 3; **él se llama Pepe** his name is Pepe, 1
él him (prep obj), 16
el **elefante** elephant, 10
elegante elegant, 16, 22
ella she, 1; **ella es** she/it is, 1, 3; **¿cómo se llama ella?** what's her name?, 1; **¿cuántos años tiene ella?** how old is she?, 1; **ella se llama Lupe** her name is Lupe, 1
ellas they (fem only), 3

ellos they, 2
la **emoción** excitement, emotion, 22
empezar (ie) to begin, 12; **empezar a + inf** to begin to + inf, 14; **empezó** (he) began, 22; **empiezan a pintar** they begin to paint, 14
empezó (he) began, 22
el **empleo** job, employment, 18
empujar to push, 19
en in 2, 4; on, 5; at, 14; **el televisor en blanco y negro** black and white TV set, 24; **el televisor en colores** color TV set, 24; **en algo** with something, 18; **en casa** at home, 14; **¿en cuánto me la deja?** how much will you let me have it for?, 18; **en fin** in short, 9; **en frente de** in front of, 19; **en medio de** in the middle of, 19; **en orden** in order, 14; **en otro lugar** somewhere else, 16; **en particular** particularly, especially, 18; **en poco tiempo** in a short time, 15; **en punto** sharp, on the dot, 5; **en sets** in sets, 9; **en tren** by train (subway), 10; **esquiar en tabla** to surf, 9
el **encanto** enchantment, 23
encargarse de to take charge of, be responsible for, 19
encender (ie) to light a fire, 15; to set on fire, 19; to turn on, 24
encontrarse (ue) con to meet with, 17
la **enchilada** typical Mexican dish, 7
la **energía** energy, 24
enero January, 12
enfermarse to get sick, 17; **se enferma** (he) gets sick, 17; **se enfermaron** (they) got sick 17
la **enfermedad** illness, 17
el **enfermero, −a** nurse, 17
enfermo, −a ill, sick, 5
enojado, −a mad, angry, 22
enorme enormous, 10
la **entrada** entrance, 23
la **ensalada** salad, 7; **la ensalada de col** cole slaw, 7
enseguida right away, 18
enseñar to show, 11; to teach, to show how, 13; **enseñar a + inf** to teach to + inf, 13; **enseñé** I showed, 11
enseñé I showed, 11
entero, −a whole, 12; **del mundo entero** from all over the world, 10
entonces then, 4
entra go in (com), 20
la **entrada** admission (ticket), 20; **el pasillo de entrada** foyer, entry hallway, 14
entrar to go in, enter, 7; **entra** go in (com), 20
entre between, among, 8
entretenerse (ie) to amuse oneself, 24
entretenido, −a amusing, entertaining, 8

Spanish-English Vocabulary 267

el **equipo** *team,* 9; *equipment, gear,* 15

la **equitación** *horseback riding,* 9

era *(it) was,* 22

eran: ya eran las cuatro *it was already four o'clock,* 22

eres: ¿cómo eres tú? *what are you like?* 3; tú eres *you are,* 1

es: él es *he/it is,* 1, 3; ella es *she/it is,* 1, 3; es un brinco *it's a skip and a hop,* 10; es verdad *that's true,* 4; ¿quién es? *who is?,* 2; ya es tarde *it's late,* 5

ésa *that one, that thing (f),* 19

escapar *to get away, escape,* 17

escoger *to choose,* 24

el **escor** *score,* 9

escribe pronto *write soon,* 12

escribí *I wrote,* 13

escribió *(he) wrote,* 13

escribir *to write,* 12; escribe pronto *write soon* (com), 12; escribí *I wrote,* 13; escribió *(he) wrote,* 13

escrito, −a *written,* 1; el ejercicio escrito *written exercise,* 1

el **escritorio** *teacher's desk,* 5

escuchar *to listen,* 8

la **escuela** *school,* 4

ese, −a *that,* 10, 13

ése, −a, −os, −as *that one, those,* 19

eso: por eso *for that reason,* 22

esos, −as *those,* 10

la **espalda** *back,* 17

España *Spain,* 1

el **español** *Spanish* (lang), 1; nuestros amigos hablan español *our friends speak Spanish,* 1; se habla español *Spanish is spoken,* 10

español, −a *Spanish* (adj), 15

el **español, −a** *Spanish, Spaniard,* 23

especial *special,* 9

especialmente *especially,* 24

el **espectador, −a** *spectator,* 9

el **espejo** *mirror,* 22

los **espejuelos de sol** *sunglasses,* 21

esperar *to wait (for),* 6

el **espía, la espía** *spy,* 24

las **espinacas** *spinach,* 7

el **esquiador, −a** *skier,* 9; *waterskier,* 21

esquiar *to ski,* 9; esquiar en tabla *to surf,* 9

la **esquina** *corner, intersection,* 20

esta *this,* 13; esta noche *tonight,* 13

está: está a veintiocho grados *(it) is at 28°,* 17; está bebiendo *(it) is drinking,* 10; está bien *all right,* 13; está caminando *(he) is walking,* 10; ¿está Lupe? *is Lupe in? (at home),* 6

estaban *(they) were,* 22

la **estación** *season,* 9; *station, terminal,* 11; de la estación *in season,* 7; la estación de radio *radio station,* 14

el **estado** *state,* 12

los **Estados Unidos** *the United States,* 1

estallar *to blow up, explode,* 19

la **estampilla** *postage stamp,* 8, 12

están: están comiendo *(they) are eating,* 10; están corriendo *(they) are running,* 10; están decidiendo *(they) are deciding,* 10; están gritando *(they) are screaming,* 10; están subiendo *(they) are going up,* 10

el **estanque** *pond,* 11, 20

estar *to be,* 5; está a veintiocho grados *(it) is at 28°,* 17; está bebiendo *(it) is drinking,* 10; está bien *all right,* 13; está caminando *(he) is walking,* 10; ¿está Lupe? *is Lupe in? (at home),* 6; estaban *(they) were,* 22; están comiendo *(they) are eating,* 10; están corriendo *(they) are running,* 10; están decidiendo *(they) are deciding,* 10; están gritando *(they) are screaming,* 10; están subiendo *(they) are going up,* 10; estás *you (fam) are,* 5; estoy *I am,* 5; estoy interesado, −a *I am interested,* 18; estuve *I was,* 15; estuvo *(it) was,* 15

estás *you (fam) are,* 5

la **estatura** *height,* 16; ¿cuánto mide ella de estatura? *how tall is she?* 16

el **este** *east,* 5, 16, 20

este *this* (masc), 13

éste, −a, −os, −as *this one, these,* 19

estimado, −a *dear, esteemed,* 12

el **estómago** *stomach,* 17; el dolor de estómago *stomachache,* 17

estos *these,* 1, 13

estoy *I am,* 5; estoy interesado, −a *I am interested,* 18

la **estrella** *star,* 4; *Ferris wheel,* 22

estricto, −a *strict,* 4

el **estudiante, la estudiante** *student,* 4

estudiar *to study,* 4; estudias *you (fam) study,* 4; estudiaste *you (fam) studied,* 11; va a estudiar *(he) is going to study,* 10

estudias *you (fam) study,* 4

estudiaste *you (fam) studied,* 11

el **estudio** *study,* 24

estupendo, −a *fantastic,* 9

estuve *I was,* 15

estuvo *(it) was,* 15

la **etiqueta** *label, tag,* 16

Europa *Europe,* 9, 15

europeo, −a *European,* 15

evitar *to avoid,* 24

exactamente *exactly,* 19

el **examen** *exam,* 5

examinar *to examine,* 17

excelente *excellent,* 23

la **excepción** *exception,* 9

la **excursión** *excursion, pleasure trip,* 23

la **excusa** *excuse,* 22

exótico, −a *exotic,* 20

la **exploración** *exploration,* 15

F

la **fábrica** *factory,* 23

fácil *easy,* 4

las **facilidades: las facilidades de baño** *bathroom facilities,* 15

fácilmente *easily,* 19

la **falda** *skirt,* 3

la **falta: la doble falta** *double fault (tennis),* 9

faltar *to be missing,* 19; ¿te falta mucho? *do you have much left (to do)?* 14

la **familia** *family,* 2; la familia de Paco *Paco's family,* 2

familiar *familiar,* 16

famoso, −a *famous, well-known,* 23

el **fantasma** *ghost,* 22

la **farmacia** *drugstore,* 14, 17

¡faul! *foul!,* 9

favor: a favor *in favor,* 9; por favor *please,* 9

favorito, −a *favorite,* 5

el **favorito, −a** *the favorite one,* 11

febrero *February,* 12

la **fecha** *date,* 12

felices (pl of **feliz**) *happy,* 2

felicidades *congratulations, happy birthday,* 13

feliz *happy,* 10

feo, −a *ugly, bad-looking,* 2, 3

la **ferretería** *hardware store,* 14

la **fiebre** *fever,* 17

la **fiesta** *party,* 11

fijo, −a *fixed, set,* 16

la **fila** *line, row,* 18; hacer fila *to line up, to stand in line,* 18

el **fílder** *fielder (baseball),* 9

el **fin: al fin** *finally,* 14; el fin de semana *weekend,* 10; en fin *in short,* 9; por fin *finally,* 7

el **final: al final** *at the end,* 20

finalmente *finally,* 22

la **finca** *farm,* 23

físico, −a: la educación física *physical education (gym),* 5

el **flamboyán** *royal poinciana tree,* 23

flamenco, −a: el tablado flamenco *flamenco dancers' show,* 11

el **flan** *baked custard,* 7

la **flauta** *flute,* 8

la **flecha** *arrow,* 20

la **flor** *flower,* 4, 20

la **flora** *flora,* 20

la **Florida** *Florida,* 13; el Florida room *family room that opens to yard or terrace,* 14

flotar *to float,* 21

el **folleto** *brochure,* 15

la **forma** *form,* 2; *type, kind,* 21

el **fósforo** *match,* 15

la **foto** *photograph,* 12

el **francés** *French* (lang) 5

frente: en frente de *in front of,* 19; frente a *in front of, opposite,* 14

la **fresa** *strawberry,* 7

fresco, −a *fresh,* 10

el **fresco** refreshing wind, 23
los **frijoles: los frijoles refritos** refried beans, 7
frío, −a cold, 19
el **frío** cold weather, 12; hace mucho frío it's very cold, 9; tener frío to be cold, 17
frito, −a fried, 11, 23; las papas fritas french fries, 7
la **fruta** fruit, 7; el helado con fruta sundae, 7; el cóctel de frutas fruit cocktail, 13
fue (she) went, 11; (it) was, 13
el **fuego** fire, 15
la **fuente** fountain, 11
¡fuera! it's out! 9; fuera de out of, 10
fueron (they) went, 11
fuerte strong, 3; heavy, 5
el **fuerte** fort, fortress, 23
fui I went, 11
fuimos we went, 11
fundar to found, establish, 23
el **fútbol** soccer, 9; el fútbol americano football, 9
el **futuro** future tense, 10

G

la **galería de arte** art gallery, 23
el **galón** gallon, 19
la **galletita** cookie, 19
la **gallina** hen, 4
el **ganado** cattle, 23
ganar to win, 8
la **ganga** bargain, 16
el **garaje** garage, 14
garantizar to guarantee, 24
la **garganta** throat, 17
la **gasolinera** gas station, 14
el **gasto** expense, 20
el **gatito** kitten (dim), 10
el **gato** cat, 1
el **gazpacho** cold vegetable soup, 11
genealógico, −a: el árbol genealógico family tree, 2
general general, 21
el **género** gender, 2
la **gente** people, 11; menos gente que fewer people than, 15
la **geografía** geography, 5
la **gimnasia** gymnastics, 9
el **gimnasio** gymnasium, 9
el **globo** balloon, 22
la **glorieta** traffic circle, 20
el **gobernador** governor, 23
el **golf** golf, 9; el campo de golf golf course, 23
el **golpe** blow, hit, 19; dio un golpe it hit, 21
gordo, −a fat, heavy, 16
el **gorila** gorilla, 10
la **gorra** cap, 3
gozar to have fun, 24
gracias thank you, 4
gracioso, −a cute, 24; ¡qué gra-

cioso, −a! how cute! 14
el **grado** degree, 17
el **gramo (g.)** gram, 19
gran great, big, 19, 21
grande big, 1, 4; grandes great, 14; grandes pintores great painters, 14; más grande que bigger than, 15
gratis: de gratis for free, 14
gritando: están gritando (they) are screaming, 10
gritar to shout, 9
la **gritería** yelling, 22
el **grito** scream, shout, 19
el **grupo** group, 9, 13, 14
el **guacamole** avocado dip, 7
el **guante** baseball glove, 9; glove, 16
guapo, −a good-looking, handsome, pretty, 3
el **guarache** sandal (Mexico), 16
guardar to keep, 11
la **guayaba** guava (a tropical fruit), 23
la **guitarra** guitar, 8, 11
gustar to like, to be pleasing to, 7; a él le gusta(n) he likes, 8; a ella le gusta(n) she likes, 8; a ellos les gusta(n) they like, 9; a Homero le gusta Homero likes, 7; a mí me gusta(n) I like, 9; a nosotros nos gusta(n) we like, 9; a ustedes les gusta you (pl) like, 9; le gusta(n) he/she likes, 7; me gusta(n) I like, 7; me gustan todos I like them all, 7; no le gusta(n) he/she doesn't like, 7; te gusta(n) you (fam) like, 7; te va a gustar you (fam) are going to like it, 10
el **gusto** pleasure, 13; tanto gusto glad to meet you, 13; muy buen gusto very good taste, 18

H

había there were, there was, 22
la **habitación** room, 14
habla (she) talks, 4; ¿quién habla? who's calling, 6
hablan (they) speak, 1; you (pl) speak, 4; (they) talk, speak, 4
hablar to speak, talk, 2, 4; habla (she) talks, 4; hablan (they) speak, 1; you (pl) speak, 4; (they) talk, speak, 4; hablas you (fam) speak, 4; habló she spoke, 11; nuestros amigos hablan español our friends speak Spanish, 1; ¿quién habla? who's calling? 6; se habla español Spanish is spoken, 10
hablas you (fam) speak, 4
habló (she) spoke, 11
hace: hace...años ...years ago, 23; hace buen tiempo the weather is nice, 9; hace mal tiempo the weather is bad, 9; hace (mucho) calor it's (very) hot, 9; hace (mucho) frío it's (very) cold, 9;

hace sol it's sunny, 9; hace viento it's windy, 9
hacemos we do, 8
hacen (they) do, 8
hacer to do, to make, 9; hace... años ...years ago, 23; hacemos we do, 8; hacen (they) do, 8; hacer caminatas to go hiking, 9; hacer cola to stand in line, 22; hacer fila to line up, stand in line, 18; hacen la boca agua make the mouth water, 7; hacían (they) were making, 22; haz make, pack (com), 23; hice I made, 11; hice un hit I was a hit, 12; hicieron (they) made, 11; hicimos we made, 11; hizo (she) made, 11; nos hace la boca agua makes our mouths water, 23
hacia toward, to, 14
hacían (they) were making, 22
el **hacha (f)** ax, 15
el **hambre (f)** hunger, 7; muerto, −a de hambre dying of hunger, 15; tener hambre to be hungry, 7
la **hamburguesa** hamburger, 7
el **hámster** hamster, 10
hasta until, 9; as far as, 11; hasta luego see you later, 5; hasta llegar al pie de una montaña until they reached the foot of a mountain, 15; hasta mañana see you tomorrow, 6; hasta pronto see you soon, 6
hay there is, 4; there are, 8; hay de todo there's everything, 10; hay que + inf we have to + inf, it is necessary to + inf, 22; hay tanto que ver there's so much to see, 10; no hay nada there's nothing, 13
haz make, pack (com), 23
el **helado** ice cream, 4, 7; el helado con fruta sundae, 7
el **hemisferio** hemisphere, 23
la **herencia** heritage, 23
la **herida** cut, wound, 17
la **hermana** sister, 2; las hermanas sisters, 2
el **hermanito, −a** little brother, sister (dim), 19
el **hermano** brother, 2; los hermanos brothers, 2; brothers and sisters, 2
hermosísimo, −a very pretty, very beautiful, 21
hermoso, −a beautiful, pretty, 20; uno de los más hermosos one of the most beautiful, 20
hice I made, 11; hice un hit I was a hit, 12
hicieron they made, 11
hicimos we made, 11
el **hielo** ice, 9; el patín de hielo ice-skate, 9; patinar en hielo to ice-skate, 9
la **hierba** grass, 10
la **hija** daughter, 2, 16; las hijas daughters, 2
el **hijo** son, 2, 17; los hijos children,

de papel *paper lantern*, 19
la **lista** *roll, attendance list*, 5; *list*, 13; pasar lista *to call the roll*, 5
listo, −a *ready*, 9
el **litro** *liter*, 19
lo *it*, 16; a lo largo *along, throughout the length of*, 23; lo mismo que *the same as*, 16; lo que *what*, 1; *whatever*, 9; lo que más me gusta *what I like best*, 9; por lo menos *at least*, 15; por lo visto *it seems*, 18
el **lobo** *wolf*, 10
la **loción** *lotion*, 24; la loción para broncear *suntan lotion*, 21
loco, −a *crazy*, 6
la **lona** *canvas (dropcloth)*, 14
los *the*, 1; *them, you (pl)*, 16
la **losa** *tile*, 23
luego *later*, 11; hasta luego *see you later*, 5
el **lugar** *place*, 8; en otro lugar *somewhere else*, 16
lujoso, −a *luxurious*, 23
la **luna** *moon*, 4
el **lunes** *Monday*, 5
la **luz** (pl las **luces**) *light*, 20

LL

llama: ¿cómo se llama él/ella? *what is his/her name?* 1; él se llama... *his/her name is...*, 1; llama *call (com)*, 20
la **llama** *llama*, 10
la **llamada** *(phone) call*, 6
llaman: ¿cómo se llaman? *what are their names?* 6
llamar *to call*, 6; llama *call (com)*, 20; llamaste *you (fam) called*, 1; llamó *(she) called*, 11
llamarse *to be called, named*, 1; ¿cómo se llama él/ella? *what is his/her name?* 1; ¿cómo te llamas? *what is your (fam) name?* 1; ¿cómo se llaman? *what are their names?* 6; él/ella se llama... *his/her name is...*, 1; él se llama Pepe *his name is Pepe*, 1; yo me llamo... *my name is...*, 1
llamas: ¿cómo te llamas tú? *what is your name?* 1
llamaste *you (fam) called*, 11
llamativo, −a *showy*, 18
llamo: yo me llamo... *my name is...*, 1
llamó *(she) called*, 11
llano, −a *shallow*, 7
la **llanura** *plain, field*, 15
la **llave** *key*, 4
llegar *to arrive*, 5; llegó *(it) arrived*, 11
llegó *(it) arrived*, 11
llenar *to fill*, 19
lleno, −a *full*, 9
llevar *to carry, take along*, 15
llorar *to cry*, 9

llueve *it's raining*, 9
la **lluvia** *rain*, 19

M

la **madera: el panel de madera** *wood panel*, 14
la **madre** *mother*, 6
madrileño, −a *from Madrid*, 11
el **madrileño, −a** *person from Madrid*, 11
el **maestro, −a** *teacher*, 4
magnífico, −a *great, splendid*, 22
los **mahones** *jeans*, 3
mal *badly*, 4; *sick*, 17; hace mal tiempo *the weather is bad*, 9
la **maleta** *suitcase*, 11
el **maletín** *bag, small suitcase*, 21
malo, −a *bad*, 24
el **malo, −a** *the bad one*, 24
malteado, −a: la leche malteada *malt*, 7
la **mamá** *mother*, 2
el **mamey** *mammee (a tropical fruit)*, 14
mami *mom*, 13
mandar *to send*, 12
manejar *to drive*, 18
la **manera** *way, means*, 9, 20; la mejor (manera) *the best (way)*, 20
el **mango** *mango (a tropical fruit)*, 20, 23
la **mano de pintura** *coat of paint*, 14
mantener (ie) *to maintain*, 15
la **mantequilla** *butter*, 7
el **manual** *manual, handbook*, 18
las **manualidades** *arts and crafts*, 5
la **manzana** *apple*, 7; *block*, 23; siete manzanas cuadradas *seven-blocks square (seven by seven)*, 23
mañana *tomorrow*, 6; hasta mañana *see you tomorrow*, 6; te veo mañana *I'll see you tomorrow*, 17
la **mañana** *morning*, 5; por la mañana *in the morning*, 5; ¡qué mañana tan bonita! *what a beautiful morning!* 19
el **mapa** *map*, 15
la **máquina** *car*, 14
el **mar** *sea*, 5, 21; el Mar Cantábrico *Cantabric Sea*, 15; el Mar Caribe *the Caribbean Sea*, 11; el Mar Mediterráneo *Mediterranean Sea*, 15
la **maravilla** *wonder, marvel*, 24
maravilloso, −a *marvelous*, 11, 22
marcar *to dial*, 6; *to indicate, show*, 17
la **marimba** *marimba, xylophone*, 8
la **marina** *marina, boat service area*, 23
la **mariposa** *butterfly*, 8
el **martes** *Tuesday*, 5
marzo *March*, 12
más *more*, 3; el más lindo *the*

most beautiful, prettiest, 20; más altas *highest*, 5; más bonito, −a *prettier*, 15; más cerca *closer*, 15; más grande que *bigger than*, 15; más largo *longest*, 5; más lejos que *farther than*, 15; más o menos *more or less*, 9; más pesado, −a *heavier*, 15; más...que *more...than*, 15; más tarde *later*, 11; ¿qué más? *what else?* 16, 20; una vez más *once more*, 19
el **match point** *match point (tennis)*, 9
las **matemáticas** *mathematics*, 4
la **materia** *subject*, 5
mayo *May*, 12
mayor *older*, 7; *bigger*, 20; el mayor centro comercial *the most important commercial center*, 23
el **mayor**, la **mayor** *the older one*, 18; los mayores *adults*, 19
la **mayoría** *majority*, 9
me *me*, 16; *myself*, 17
la **mecedora** *rocking chair*, 14
media: y media *half past (the hour)*, 5
mediano, −a *medium*, 16
la **medianoche** *midnight*, 11; *Cuban sandwich with meats and cheese in a sweet roll*, 14
la **medicina** *medication, medicine*, 17
el **médico, −a** *doctor*, 17
la **medida** *size, measurement*, 16
medio, −a *half*, 19; en medio de *in the middle of*, 19
el **mediodía** *noon*, 11
medir (i) *to measure*, 16; medir... de cintura *to measure...at the waist*; medir de...hombros *to measure... at the shoulders*, 16
mejor *better*, 10, 20; a lo mejor *perhaps, maybe*, 17; la mejor *the best*, 8, 20
el **melón** *melon*, 7
menor *younger, smaller*, 20
el **menor**, la **menor** *the younger one*, 18; *minor, child*, 20
menos: la menos cara *the least expensive*, 20; más o menos *more or less*, 9; menos cuarto *a quarter to (the hour)*, 5; menos de *less than*, 18; menos gente que *fewer people than*, 15; menos veinte *twenty to*, 5; menos...que *less/ fewer...than*, 15; por lo menos *at least*, 15
menudo: a menudo *often*, 8
el **mercado** *marketplace*, 19; el Mercado de la Merced *marketplace in Mexico City*, 16
la **mercancía** *merchandise, goods*, 16
el **merengue** *Latin American dance*, 13
la **merienda** *snack, light meal in afternoon*, 22
la **mermelada** *marmalade*, 7
el **mes** *month*, 11; el mes pasado *last month*, 11
la **mesa** *table*, 1, 7; la mesa de comer

dining table, 14; el juego de mesa table game, 8

el **mesero, −a** waiter, waitress, 10

la **mesita: la mesita de noche** night table, 14

le **mesón** Spanish café, inn, 11

meterse to get oneself into, 21

el **metro** subway, 11; meter, 16

mexicano, −a Mexican, 4

México Mexico, 1

mi my 2; 4

mí me, 16

mide: ¿cuánto mide ella de estatura? how tall is she? 16; ¿cuánto mides tú? how tall are you? 16

el **miedo** fright, fear, 22; tener miedo to be scared, 22

miedoso, −a cowardly, 22

el **miembro** member, 9

mientras (que) while, 8; mientras tanto meanwhile, 6

el **miércoles** Wednesday, 5

mil a thousand, 11, 16

la **milla** mile, 15, 13

el **minuto** minute, 18

mío (−a, −os, −as) my, of mine, 15

¡mira! hey, look!, 10

mira look at (com), 20

mirar to look at, 5; mira look at (com), 20; miré I looked at, 11; miró (she) looked at, 11

miré I looked at, 11

miró (she) looked at, 11

mis (pl of **mi**) my, 5

la **misa: la Misa del Gallo** Christmas midnight Mass, 19

mismo, −a same, 9; hoy mismo today, 16; lo mismo que the same as, 16

el **Misterio** Nativity scene, crèche figures, 19

la **mochila** knapsack, backpack, 15

la **moda: de moda** fashionable, 16

moderno, −a modern, 4

el **modo** way, 8

el **mole** Mexican dish of chicken or turkey with sauce, 7

el **momento** moment, minute, 6; ¡un momento! just a moment!, 16

la **moneda** coin, 8, 16

el **mono** monkey, 4, 10

el **monopolio** Monopoly (game), 8

la **montaña** mountain, 5, 9; la montaña rusa roller coaster, 22

montar to ride, 20; montar a caballo to ride horseback, 8; montar las tiendas to pitch the tents, 15

el **monumento** monument, 11

morado, −a purple, 3

moreno, −a dark, dark-haired, 3

morir (ue) to die, 17

morirse (ue) to die, 24; se muere de risa (he) dies laughing, 24

el **mosquito** mosquito, 8

la **mostaza** mustard, 7

la **moto** motorcycle, 11

mover (ue) to move, 24

el **muchachito, −a** little kid, 21

el **muchacho, −a** boy, girl, 8

muchísimo, −a, −os, −as very much/many, 21; a lot, 24

mucho a lot (adv), 4; ¿te falta mucho? do you (fam) have much left (to do)? 14

mucho, −a a lot, 13; con mucha pena with great sadness, 11; mucho gusto glad to meet you, 13

muchos, −as many, a lot, 2; ¿no son muchos? isn't that a lot? 2

mudarse to move (to a house), 23

el **mueble** furniture, 14

la **mueblería** furniture store, 14

muere: se muere de risa (he) dies laughing, 24

muerto, −a: muerto, −a de cansancio dead tired, 15; muerto, −a de hambre dying of hunger, 15

la **mujer** woman, 18

mundial (of the) world, 24; la serie mundial World Series, 24

el **mundo** world, 13, 14, 2; del mundo entero from all over the world, 10; todo el mundo everyone, 8

la **muralla** city wall, 23

el **museo** museum, 8

la **música** music, 5

musical musical, 8, 24

el **músico** musician, 22

muy very, 2, 3; muy buen gusto very good taste, 18

N

el **nacimiento** birth, 19

nacional national, 9

nada anything, nothing, 7; no hay nada there's nothing, 13

nadar to swim, 9

nadie no one, nobody, 8

la **naranja** orange (fruit), 4, 7

la **natación** swimming, 9

la **naturaleza** nature, 24

navegar to sail, navigate, 21

la **Navidad** Christmas, 12; la tarjeta de Navidad Christmas card, 19

necesario, −a necessary, 9

necesitar to need, 6

el **negocio** business, 18

negro, −a black, 3; el televisor en blanco y negro black and white TV set, 24

ni...ni neither...nor, 24; ni descansamos ni comemos we (will) neither rest nor eat, 15

la **nieve** snow, 9

el **niñito, −a** little boy, girl (dim), 21

el **niño, −a** kid, little boy or girl, 18; baby, child, 19

no no, 1; not, 1; ¿no? isn't she?, 3; no hay nada there's nothing, 13; no pierdas don't lose, 19; ¿no

son muchos? isn't that a lot? 2; yo no sé I don't know, 2, 3; no pudo (she) wasn't able, 18

No. (número) number, 23

nocturno, −a of the night, 23

la **noche** night, 9; de noche at night, 12; esta noche tonight, 13; la mesita de noche night table, 14; por la noche at night, 11; buenas noches good evening, good night, 6

la **Nochebuena** Christmas Eve, 19

el **nombre** name, 4; ¿cuál es tu nombre? what's your name?, 4; los nombres names, 1; nombres de chicos/chicas names of boys/girls, 1

los **nones** odd numbers, 1

el **noreste** northeast, 20

normal normal, 17

el **noroeste** northwest, 20

el **norte** north, 5, 20

norteamericano, −a North American, 13, 24

nos us, 16; ourselves, 17

nosotras we (f), 3

nosotros we (m or m and f), 3

el **noticiario** newscast, news show, 24

novecientos, −as nine hundred, 16

la **novela** TV serial, soap opera, 24

noventa ninety, 5

noviembre November, 12

novio, −a boyfriend, girlfriend, 11

nublado, −a cloudy, 15

nuestro, −a, −os, −as our, 1, 8; nuestros amigos hablan español our friends speak Spanish, 1

Nueva York New York, 3

nueve nine, 1

nuevo, −a new, 4

la **nuez** (pl las **nueces**) nut, 19

el **número** number 1; los números del 0 al 20 the numbers from 0 to 20, 1; los números del 21 al 100 the numbers from 21 to 100, 5

numeroso, −a, −os, −as numerous, many, 14, 20

nunca never, 2, 4

el **ñu** gnu, antelope, 4

O

o or, 1, 3; más o menos more or less, 9

el **objeto** object, 16

obtener (ie) to obtain, get, 15

el **océano** ocean, 5; el Océano Atlántico the Atlantic Ocean, 5; el Océano Pacífico Pacific Ocean, 5

octubre October, 11, 12

ochenta eighty, 5

ocho eight, 1; a las ocho at eight o'clock, 5

ochocientos, −as eight hundred, 16

ocupado, -a *busy,* 6
el **oeste** *west,* 5, 16, 20
ofrecer *to offer,* 23
¡oh! *oh!,* 2
el **oído** *(inner) ear,* 17
¡oiga! *please listen!,* 10
oímos *we hear,* 19
oír *to listen, to hear,* 17; **¡oiga!** *please listen!* 10; **oímos** *we hear,* 19; **oye** *hey,* 2; **oyen** *(they) hear,* 14; **oyes** *you (fam) hear,* 19; **se oye** *is heard,* 14
el **ojo** *eye,* 4
la **ola** *wave,* 21
el **olor** *smell,* 23
olvidar *to forget,* 13
la **olla** *kettle, pan,* 15
once *eleven,* 1
la **onza** *ounce,* 19
la **oportunidad** *opportunity,* 10
la **oposición** *opposition,* 9
oral *oral,* 1; **la práctica oral** *oral practice,* 1
el **orden: poner en orden** *to straighten up,* 14
el **origen** *origin,* 9
la **orilla** *shore,* 21
el **oso** *bear,* 10
el **otoño** *autumn,* 9
otro, -a *other, another,* 6; **al otro día** *the next day,* 10; **en otro lugar** *somewhere else,* 16; **otra vez** *again,* 13
otros, -as *others,* 4; **otras veces** *other times,* 8
oye *hey,* 2
oyen *(they) hear,* 14
oyes *you (fam) hear,* 19

P

¡paciencia! *be patient!* 16
el **Pacífico** *Pacific (Ocean),* 5; **el Océano Pacífico** *Pacific Ocean,* 5
el **padre** *father,* 6; **¡qué padre!** *out of sight!* 22
los **padres** *parents,* 2, 7
paga *pay* (com), 20
pagar *to pay,* 7; **paga** *pay* (com), 20; **te pago** *I pay (to) you (fam),* 14
pago: te pago *I pay to you (fam)* 14
el **país** *country,* 1; **¿de qué país es él?** *what country is he from?* 1
el **paisaje** *landscape,* 23
el **pájaro** *bird,* 23; **el santuario de pájaros** *bird sanctuary,* 23
la **pala** *shovel,* 15
la **palabra** *word,* 9; **las palabras** *words,* 1; **las palabras adicionales** *additional words,* 1; **las palabras interrogativas** *question words,* 6
el **palacio** *palace,* 23
la **paleta** *paddle,* 21
pálido, -a *pale,* 17
la **palma** *palm tree,* 20

el **palmar** *palm grove,* 23
la **palmera** *palm tree,* 21
la **palomita** *popcorn,* 13
el **pan** *bread,* 7
la **panadería** *bakery,* 14
el **panel: el panel de madera** *wood panel,* 14
el **panorama** *panorama, view,* 23
la **pantalla** *screen,* 24
los **pantalones** *pants,* 3; **los pantalones vaqueros** *chaps, leather britches,* 16
el **pañuelo** *handkerchief,* 16
el **papá** *father,* 4
el **papalote** *kite,* 14
los **papás** *parents,* 2
las **papas fritas** *french fries,* 7
el **papel** *paper,* 5; **la linterna de papel** *paper lantern,* 19
la **papita** *potato chip,* 13
para *stop* (com), 20
para *for,* 1, 4; **¿para qué?** *what for?* 7; **para referencia** *for reference,* 1
parar *to stop,* 20; **para stop** (com), 20
pardo, -a *brown,* 3
parece (que) *it seems (that),* 19, 21
la **pared** *wall,* 14
la **pareja** *pair,* 10; *couple,* 20
los **pares** *even numbers,* 1
el **pariente** *relative,* 12
el **parque** *park,* 11; **el parque de Chapultepec** *a park in Mexico City,* 22; **el parque de diversiones** *amusement park,* 22
la **parte** *part, place,* 8, 9; **por todas partes** *everywhere,* 21
particular: en particular *particularly,* 18
el **partido** *game,* 9
pasa: ¿qué pasa? *what's happening?, what's the matter?* 9
pasado, -a: el año pasado *last year,* 24; **el mes pasado** *last month,* 11; **la semana pasada** *last week,* 11
pasar *to pass,* 5; *to spend time,* 8; *to happen,* 13; *to go by,* 14; *to show, broadcast,* 24; **al pasar** *while happening,* 20; **pasar lista** *to call the roll,* 5; **pasó** *(it) happened,* 13; **pasó de largo** *(she) passed by,* 21; **¿qué pasa?** *what's happening?, what's the matter?* 9
el **pasatiempo** *pastime,* 8
pasear *to stroll, sightsee,* 11
el **paseo** *boulevard,* 11; *ride, trip,* 20
el **pasillo** *hallway,* 14; **el pasillo de entrada** *foyer, entry hallway,* 14
el **paso** *step,* 24; **cede el paso** *yield right-of-way* (com), 20
pasó *(it) happened,* 13; **pasó de largo** *(she) passed by,* 21
la **pasta: la pasta de dulce** *solid fruit jelly,* 13
el **pastel** *pastry,* 7
la **pastilla** *pill, lozenge,* 17

las **pastorelas** *Christmas festivities,* 12
el **patín** *skate,* 9; **el patín de hielo** *ice-skate,* 9
patinar *to skate,* 8; **patinar en hielo** *to ice-skate,* 9
el **patio** *courtyard, yard, patio,* 4
el **payaso, -a** *clown,* 22
P.D. (posdata) *P.S. (postscript),* 12
el **peatón** *pedestrian,* 20; **el cruce de peatones** *crosswalk,* 20
el **pecho** *chest,* 17; **el corazón les saltaba en el pecho** *their hearts skipped a beat,* 22
el **pedazo** *piece, chunk,* 13
pedir (i) *to ask for, request,* 19; **pedir posada** *to ask for lodging,* 19; **pide** *(she) asks for, orders,* 19; **pidió** *(he) asked for,* 22
pegar *to stick, glue,* 14
peinar *to comb,* 24
peinarse *to comb one's hair,* 17; **se peina** *(he) combs (his) hair,* 17
el **pelícano** *pelican,* 10
la **película** *movie, film,* 24
peligroso, -a *dangerous,* 18
el **pelo** *hair,* 3
la **pelota** *ball (baseball, etc.),* 9
la **pena: con mucha pena** *with great sadness,* 11
la **península** *peninsula,* 13
pensar (ie) *to think,* 13; **piensa** *he thinks,* 13
peor *worse,* 20
el **peor, la peor** *the worst one,* 20
el **pepito** *cheese doodle,* 13
pequeño, -a *small,* 4
perder (ie) *to lose,* 8; **no pierdas** *don't lose,* 19
perdón *excuse me,* 4
perdona *please forgive* (com), 12
perdonar *to excuse,* 6; **perdona** *please forgive* (com), 12; **perdone** *excuse me* (com), 6
perdone *excuse me* (com), 6
perfectamente *perfectly,* 19
perfecto, -a *perfect,* 9
el **periódico** *newspaper,* 14
el **periquito** *parakeet,* 10
el **permiso** *permission,* 13
permitir *to allow, let,* 20
pero *but,* 3
la **persona** *person,* 18
el **perrito** *puppy,* 10
el **perro** *dog,* 2; **el perro caliente** *hot dog,* 7
la **persiana** *Venetian blind,* 14
peruano, -a *Peruvian,* 9
pesadísimo, -a *very heavy,* 21
pesado, -a *boring, dull,* 8; *heavy,* 15; **más pesado** *heavier,* 15
las **pesas** *weight-lifting,* 9
la **pesca** *fishing,* 18; **el barco de pesca** *fishing boat,* 23
el **pescado** *fish,* 7
el **pescador, -a** *fisherman, -woman* 18
la **peseta** *Spanish monetary unit,* 11

el **peso** *Mexican monetary unit,* 16, 20

pesquero, −a *(for) fishing,* 21, 23

el **"pet"** *pet,* 10; el "pet shop" *pet shop,* 10

el **picnic** *picnic,* 23

el **pícher** *pitcher (baseball),* 9

pide *(she) asks for, orders,* 19

pidió *(he) asked for,* 22

el **pie** *foot (measure)* 16, 23; *foot,* 17; a pie *on foot,* 11

la **piedra** *stone,* 8, 10

la **piel** *skin,* 24

piensa *he thinks,* 13

pierdas: no pierdas *don't lose,* 19

los **pijamas** *pajamas,* 17

la **píldora** *pill,* 17

la **pimienta** *(black) pepper,* 7

el **ping-pong** *ping-pong,* 9

el **pino** *pine tree,* 15

pintar *to paint,* 14; empiezan a pintar *they begin to paint,* 4

pintor, −a *painter,* 11

la **pintura** *paint,* 14; la mano de pintura *coat of paint,* 14

la **piña** *pineapple,* 23

la **piñata** *hanging, papier-mâché or clay container, filled with candy and small gifts,* 16

la **piscina** *swimming pool,* 14

el **piso** *floor,* 14

la **pista** *track (sport),* 9

el **placer** *pleasure,* 13

el **plan** *plan,* 6

el **plano** *plan, blueprint,* 14

la **planta** *plant,* 9

la **plantación** *plantation,* 23

el **plástico: de plástico** *(made of) plastic,* 13

la **plata: de plata** *(made of) silver,* 18

el **platanal** *banana grove,* 23

el **plátano** *banana,* 23

el **platanutre** *banana chip,* 13

plateado, −a *silver-colored or -plated,* 18

el **platillo** *small plate, saucer,* 7

el **plato** *dish, plate,* 7

la **playa** *beach,* 21

la **plaza** *square, park,* 23

el **pliego** *sheet (of paper, etc.),* 24

la **pluma** *pen,* 5

plural *plural,* 2

poco *a little bit,* 4; al poco rato *in a little while,* 18; en poco tiempo *in a short time,* 15; poco a poco *little by little,* 9; un poco más adelante *a little farther ahead,* 22

pocos, −as *few,* 23

poder (ue) *to be able,* 10; can, 13; no pudo *(she) wasn't able,* 18; puedes *you can,* 13; puedo *I can,* 13

el **policía** *police officer,* 20

el **polo** *polo,* 9; el polo acuático *water polo,* 21

el **pollo** *chicken,* 7

pone *he puts, he sets,* 14

ponemos *we set, put,* 7

ponen *they put, they set,* 14

poner *to set, put,* 7; pone *he puts, he sets,* 14; ponemos *we set, put,* 7; ponen *they set, they put,* 14; poner en orden *to straighten up,* 14; poner (un disco) *to play, to put on (a record),* 13; pongo *I put,* 14; puse *I put (pret),* 14

ponerse *to put on, get, become,* 17; se pone *(he) puts on,* 17; se ponen *(they) become,* 17

pongo *I put,* 14

el **Popo** *Popocatépetl, a volcano in Mexico,* 12

popular *popular,* 8

poquito: un poquito *a little,* 16

por *through,* 5; *by, through,* 11; *for,* 18; *to, in order to, because of,* 18; *on,* 20; por allá *(through) there,* 8; por aquí *(through) here,* 8; por donde *on which,* 23; por ejemplo *for example,* 8; por el camino *on the way,* 22; por eso *for that reason,* 22; por favor *please,* 5; por fin *finally,* 7; por la mañana *in the morning,* 5; por la noche *at night,* 11; por la tarde *in the afternoon,* 5; por lo menos *at least,* 15; por lo visto *it seems,* 18; ¿por qué? *why?* 6; por supuesto *of course,* 18; por teléfono *on the telephone,* 6; por toda la capital *throughout the capital,* 23; por todas partes *everywhere,* 21

porque *because,* 9

el **porqué** *the reason why,* 11

el **portafolio** *briefcase,* 5

la **posada** *Christmas festivity,* 19

la **posada** *inn, hostel,* 19; dar posada *to give lodging,* 19; pedir posada *to ask for lodging,* 19

postal: la zona postal *zip or postal code,* 12

el **"poster"** *poster,* 14

el **postre** *dessert,* 7

la **práctica** *practice,* 1; la práctica oral *oral practice,* 19

practicar *to practice,* 4; *to play (sports),* 9

el **precio** *price,* 16

preferir (ie) *to prefer,* 17

la **pregunta** *question,* 4; las preguntas *questions,* 1

preguntar *to ask,* 1, 4, pregunten *ask (com),* 1

pregunten *ask (com),* 1; pregunten a sus amigos *ask your friends,* 1; pregunten a sus compañeros *ask your classmates,* 3

preguntó *she asked,* 11

el **premio** *prize,* 11

preocupado, −a *worried,* 22

la **preparación** *preparation,* 19

preparar *to prepare,* 5

presentar *to introduce,* 13 te presento a *I introduce to you, I'd like*

you to meet, 13

el **presente** *present tense,* 10

presente *present, here,* 5

presento: te presento a *I introduce to you, I'd like you to meet,* 13

prestar *to lend,* 14; se la presté *I lent it to them,* 18

el **pretérito** *preterit,* 11

la **prima** *female cousin,* 2

la **primavera** *spring,* 9

primer, −o, −a *first,* 18

la **primera** *first base (baseball),* 9

primero *first, firstly,* 5, 19

el **primito, −a** *cousin (dim),* 12

el **primo, −a** *male, female cousin,* 2

los **primos** *cousins,* 2

principal *main,* 14

privado, −a *private,* 15

el **problema** *problem,* 16

la **procesión** *procession, parade,* 19

el **producto** *product,* 16

profesional *professional,* 23

el **programa** *program, show,* 24

la **promesa** *promise,* 13

prometer *to promise,* 13; prometí *I promised,* 13; prometieron *they promised,* 13; prometió *she promised,* 13; prometiste *you (fam) promised,* 13

prometí *I promised,* 13

prometieron *they promised,* 13

prometió *she promised,* 13

prometiste *you (fam) promised,* 13

el **pronombre** *pronoun,* 19; los pronombres *pronouns,* 3

pronto *soon,* 6; de pronto *suddenly,* 13; escribe pronto *write soon,* 12; hasta pronto *see you soon,* 6

la **pronunciación** *pronunciation,* 9

la **propina** *tip,* 7

el **propósito: a propósito** *by the way,* 12

la **protección** *protection,* 24

protegido, −a *protected,* 23

público, −a *public,* 15

pudo: no pudo *(she) wasn't able,* 18

el **pueblo** *town,* 23

puedes *you can,* 13

puedo *I can,* 13

el **puente** *bridge,* 20

el **puentecito** *small bridge (dim),* 20

la **puerta** *door,* 11, 14

el **puerto** *port,* 23

Puerto Rico *Puerto Rico,* 1

puertorriqueño, −a *Puerto Rican,* 3

pues *but, so,* 15; *well,* 21; pues bien *well then,* 16

el **puesto** *stand, booth,* 23

la **pulgada** *inch,* 16

el **punto: el punto cardinal** *cardinal point,* 20; en punto *on the dot, sharp,* 5

el **pupitre** *pupil's desk,* 5

puse *I put (pret),* 18

Q

que *that, which, 7; who, 8*
que *than, 20;* más...que *more than, 15;* menos...que *less/fewer than, 15*
¿qué? *what? 1;* ¿a qué hora? *what time? 5;* ¿de qué? *(from) what? 1;* ¿de qué país es él? *what country is he from? 1;* ¿de qué color es? *what color is it? 3;* ¿para qué? *what for? 7;* ¿por qué? *why? 6;* ¿qué más? *what else? 5, 16, 20;* ¿qué pasa? *what's happening, what's the matter? 9;* ¿qué tal? *how are you? 4*
¡qué...!: ¡qué bien! *how nice! 6;* ¡qué calor! *it's hot! 17* ¡qué dicha! *what joy! 12;* ¡qué divertido! *what fun! 7;* ¡qué gracioso, −a! *how cute! 14;* ¡qué horror! *how awful! 14;* ¡qué mañana tan bonita! *what a beautiful morning! 19;* ¡qué padre! *out of sight! 22;* ¡qué suerte! *how lucky! 5*
quedar *to be (located), 15*
querer (ie) *to want, 7;* quiere *he wants, 7;* quieren *you (pl) want, 7;* quieres *you (fam) want, 7*
queridísimo, −a *dearest, 11*
querido, −a *dear (fam), 12*
el **queso** *cheese, 4, 7*
¿quién? *who?, 1, 2;* ¿quién es? *who is? 2;* ¿quién habla? *who's calling? 6*
¿quiénes? *who? (pl), 2;* ¿quiénes son? *who are?, 2*
quiere *he wants, 7*
quieren *you (pl) want, 7*
quieres *you (fam) want, 7*
quince *fifteen, 7*
quinientos, −as *five hundred, 16*
la **química** *chemistry, 4*
quinto, −a *fifth, 18*
quizá *perhaps, maybe, 4*

R

el **radio** *radio, 14;* la estación de radio *radio station, 14*
rápido *fast, 20*
la **raqueta** *racquet, 9*
el **rato** *while, short period of time, 8;* al poco rato *in a little while, 18*
el **ratón** *mouse, 1, 4*
el **ratoncito** *little mouse (dim), 10*
los **ratos: los ratos libres** *free time, 8*
la **raya** *stripe, 10; line, 24*
la **razón: tener razón** *to be right, 7*
rebajar *to mark down (the price), 16*
el **rebozo** *long, narrow shawl worn by women, 16*
el **receptor** *receiver, 6*
la **receta** *recipe, 13*

recetar *to write a prescription, prescribe, 17*
recibir *to receive, 13*
recorrer *to go through, 8*
el **recreo** *recess, 5*
el **recuerdo: como recuerdo** *as a souvenir, 11*
recuerdos *regards, 12*
la **red** *net, 9*
redondo, −a *round, 14*
la **referencia** *reference, 1;* para referencia *for reference, 1*
refrescar *to cool, refresh, 21*
el **refresco** *soft drink, 7, 13;* los refrescos *snack, refreshments, 19*
refrito, −a: los frijoles refritos *refried beans, 7*
regalar *to give (a present), 18*
el **regalito** *gift (dim), 12*
el **regalo** *gift, 13*
la **regata** *regatta, boat race, 21*
regatear *to bargain, to haggle, 16*
la **regla** *ruler, 5*
regular *so-so, 4*
reír *to laugh, 22*
la **reja** *grille, wrought-iron work, 23*
el **reloj** *watch, 5*
remar *to row, 11*
el **remitente, la remitente** *sender, 12*
repartir *to hand out, 19*
la **República Dominicana** *Dominican Republic, 13*
la **respiración** *breath, 21*
responder *to answer, 19*
la **restauración** *restoration, renewal, 23*
restaurado, −a *restored, 23*
el **restaurante** *restaurant, 7*
el **resultado: dio resultado** *(it) was successful, 18*
el **resumen** *summary, 2*
el **retrato** *portrait photograph, picture, 14*
reunirse *to meet, get together, 18*
el **revés: al revés** *backward, 14*
el **rey** *king, 10;* el día de Reyes *Feast of the Three Kings, the Epiphany, 12*
el **río** *river, 5, 15*
la **risa: se muere de risa** *(he) dies laughing, 24*
el **roble** *oak tree, 15*
el **rodillo** *paint roller, 14*
rojo, −a *red, 3*
el **rompecabezas** *jigsaw puzzle, 8*
romper *to break, 19*
romperse *to fall apart, 24*
la **ropa** *clothing, 3; clothes, 17;* la ropa vieja *shredded beef, 14*
rosado, −a *pink, 3*
rubio, −a *blond, 3*
la **rueda** *wheel, 10;* la rueda de ejercicio *exercise wheel, 10*
el **ruido** *noise, 19*
rural *rural, 23*
ruso, −a: la montaña rusa *roller coaster, 22*

S

el **sábado** *Saturday, 5*
sabe *knows, 1*
sabemos *we know, 16*
saber *to know (a fact), 1, 13, 16;* sabe *knows, 1;* sabemos *we know, 16;* saber + inf *to know how + inf, 16;* sabes *you (fam) know, 13;* sé *I know, 12;* yo no sé *I don't know, 2*
sabes *you (fam) know, 13*
sabroso, −a *tasty, delicious, 14; delightful, 21*
el **saco: el saco para dormir** *sleeping bag, 15*
la **sagüesera** *Cuban neighborhood in the southwest of Miami, 14*
la **sal** *salt, 7*
sal *go out (com), 23*
la **sala** *living room, 14*
salen *(they) go out, 10*
salir *to go out, leave, 17, 19;* sal *go out (com), 23;* salen *(they) go out, 10*
la **salsa** *sauce, 7; Latin American dance, 13*
saltar (de) *to jump (out of, from), 22,* el corazón les saltaba en el pecho *their hearts skipped a beat, 22*
saludaban *(they) were greeting, 22*
saludar *to say hello, 6;* saludaban *they were greeting, 22*
el **saludo** *greeting, 6*
San José *Saint Joseph, 19*
la **sandalia** *sandal, 21*
la **sandía** *watermelon, 7*
el **sandwich** *sandwich, 7;* el sandwich cubano *Cuban sandwich, 14*
sanjuanero, −a *from San Juan, 23*
Santa Claus *Santa Claus, 19*
Santillana del Mar *fishing village in Spain, 18*
el **santo** *name day, 22*
Santo Domingo *capital of the Dominican Rep., 20*
el **santuario de pájaros** *bird sanctuary, 23*
el **sarape** *a heavy shawl or blanket, 16*
la **sartén** *frying pan, 15*
el **saxofón** *saxophone, 8*
se *himself, herself, itself, yourself (pol), yourselves, themselves, 17*
sé *I know, 12;* yo no sé *I don't know, 1, 2*
seco, −a *dry, 15*
la **sed: tener sed** *to be thirsty, 7*
seguir (i) *to follow, continue, 19;* sigue *(it) continues, 19; keep going, continue (com), 20;* siguen *you (pl) continue, follow, 20*
según *according to, 13*
segundo, −a *second, 18*
la **segunda** *second base (baseball), 9*

seguro (que) *of course,* 4, 13
seis *six,* 1
seiscientos, −a *six hundred,* 16
el **selector** *selector, dial,* 24
la **selva** *jungle,* 10
el **semáforo** *traffic light, semaphore,* 20
la **semana** *week,* 5; el fin de semana *weekend,* 10; la semana pasada *last week,* 11; (seis días) a la semana *(six days) a week,* 5
sentado, −a *seated,* 17
el **sentido: de dos sentidos** *two-way,* 20
sentir (ie) *to feel, to believe,* 17
sentirse (ie) *to feel (health),* 17; me siento *I feel,* 17; nos sentimos *we feel,* 17; se siente *(he) feels,* 17; te sientes *you (fam) feel,* 17
la **señal** *sign,* 20
el **señor** *man,* 2; *mister, sir,* 4
la **señora** *woman,* 2; *Mrs.,* 6
la **señorita** *Miss,* 4
septiembre *September,* 12
ser *to be,* 1, 3; ¿cómo son? *what are they like?* 3; ellos son *they are* 1, 2; era *(it) was,* 22; fue *it was,* 13; ¿no son muchos? *isn't that a lot?,* 2; somos *we are,* 2, 3; yo soy *I am,* 1
la **serie** *series,* 24; la serie mundial *World Series,* 24
serio, −a *serious,* 17
la **serpiente** *snake,* 10
la **servilleta** *napkin,* 7
sesenta *sixty,* 5
setecientos, −as *seven hundred,* 16
setenta *seventy,* 5
sets *sets,* 9; en sets *in sets,* 9
el **shorestop** *shortstop (baseball),* 9
si *if,* 4
sí *yes,* 1
la **sidra** *apple cider,* 19
siempre *always,* 5; así siempre dices *that's what you (fam) always say,* 13; siempre que *whenever,* 9
sientes: te sientes *you (fam) feel,* 17
siete *seven,* 1; siete manzanas cuadradas *seven-blocks square (seven by seven),* 23
el **siglo** *century,* 23
sigue *(it) continues,* 19; *keep going (com),* 20
siguen *you (pl) continue, follow,* 20
siguiente(s) *following,* 2
el **silencio** *silence, quiet,* 9
la **silla** *chair,* 14; la silla de comedor *dining-room chair,* 14
simpático, −a *nice,* 3
sin *without,* 7; sin desayunarse *without eating breakfast,* 17
sino *but,* 8
el **síntoma** *symptom,* 17
el **sitio** *place,* 23
sobre *on, on top of,* 5; *about, concerning,* 13
el **sobre** *envelope,* 12

el **sofá** *couch, sofa,* 14
el **sol** *sun,* 9, 22; hace sol *it's sunny,* 9; los espejuelos de sol *sunglasses,* 21
solamente *only,* 2
solo, −a *alone,* 17
sólo *only,* 8
la **sombra** *shade,* 21; *shadow,* 24
el **sombrero** *hat,* 4
somos *we are* 2, 3; ¿cómo somos? *what are we like?* 3
son: ¿cómo son? *what are they like?* 3; ellos son *they are,* 1, 2; ¿no son muchos? *isn't that a lot?* 2; ¿quiénes son? *who are?* 2
sonar (ue) *to ring,* 6; suena *it rings,* 6
el **sonido** *sound,* 24
soñar: deja de soñar *stop dreaming,* 15
la **sopa** *soup,* 7
sorprendido, −a *surprised,* 22
soy: yo soy *I am,* 1
Sra. *abbreviation for* señora, 16
Srta. *abbreviation for* señorita, 12
su *your (pol), his, her, its,* 4; *their,* 7, 8
suave *soft,* 24
sube (a) *get up (on), go up (com),* 20
subiendo: están subiendo *(they) are going up,* 10
subir *to go up,* 8; *to raise,* 21; están subiendo *they're going up,* 10; sube (a) *get up (on), go up (com),* 20
submarino, −a *underwater,* 21
el **suburbio** *suburb,* 23
Sudamérica *South America,* 5
suena *it rings,* 6
la **suerte: ¡qué suerte!** *how lucky!* 5
el **suéter** *sweater,* 3
suficiente *enough,* 16
el **superlativo** *superlative,* 24
el **supermercado** *supermarket,* 13
supuesto: por supuesto *of course,* 18
el **sur** *south,* 5, 20
el **sureste** *southeast,* 20
el **surfeador, −a** *surfer,* 21
surfear *to surf,* 21; la tabla de surfear *surfboard,* 21
el **suroeste** *southwest,* 20
sus *your (pol),* 1; *her, his, your (pol),* 5; *their,* 6, 7, 8; a sus horas regularly, 10
los **sustos: la casa de los sustos** *fun house,* 22
suyo (−a, −os, −as) *his, her, your (pol), your (pl), their,* 15

T

la **tabla** *board,* 21; esquiar en tabla *to surf,* 9; la tabla de surfear *surfboard,* 21
el **tablado: el tablado flamenco** *fla-*

menco dancers' show, 11
tacaño, −a *stingy,* 14
el **taco** *typical Mexican dish,* 7
tal: ¿qué tal? *how are you?,* 4; tal vez *perhaps,* 11
la **talla** *size,* 16
el **tamal** *typical Mexican dish,* 7
también *too, also,* 1
tampoco *either (negation),* 3
tan *so (much),* 16, 22; ¡qué mañana tan bonita! *what a beautiful morning!* 19; tan...como *as...as,* 23
tanto (−a, −os, −as) *so much,* 11; *so many,* 13; tanto (−a, −os, −as) ...como *as much/many...as,* 23; hay tanto que ver *there's so much to see,* 10; mientras tanto *meanwhile,* 6; tanto gusto *glad to meet you,* 13
la **tapa** *snack,* 11
la **taquilla** *box office,* 20
el **taquillero, −a** *ticket seller,* 20
la **tarde** *afternoon,* 5; buenas tardes *good afternoon,* 6; de la tarde *in the afternoon,* 19; por la tarde *in the afternoon,* 5
tarde *late,* 5; más tarde *later,* 11; ya es tarde *it's late,* 5
la **tarea** *homework,* 5
la **tarjeta: la tarjeta de crédito** *credit card,* 16; la tarjeta de Navidad *Christmas card,* 19
el **taxi** *taxi,* 11
la **taza** *cup,* 4, 7
te *you (fam obj pron),* 16; te *yourself (refl obj pron),* 17; ¿cómo te llamas tú? *what is your name?* 1; ¿te falta mucho? *do you have much left (to do)?* 14
te *you (fam),* 16; *yourself (fam),* 17
el **té** *tea,* 7
el **teatro** *theater,* 11
el **techo** *ceiling,* 14
la **tele** *television, TV,* 24
el **teleférico** *cable railway,* 10
telefónico, −a: el directorio telefónico *telephone directory,* 6
el **teléfono** *telephone,* 6; *telephone number,* 6; por teléfono *on the telephone,* 6;
la **teleguía** *TV schedule,* 24
televisado, −a *televised, broadcasted,* 24
la **televisión** *television,* 8
el **televisor** *TV set,* 24; el televisor en blanco y negro *black and white TV set,* 24; el televisor en colores *color TV set,* 24
el **tema** *theme,* 18
la **temperatura** *temperature,* 9
temprano *early,* 5
el **tenedor** *fork,* 7
tenemos *we have,* 4; tenemos que comprar *we have to buy,* 10
tener *to have,* 2; ¿cuántos años tiene ella? *how old is she?,* 1; él

tiene *he has*, 2; ella tiene 15 años *she's 15 years old*, 1; tenemos *we have*, 4; tenemos que comprar *we have to buy*, 10; tener....años *to be...years old*, 1; tener calor *to be hot*, 17; tener frío *to be cold*, 17; tener hambre *to be hungry*, 7; tener miedo *to be scared*, 22; tener que + inf *to have to + inf* 10; tener razón *to be right*, 7; tener sed *to be thirsty*, 7; tienen que decidir *they have to decide*, 10; tienes que decidir *you have to decide*, 10; tuvieron *they had to*, 15; tuvo *(he) had to*, 15; yo tengo *I have*, 2; yo tengo...años *I am...years old*, 1

tengo: yo tengo...años *I am...years old*, 1

el **tenis** *tennis*, 9; la cancha de tenis *tennis court*, 23

los **tenis** *sneakers*, 3

tercer, −o, −a *third*, 18

la **tercera** *third base (baseball)*, 9

terminar *to end*, 5; al terminar *at the end, when you're through*, 24

la **terraza: la terraza cubierta** *covered terrace*, 14

la **tertulia** *get-together*, 18

ti *you (fam)*, 16

la **tía** *aunt*, 2

el **tiempo** *time*, 8; *weather*, 9; en poco tiempo *in a short time*, 15; hace buen tiempo *it's nice out*, 9; hace mal tiempo *the weather is bad*, 9

la **tienda** *store*, 16; la tienda de artesanía *handicrafts store*, 18

la **tienda** *tent*, 15; la tienda de campaña *camping tent*, 15; montar las tiendas *to pitch the tents*, 15

tiene: ¿cuántos años tiene ella? *how old is she?* 1; él tiene *he has*, 2; ella tiene 15 años *she's 15 years old*, 1

tienen: tienen que decidir *(they) have to decide*, 10

tienes: ¿cuántos años tienes tú? *how old are you (fam)?* 1; tú tienes *you (fam) have*, 2; tienes que decidir *you (fam) have to decide*, 10

la **tierra** *dirt, soil*, 20; el camino de tierra *dirt road*, 20

el **tigre** *tiger*, 10;

el **tino** *sense of direction*, 19

el **tío, −a** *uncle, aunt*, 2; los tíos *aunt and uncle*, 2; *aunts and uncles*, 2

típico, −a *typical*, 16

el **tipo** *type*, 8; *kind*, 20

la **tira: la tira para el hombro** *shoulder strap*, 16

tirado, −a *drawn, pulled*, 22

tirar *to shoot, throw*, 9

tirarse *to dive*, 21

las **tiras: las tiras cómicas** *comic strips*,

8

el **tiro: el tiro al blanco** *shooting gallery*, 22

la **tiza** *chalk*, 5

la **toalla** *towel*, 21

el **tobogán** *toboggan*, 9

tocar *to play (a song)*, 14; *to play (an instrument)*, 22; toco *I play*, 8

el **tocino** *bacon*, 7

toco *I play*, 8

todavía *still*, 6

todo, −a *all (of)*, 13; *all, every*, 15; a toda velocidad *at full speed*, 22; por toda la capital *throughout the capital*, 23; todo el día *all day long*, 8; todo el mundo *everyone*, 8

el **todo** *everything*, 13; hay de todo *there's everything*, 10

todos, −as *all*, 4; *everyone*, 5; todos los días *every day*, 5; por todas partes *everywhere*, 21

toma *take (com)*, 20

tomado, −a *taken*, 9

tomar *to take, pick up*, 6; *to have (eat or drink)*, 11; toma *take (com)*, 20

el **tomate** *tomato*, 7

el **tonto, −a** *fool*, 13

la **toronja** *grapefruit*, 7

la **torre** *tower*, 23

la **torta** *cake*, 22

la **tortilla** *thin, flat, round cake made of cornmeal or flour*, 7

la **tortuga** *turtle*, 10

trabajar *to work*, 10; vamos a trabajar *we are going to work*, 10

tradicional *traditional*, 13, 16

trae *she brings*, 13

traemos *we bring*, 21

traer *to bring*, 13; trae *(she) brings*, 21; traemos *we bring*, 21; traen *(they) bring*, 21; traes *you (fam) bring*, 21; traigo *I bring*, 21; traen *(they) bring*, 21; traes *you (fam) bring*, 21

el **tráfico** *traffic*, 20

traigo *I bring*, 21

el **traje: el traje de baño** *swimsuit*, 21

¡trampa! *cheat!* 9

tranquilo, −a *quiet, peaceful*, 13, 19

trataba *(she) was trying*, 22

trece *thirteen*, 1

treinta *thirty*, 5; treinta y uno *thirty-one*, 5; treinta y dos *thirty-two*, 5

tremendo, −a *tremendous, great*, 10

el **tren** *train, subway*, 10; el billete del tren *train ticket*, 11; en tren *by train*, 10

el **trencito** *little train (dim)*, 20

tres *three*, 1; dos o tres veces *two or three times*, 12; tres cuartos de *three quarters (fourths) of*, 19

trescientos, −as *three hundred*, 16

triste *sad*, 2, 22

el **triunfo** *triumph*, 8

el **trombón** *trombone*, 8

la **trompa** *elephant's trunk*, 10

la **trompeta** *trumpet*, 8

tropical *tropical*, 13, 20, 23

el **truco** *trick*, 22

tu(s) *your (fam)*, 2, 4, 5

tú *you (fam)*, 1; ¿cómo eres tú? *what are you like?* 1; ¿cómo te llamas tú? *what's your name?*, 1; ¿cuántos años tienes tú? *how old are you?* 1; tú eres *you are*, 1

el **tuno** *student troubadour*, 11

el **turismo** *tourism*, 15

el **turista, la turista** *tourist*, 20, 21

turístico, −a *tourist*, 23

el **turno** *turn*, 19

tus *your (fam)*, 5

tuvieron *they had to*, 15

tuvo *(he) had to*, 15

tuyo (−a, −os, −as) *your, of yours (fam)*, 15

U

Ud. *abbreviation for* usted, 4

Uds. *abbreviation for* ustedes, 3

¡uf! *wow!* 10

último, −a *latest*, 13; *last*, 16

un *a, an*, 1, 3; *one*, 2; un cuarto de *a quarter (fourth) of*, 19; ¡un momento! *just a moment!* 16; un poco más adelante *a little farther ahead*, 22; un poquito *a little*, 16

una *a, an*, 1, 3; *one*, 2; a la una *at one o'clock*, 5; una vez más *once more*, 19

único: lo único *the only thing*, 24

el **uniforme** *uniform*, 4

la **universidad** *university*, 12

uno *one*, 1; uno de los más hermosos *one of the most beautiful*, 20

unos, −as *some, a few*, 8, 11

la **urbanización: la urbanización de viviendas** *housing development*, 23

urgentemente *urgently*, 16

usado, −a *used*, 15

usan *they wear*, 4

usando *using*, 2

usar *to use*, 2, 24; *to wear*, 3, 4; usan *they wear*, 4; uso *I am wearing*, 3

uso *I am wearing*, 3

usted *you (pol sing)*, 4

ustedes *you (pl)*, 3

la **uva** *grape*, 4

V

va *he/she goes, is going*, 5; va a estudiar *he's going to study*, 10; te va a gustar *you're going to like it,* 10

la **vaca** *cow,* 4

las **vacaciones** *vacation,* 12

vamos *we go,* 5; vamos a trabajar *we are going to work,* 10

van *they/you go, are going,* 5; van a ir *they're going to go,* 10

vaquero, −a: los pantalones vaqueros *chaps, leather britches,* 16

la **variedad** *variety,* 9; las variedades *variety show,* 24

varios, −as *varied, several,* 8, 14

vas *you go, are going,* 5

el **vaso** *drinking glass,* 7

ve *go (com),* 23

veces (pl. of **vez**) *times,* 12; a veces *sometimes,* 8; dos o tres veces *two or three times,* 12; otras veces *other times,* 8

la **vecindad** *neighborhood,* 17

la **vegetación** *vegetation,* 20, 23

el **vegetal** *vegetable,* 7

veía *(l) was seeing,* 22

veían *(they) were seeing,* 22

veinte *twenty,* 1; menos veinte *twenty to (the hour),* 5; veinticinco *twenty-five;* veinticuatro *twenty-four;* veintidós *twenty-two;* veintinueve *twenty-nine;* veintiocho *twenty-eight;* veintiséis *twenty-six;* veintisiete *twenty-seven;* veintitrés *twenty-three;* veintiuno *twenty-one,* 5

la **vela** *sailing (sport),* 9; *sail,* 21

la **velada** *night watch,* 15

el **velero** *sailboat,* 21

la **velocidad** *speed,* 22; a toda velocidad *at full speed,* 22

ven *come (com),* 23

el **venado** *deer,* 10

el **vendaje** *bandage,* 17

el **vendedor, −a** *sales clerk,* 10

vender *to sell,* 7

venir (ie) *to come,* 13; ven *come (com),* 23; venir a + inf *to come to + inf* 13; vente *come (com),* 10; vienen *(they) come,* 9

la **venta** *sale,* 14

la **ventaja** *advantage,* 15

la **ventana** *window,* 14

vente *come (com),* 10

veo *I see,* 17; te veo mañana *I'll see you tomorrow,* 17

ver *to see,* 7; hay tanto que ver *there's so much to see,* 10; te veo mañana *I'll see you tomorrow,* 17;

tienen que ver *(they) have to see,* 10; vas a ver *you are going to see,* 10; veía *(l) was seeing,* 22; veían *(they) were seeing,* 22; vi *I saw,* 21; vieron *(they) saw,* 21; vio *(he, she) saw,* 21; ¡ya verás! *you'll see!* 16

el **verano** *summer,* 9

veras: ¿de veras? *really?* 6

verás: ¡ya verás! *you'll see!* 16

el **verbo** *verb,* 5

la **verdad: es verdad** *that's true,* 4

verde *green,* 3

la **verdura** *green vegetable,* 7

vertical *vertical,* 24

el **verso** *verse,* 19

el **vestido** *dress,* 3

vestirse (i) *to get dressed, dress oneself,* 17; me visto *I get dressed, dress myself,* 17; se viste *(he) gets dressed, dresses (himself),* 17; te vistes *you (fam) get dressed, dress yourself,* 17

la **vez** (pl las **veces**) *time,* 12; cada vez *every time, each time,* 24; de vez en cuando *every now and then,* 17; otra vez *again,* 13; tal vez *perhaps,* 11; una vez más *once more,* 19

vi *I saw,* 21

viajar *to travel,* 15

el **viaje** *trip,* 11

la **vida** *life,* 23; así es la vida *that's life,* 9

viejo, −a *old,* 2, 8, 20, 23; la ropa vieja *shredded beef,* 14

vienen *(they) come,* 9

el **viento** *wind,* 9; hace viento *it's windy,* 9; los vientos alisios *trade winds,* 23

el **viernes** *Friday,* 5

vieron *(they) saw,* 21

vio *(he, she) saw,* 21

el **violín** *violin,* 8

virar *to turn upside down,* 10

la **Virgen María** *the Virgin Mary,* 19

el **virus** *virus,* 17

la **visita** *visit,* 11; *guests, company,* 12

visitar *to visit,* 11

la **vista** *sight,* 14; *view,* 23; a la vista *in sight,* 18

viste: se viste *(he) gets dressed, dresses (himself),* 17

vistes: te vistes *you (fam) get dressed, dress (yourself),* 17

visto: me visto *I get dressed, dress*

(myself), 17; por lo visto *it seems,* 18

las **viviendas: la urbanización de viviendas** *housing development,* 23

viven *(they) live,* 8

los **víveres** *food supplies,* 15

vivir *to live,* 8; viven *(they) live,* 8

el **vocabulario** *vocabulary,* 1

volador, −a: el látigo volador *whip (amusement ride),* 22

el **vólibol** *volleyball,* 9

el **volumen** *volume,* 24

volver (ue) *to return,* 14; vuelve *go back (com),* 20

voy *I go, am going,* 5; voy a dormir *I'm going to sleep,* 10

la **voz** (pl las **voces**) *voice,* 16

la **vuelta: de ida y vuelta** *round trip,* 11; dar una vuelta *to ride around, go for a ride,* 20

las **vueltas: dar vueltas** *to go around,* 22

vuelve *go back (com),* 20

W

el **"weekend"** *weekend,* 10

X

el **xilófono** *xylophone, marimba,* 4

Y

y *and,* 1; y cuarto *a quarter after (the hour),* 5; y diez *ten after (the hour),* 5

ya *already,* 11; ya eran las cuatro *it was already four o'clock,* 22; ya es tarde *it's late,* 5; ya vamos *we're coming,* 19; ¡ya verás! *you'll see!* 16

la **yarda** *yard,* 16

el **yate** *yacht,* 4, 23

yo *I,* 1; yo me llamo… *my name is…,* 1; yo soy *I am,* 1; yo tengo… años *I am…years old,* 1

el **yodo** *iodine,* 17

Z

la **zanahoria** *carrot,* 7

el **zapato** *shoe,* 3

la **zona** *zone,* 16, 20, 23; la zona postal *zip or postal code,* 12; la Zona Rosa *commercial section of Mexico City,* 16

el **zoológico** *zoo,* 10

la **zorra** *fox,* 4

English-Spanish Vocabulary

This vocabulary includes the active words in the 24 units of **Nuestros amigos.** These are the words listed in dark type at the end of each unit.

Spanish nouns are listed with definite articles, and irregular plural forms are noted. Nouns that refer to people and have a masculine and a feminine form are also noted. After each Spanish definition is a numeral that refers to the unit in which the word is first made active. Spanish idioms are listed under the English word or words that you are most likely to look up.

English words that may have different meanings in Spanish (e.g., game: *el juego, el partido*) are listed only once, followed by the various Spanish equivalents. To be sure of using a Spanish word correctly in context, you should refer to the unit in which it is introduced.

The following abbreviations are used in this list.

adj	*adjective*	dim	*diminutive*	m	*masculine*	prep	*preposition*
adv	*adverb*	f	*feminine*	obj	*object*	pron	*pronoun*
com	*command*	fam	*familiar*	pl	*plural*	ref	*reflexive*
conj	*conjunction*	lang	*language*	pol	*polite*	sing	*singular*

A

a *un, una,* 3
about *sobre,* 13
absent *ausente,* 5
absorbent *absorbente,* 24
according to *según,* 13
activity *la actividad,* 8
ad *el anuncio,* 24
addressee *el destinatario,* 12
to **adjust** *ajustar,* 24
to **admire** *admirar,* 18
admission (ticket) *la entrada,* 20
adults *los mayores,* 19
advantage *la ventaja,* 15
adventure *la aventura,* 15
affectionately *afectuosamente,* 12
after *después de,* 13
afternoon *la tarde,* 5; good afternoon *buenas tardes,* 6; in the afternoon *por la tarde,* 5
afterwards *después,* 5
again *otra vez,* 13
against *contra,* 9
age *la edad,* 22
ago *hace + time,* 23
ahead *adelante,* 22
air mail *el correo aéreo,* 12
airport *el aeropuerto,* 23
alcohol *el alcohol,* 17
all *todo, –a, –os, –as,* 15; all day long *todo el día,* 8
alley *el callejón,* 11
to **allow** *dejar,* 16
almost *casi,* 8
alone *solo, –a,* 18
along *a lo largo,* 23
already *ya,* 11
also *también,* 1
although *aunque,* 22
always *siempre,* 5
American *americano, –a,* 4

to **amuse oneself** *entretenerse (ie),* 19; *divertirse (ie),* 24
amusement *la diversión,* 22; amusement park *el parque de diversiones,* 22
amusing *entretenido, –a; divertido, –a,* 8
an *un, una,* 3
ancient *antiguo, –a,* 23
and *y,* 1
another *otro, –a,* 6
to **answer** *contestar,* 4; *responder,* 19
antacid *el antiácido,* 17
antenna *la antena,* 24
anxiously *ansiosamente,* 10
apartment *el apartamento,* 11
apple *la manzana,* 7; apple cider *la sidra,* 19
appreciated *apreciado, –a,* 12
approximately *aproximadamente,* 19
April *abril,* 12
aquatic *acuático, –a,* 20
armchair *la butaca,* 14
around: around here *por aquí,* 8
to **arrive** *llegar,* 5
arrow *la flecha,* 20
article *el artículo,* 18
artist *el artista, la artista,* 23
as...as *tan...como,* 23
as much/as many...as *tanto (–a, –os, –as)...como,* 23
to **ask** *preguntar,* 4; ask for *pedir (i),* 19
aspirin *la aspirina,* 17
at *a,* 5
attention *la atención,* 5
August *agosto,* 12
aunt *la tía,* 2
autumn *el otoño,* 9
avenue *la avenida,* 11
ax *el hacha(f),* 15

B

back (adv) *atrás,* 20
backpack *la mochila,* 15
backward *al revés,* 14
bad *mal, –o, –a,* 24; badly *mal,* 4
bag *la bolsa,* 18
balcony *el balcón,* 23
ball *la bola* (bowling); *el balón* (volley, soccer); *la pelota* (baseball, etc.), 9
balloon *el globo,* 22
banana *el plátano,* 23; banana chip *el platanutre,* 13
bandage *el vendaje,* 17
bandaid *la curita,* 17
barefoot *descalzo, –a,* 21
bargain *la ganga,* 16
to **bargain** *regatear,* 16
baseball *el béisbol,* 9
basket *la canasta,* 9
basketball *el básquetbol,* 9
bat *el bate,* 9
to **bathe** *bañarse,* 21
bathing suit *el traje de baño,* 15
bathroom *el baño,* 14
bay *la bahía,* 23
to **be** *ser,* 1; *estar* 5
beach *la playa,* 21
bear *el oso,* 10
beautiful *lindo, –a,* 11; *bello, –a,* 24
because *porque,* 6
bed *la cama,* 14; to go to bed *acostarse (ue),* 17
bedroom *el cuarto de dormir,* 14
before *antes,* 12
to **begin** *empezar (ie),* 12; *comenzar (ie),* 23; to begin to *empezar + a + inf,* 22
behind *detrás de,* 10
to **believe** *creer,* 8
bell *la campana,* 10

belt   el cinturón, 3
bench   la banca, 10
beside   al lado de, 10
besides   además, 3
better   mejor, 10
between   entre, 8
bicycle   la bicicleta, 8
big   grande, 21
bigger   mayor, 20
bill   la cuenta, 7
biology   la biología, 5
bird   el pájaro, 23
birthday   el cumpleaños, 13
bit: a (little) bit   un poco, 4
black   negro, −a, 3
blond   rubio, −a, 3
blouse   la blusa, 3
blow   el golpe, 19
blue   azul, 3
blueprint   el plano, 14
blurred   borroso, −a, 22
board   la tabla, 21
boat   el bote, 11; el barco, 21
body   el cuerpo, 17
book   el libro, 5
bookcase   el librero, 14
boot   la bota, 16
booth   la caseta, 22; el puesto, 23
boring   aburrido, −a, 4
botanical   botánico, −a 20
bottle   la botella, 10
bowling (game)   los bolos, 9; bowling alley   la bolera, 9
box office   la taquilla, 20
boy   el chico, l; el muchacho, 8
bread   el pan, 7
break   romper, 19
breakfast   el desayuno, 7
breeze   la brisa, 21
bridge   el puente, 20
briefcase   el portafolio, 5
briefly   brevemente, 19
bright   brillante, 21
brightness   la claridad, 24
to bring   traer, 13
brochure   el folleto, 15
brother   el hermano, 2
brown   pardo, −a, 3
to brush oneself   cepillarse, 17
building   el edificio, 23
bus   el autobús, 11
business   el negocio, 18
busy   ocupado, −a, 6; activo, −a, 23
but   pero, 3
butter   la mantequilla, 7
button   el botón, 24
buy   comprar, 7

C

cable railway   el teleférico, 10
cactus   el cacto, 10
cage   la jaula, 10
cake   el bizcocho, 13; la torta, 22
to call   llamar, 6
camera   la cámara, 24

to camp out   acampar, 15
camper   el campista, la campista, 15
camping: camping site   el campamento, 15; camping tent   la tienda de campaña, 15
can, to be able   poder (ue), 13
canary   el canario, 22
to cancel   cancelar, 15
candy   los dulces, 7; el caramelo, 22
canteen   la cantimplora, 15
canvas   la lona, 14
cap   la gorra, 3
capital (city)   la capital, 2
car   el carro, 2; el coche, 11; la máquina, 14
card   la tarjeta, 16
cards (playing)   las cartas, 8
careful!   ¡cuidado!, 9; carefully con cuidado, 14
cargo   la carga, 23
Caribbean   el Caribe, 8
carrot   la zanahoria, 7
carrousel   el carrusel, 22
to carry   llevar, 15
castle   el castillo, 21
cattle   el ganado, 23
cave   la cueva, 10
ceiling   el techo, 14
celebration   la celebración, 19
cent   el centavo, 20
centigrade   centígrado, 17
centimeter   el centímetro, 16
century   el siglo, 23
chair   la silla, 14; dining-room chair la silla de comedor, 7; rocking chair la mecedora, 14
chalk   la tiza, 5
change (money)   el cambio, 20
to change   cambiar, 9
channel   el canal, 24
charge: to take charge of   encargarse de, 19
chat   la charla, 6
to chat   conversar, 5; charlar, 13
cheap   barato, −a, 16
cheat!   ¡trampa!, 9
checkers   las damas, 8
cheese   el queso, 7; cheese doodle el pepito, 13
chemistry   la química, 4
chess   el ajedrez, 8
chest   el pecho, 17
children   los hijos, 2
chocolate   el chocolate, 7
Christmas   la Navidad, 12; Christmas card   la tarjeta de Navidad, 19; Christmas Eve   la Nochebuena, 19; Christmas festivity   las pastorelas, 12; la posada, 19; Christmas gift   el aguinaldo, 19
city   la ciudad, 2
class   la clase, 4
clean   limpio, −a, 10
to clean   limpiar, 24
closer   más cerca, 15
clothes   la ropa, 17
cloudy   nublado, −a, 15

clown   el payaso, −a, 22
club   el club, 14
coast   la costa, 23
coat   el abrigo, 3
coconut   el coco, 23
codfish fritter   el bacalaíto, 13
cold   frío, −a, 19; el frío, 12; to be cold   tener frío, 17
to collect   coleccionar, 8
to comb   peinar, 24; to comb one's hair   peinarse, 24
combination   la combinación, 9
to come   venir (ie), 13; to come to venir + a + inf, 13
comfortable   cómodo, −a, 21
to compare   comparar, 14
compass   la brújula, 15
competition   la competencia, 9
composition   la composición, 3
comprehension   la comprensión, 1
conservation   la conservación, 24
to consult   consultar, 24
contagious   contagioso, −a, 17
contrary: on the contrary   al contrario, 9
control   el control, 24
conversation   la conversación, 6
cookie   la galletita, 19
to cost   costar (ue), 14
cotton   el algodón, 17; cotton candy el algodón de azúcar, 22
couch   el sofá, 14
country   el país, 1
countryside   el campo, 23; country house   la casa de campo, 15
courtyard   el patio, 4
cousin   el primo, −a, 2
to cover   cubrir, 14
covered   cubierto, −a, 23
cowardly   miedoso, −a, 22
cowboy (Mexican)   el charro, 22
to crash   chocar, 21
crazy   loco, −a, 24
cream   la crema, 24
credit card   la tarjeta de crédito, 16
to cross   atravesar (ie), 15; (the street) cruzar, 20
crosswalk   el cruce de peatones, 20
cruller   el churro, 11
to cry   llorar, 6
Cuban   cubano, −a, 14
cup   la taza, 7
curtain   la cortina, 14
custard (baked)   el flan, 7
customer   el cliente, la cliente, 18
to cut   cortar, 13
cute   gracioso, −a, 24
current   actual, 24

D

dance   el baile, 6
to dance   bailar, 6
dangerous   peligroso, −a, 18
dark   moreno, −a, 18
date   la fecha, 12

daughter la hija, 16
day el día, 8; all day long todo el día, 8; the day before yesterday anteayer, 12; the next day al otro día, 10
dear querido, –a, 12
December diciembre, 12
to **decide** decidir, 8
decided decidido, –a, 20
decision la decisión, 9
to **decorate** decorar, 19
decorated decorado, –a, 23
decoration la decoración, 19
deer el venado, 10
defeat la derrota, 8
defense la defensa, 9
degree el grado, 17
delicious delicioso, –a, 7
delightful sabroso, –a, 21
to **describe** describir, 21
desk (pupil's) el pupitre, 5
dessert el postre, 7
dial el selector, 24
to **dial** marcar, 6
diary el diario, 11
to **die** morir (ue), 17; morirse (ue), 24
different diferente, 8
difficult difícil, 4
dinner la cena, 7
direction la dirección, 20
directions las instrucciones, 20
to **discover** descubrir, 8
to **discuss** discutir, 15
discussion la discusión, 15
dish el plato, 7
to **dive** tirarse, lanzarse, 21
to **divide** dividir, 8
to **do** hacer, 9
doctor el médico, –a; el doctor, –a, 17
documentary el documental, 24
dog el perro, 2
dollar el dólar, 10
dominoes el dominó, 8
door la puerta, 11
to **doubt** dudar, 19
drawing el dibujo, 5
dress el vestido, 3; to get dressed vestirse (i), 17
dresser la cómoda, 14
to **drink** beber, 7
drinking glass el vaso, 7
to **drive** manejar, 18
to **drown** ahogarse, 21
drugstore la farmacia, 17
dry seco, –a, 15
during durante, 8

E

each cada, 9
ear (inner) el oído, 17
early temprano, 5
easy fácil, 4; easily fácilmente, 19
to **eat** comer, 7; to eat breakfast desayunarse, 17

edge el borde, 23
egg el huevo, 7
eight ocho, l; at eight o'clock a las ocho, 5
eighteen dieciocho, 1
elegant elegante, 22
elephant el elefante, 10; elephant's trunk la trompa, 10
eleven once, 1
to **end** terminar, 5
energy la energía, 24
English (lang) el inglés, 4
to **enjoy** disfrutar, 11
enough bastante, 13; suficiente, 16
to **enter** entrar, 7
entrance la entrada, 23; entrance hallway el pasillo de entrada, 14
envelope el sobre, 12
to **establish** fundar, 23
even aún, 11
every: every now and then de vez en cuando, 24; every time cada vez, 24
everyone todo el mundo, 8
everything todo, 13
everywhere por todas partes, 21
exciting animado, –a, 9
excuse me perdón, 4
exercise el ejercicio, 10
expense el gasto, 20
expensive caro, –a, 16

F

face la cara, 22
factory la fábrica, 23
to **fall** caer, 9; to fall apart romperse, 24
family la familia, 2
famous famoso, –a, 23
far lejos, 10
farewell la despedida, 6
farm la finca, 23
fast rápido, 20
fat gordo, –a, 16
father el papá, 2; el padre, 6
favorite favorito, –a, 5
fear el miedo, 22
February febrero, 12
to **feel** sentir(se) (ie), 17
fever la fiebre, 17
few pocos, – as, 23
fifteen quince, 1
fifth quinto, –a, 18
fifty cincuenta, 5
to **fill** llenar, 19
fin la aleta, 21
finally al fin, 14; finalmente, 22
to **finish** acabar, 8
firecracker el cohete, 19
firewood la leña, 15
first primer, primero, –a, 18
fish el pescado, 7
fisherman el pescador, –a, 18
five cinco, 1
flashlight la linterna, 15

to **float** flotar, 21
floor el piso, 14
flower la flor, 20
to **follow** seguir (i), 19
food la comida, 7; food supplies los víveres, 15
fool el tonto, –a, 13
foot el pie, 17; on foot a pie, 11
for para, 4; for example por ejemplo, 8
forest el bosque, 15
to **forget** olvidar, 13
fork el tenedor, 7
form la forma, 2
fortress el fuerte, 23
forty cuarenta, 5
foul! ¡faul!, 9
four cuatro, 1
fourteen catorce, 1
fourth cuarto, –a, 18
free libre, 8; for free de gratis, 14
French (lang) el francés, 5
fried frito, –a, 23; french-fried potatoes las papas fritas, 7
friend el amigo, –a, 1
from de, 1; desde, 8
fruit la fruta, 7
full lleno, –a, 9
fun: to have fun gozar, 24
funny cómico, –a, 24
furniture el mueble, 14

G

gallon el galón, 19
game el juego, 8; el partido, 9
garden el jardín, 13
general general, 21
geography la geografía, 5
to **get: to get off** bajarse, 22; to get oneself into meterse, 21; to get together reunirse, 18; to get up levantarse, 17
get-together la tertulia, 18
ghost el fantasma, 22
gift el regalo, 13; to give (a gift) regalar, 18
giraffe la jirafa, 10
girl la chica, 1; la muchacha, 8
to **give** dar, 14
glove el guante, 9
to **glue** pegar, 14
to **go** ir, 5; to go around dar vueltas, 22; to go away (leave) irse, 17; to go down bajar, 8; to go for a ride dar una vuelta, 20; to go through recorrer, 8; to go up subir, 8
goat el chivo, 22
good buen, bueno, –a, 9; good evening buenas noches, 6; good-looking guapo, – a, 3; good morning buenos días, 4
good-bye adiós, 5; chao, 6
to **grab** agarrar, 9
gram el gramo (g.), 19
grandfather el abuelo, 2

grandmother   la abuela, 2
grandparents   los abuelos, 2
grapefruit   la toronja, 7
grass   la hierba, 10
great   gran, 21; grandes, 21
green   verde, 3
to **greet**   saludar, 6
greeting   el saludo, 6
grocery store   la bodega, 10
group   el grupo, 9, 13
to **guarantee**   garantizar, 24
guava   la guayaba, 23
guest   el invitado, −a, 13
guitar   la guitarra, 11
gym (class)   la educación física, 5
gymnasium   el gimnasio, 9

H

hair   el pelo, 3; el cabello, 24
half   medio, −a, 19
hallway   el pasillo, 14
ham   el jamón, 7
hamburger   la hamburguesa, 7
hamster   el hámster, 10
to **hand out**   repartir, 19
handicrafts   la artesanía, 23
handkerchief   el pañuelo, 16
happiness   la alegría, 19
happy   feliz (pl felices), 10; alegre, 16; contento, −a, 22; happily alegremente, 10
hardly   difícilmente, 19
hardware store   la ferretería, 14
to **have**   tener (ie), 2; to have just acabar + de + inf, 14
he   él, 1
head   la cabeza, 17
headache   el dolor de cabeza, 17
to **hear**   oír, 17
heart   el corazón, 22
heat   el calor, 17
heavy   pesado, −a, 15
height   la altura, 23
hello?   ¿aló?, ¿bueno?, ¿diga?, 6
help   la ayuda, 14
to **help**   ayudar, 12
her   su(s), 4
here   aquí, 4
hey!   ¡oye! 2
hi!   ¡hola! 4
highway   la autopista, la carretera, 20
hike   la caminata, 15; to go hiking hacer caminatas, 9
hill   la cuesta, 8; la colina, 15
him   él (prep obj), 16
himself   se, 17
his   su(s), 4
Hispanic   hispano, −a, 23
history   la historia, 4
to **hold**   aguantar, 21
home   la casa, 14; at home en casa, 14; (toward) home a casa, 14
homework   la tarea, 5
horizontal   horizontal, 24

horoscope   el horóscopo, 22
horse   el caballo, 8
hot   caliente, 21; hot dog   el perro caliente, 7
hotel   el hotel, 23
hour   la hora, 8
house   la casa, 1, 2
how...!   ¡qué...! 5
how?   ¿cómo? 4; how are you? ¿qué tal? 4; how many?   cuántos, −as? 2, 5; how much?   ¿cuánto? 10
hunger   el hambre (f) 15
hungry: to be hungry   tener hambre, 15
to **hurt**   doler (ue), 17

I

I   yo, 1
ice   el hielo, 9
ice cream   el helado, 7
ice-skate   el patín de hielo, 9
to **ice-skate**   patinar en hielo, 9
idea   la idea, 10
ideal   ideal, 9
if   si, 4
ill   enfermo, −a, 5
illness   la enfermedad, 17
immediately   inmediatamente, 19
impatient   impaciente, 18
important   importante, 15
impossible   imposible, 16
in   en, 4; in front of   delante de, 10
inch   la pulgada, 16
industry   la industria, 23
inn   la posada, 19
inside   dentro de, 10; adentro, 19
intelligent   inteligente, 3
interesting   interesante, 4
to **interrupt**   interrumpir, 18
interruption   interrupción, 12
to **introduce**   presentar, 13
invitation   la invitación, 11
to **invite**   invitar, 13; to invite to + inf invitar + a + inf, 13
iodine   el yodo, 17
island   la isla, 23
it   lo (m), 16

J

jacket   la chaqueta, 3
January   enero, 12
Japanese   japonés, −a, 20
jigsaw puzzle   el rompecabezas, 8
job   el empleo, 18
joke   el chiste, 15; la broma, 21
to **joke**   bromear, 21
juice   el jugo, 7
July   julio, 12
to **jump**   brincar, 10; to jump from saltar de, 22
June   junio, 12

K

to **keep**   guardar, 11
ketchup   el catchup, 7

kettle   la olla, 15
kid   el niño, −a, 19
kilogram   el kilo (Kg.), 19
kilometer   el kilómetro, 15
kitchen   la cocina, 14
knife   el cuchillo, 7
to **know**   conocer (person, place), 13; saber (a fact), 16

L

laboratory   el laboratorio, 5
lake   el lago, 22
lamp   la lamparita (dim), 14
landscape   el paisaje, 23
lane   el carril, 20
language   la lengua, 5
last   último, −a, 16
late   tarde, 5
later   luego, 11
to **laugh**   reír, 22
leaf (tree)   la hoja, 9
to **learn**   aprender, 13; to learn to + inf aprender + a + inf, 13
to **leave**   salir, 19
left   la izquierda, 14; to the left a la izquierda, 14
lemonade   la limonada, 7
to **lend**   prestar, 14
to **let**   permitir, 20
letter   la carta, 11
lettuce   la lechuga, 7
life   la vida, 23
to **lift**   levantar, 21
light   la luz (pl las luces), 20
to **light** (a fire)   encender (ie), 15
like   como, 9
to **like**   gustar, 7
line   la línea, 6; la raya, 10
lion   el león, 10
to **listen**   oír, 17
liter   el litro, 19
little by little   poco a poco, 9
to **live**   vivir, 8
to **liven up**   animar, 11
living room   la sala, 14
llama   la llama, 10
lobster   la langosta, 23
long   largo, −a, 3; de largo, 23
to **look: to look after**   atender (ie), 18; to look at   mirar, 5; to look for buscar, 6
to **lose**   perder (ie), 18
loud   alto, −a, 24
love   el cariño, 10; with love cariñosamente, 12
luck   la suerte, 5
lunch   el almuerzo, 7
to **lunch**   almorzar (ue), 11
luxurious   lujoso, −a, 23

M

mad   enojado, −a, 22
to **make**   hacer, 9

malt la leche malteada, 7
man el señor, 2
manual el manual, 18
many mucho, −a, −os, −as, 2
map el mapa, 15
marble la canica, 8
March marzo, 12
mark (grade) la calificación, 18
to **mark down** (the price) rebajar, 16
marketplace el mercado, 19
marvel la maravilla, 24
marvelous maravilloso, −a, 22
mask la careta, 21
match el fósforo, 15
mathematics las matemáticas, 4
mattress el colchón, 21; air mattress el colchón de aire, 21
May mayo, 12
me me (obj pron), 16
meanwhile mientras, 6
to **measure** medir (i), 16
medicine la medicina, 17
medium mediano, −a, 16
to **meet** encontrarse (ue) con, 17; reunirse, 18
melon el melón, 7
merchandise la mercancía, 23
merchant el (la) comerciante, 23
meter el metro, 16
Mexico México, 1
Mexican mexicano, −a, 4
midnight la medianoche, 11
mile la milla, 15, 23
milk la leche, 7
milkshake el batido, 7
minor (child) el menor, la menor, 18
minute el minuto, 18
Miss la señorita, 4; Srta. (abbreviation), 12
missing: to be missing faltar, 19
mister el señor (Sr.), 4
modern moderno, −a, 4
mom la mami, 13
moment el momento, 6
Monday el lunes, 5
money el dinero, 10
monkey el mono, 10
Monopoly (game) el monopolio, 8
month el mes, 11
more más, 3; more...than más...que, 15
morning la mañana, 5; in the morning por la mañana, 5
mother la mamá, 2; madre, 6
motorcycle la moto, 11
mountain la montaña, 9
mouse el ratoncito (dim) 10
to **move** mover (ue), 24; (to a house) mudarse, 23
movie la película, 24
Mrs. la señora, 6; Sra. (abbreviation), 16
museum el museo, 8
music la música, 5
musician el músico, 22
mustard la mostaza, 7

my mi(s), 4

N

name el nombre, 4; name (Saint's) day el santo, 22; to be named llamarse, 1
napkin la servilleta, 7
nature la naturaleza, 24
near cerca, 10; cerca de, 23; cercano, −a, 23
neck el cuello, 10
to **need** necesitar, 6
neighborhood el barrio, 10; la vecindad, 17
neither tampoco, 3
net la red, 9
never nunca, 4
new nuevo, −a, 4
New York Nueva York, 3
newscast el noticiario, 24
newspaper el periódico, 14
nice simpático, −a, 3; how nice! ¡qué bien! 6; it's nice out hace buen tiempo, 9
night la noche, 11; at night por la noche, 11, de noche, 12; last night anoche, 11; night table la mesita de noche, 14
nine nueve, 1
nineteen diecinueve, 1
ninety noventa, 5
no no, not, 1
nobody nadie, 8
noise el ruido, 19
noon el mediodía, 11
normal normal, 17
north el norte, 20; northeast el noreste, 20; northwest el noroeste, 20; North American norteamericano, −a, 24
to **note** anotar, 11
notebook el cuaderno, 5
nothing nada, 7
November noviembre, 12
now ahora, 4
number el número, 1
numerous numeroso, −a, 20
nut la nuez (pl las nueces), 19

O

October octubre, 11, 12
of de 1; of course seguro (que), 4; claro, 14; por supuesto, 18; of the (contraction) del, 9
to **offer** ofrecer, 23
often a menudo. 8
old viejo, −a, 23
older mayor, 7
on en, 5; arriba de, 10; on top of sobre, 5
one un, uno, una, 1, 2
one hundred cien, ciento, 5
only solamente, 2

to **open** abrir, 13
opponent el adversario, −a, 9
opposition la oposición, 9
or o, 3
orange (fruit) la naranja, 7, la china (Puerto Rico), 13; (color) anaranjado, −a, 14
order: in order en orden, 14
ostrich el avestruz, 10
other otro, −a, 6
others los demás, 22
ought to deber, 7
ounce la onza, 19
our nuestro, −a, −os, −as (poss adj), 8
ourselves nos (ref obj pron), 17
out of fuera de, 10
outside afuera, 18

P

paddle la paleta, 21
pain el dolor, 17
paint la pintura, 14; paintbrush la brocha, 14; paint roller el rodillo, 14
to **paint** pintar, 14
painter el pintor, −a, 11
pajamas los pijamas, 17
pal el compañero, −a, 3
pale pálido, −a, 17
palm (tree) la palmera, 21
pants los pantalones, 3
paper el papel, 13
parade la procesión, 19
parents los papás, 2; los padres, 7
park el parque, 11
part la parte, 9
particularly en particular, 18
party la fiesta, 11
to **pass** pasar, 5
pastime el pasatiempo, 8
pastry el pastel, 7
to **pay** pagar, 7
peaceful tranquilo, −a, 13
peanut el cacahuate, 19
pedestrian el peatón, 20
pelican el pelícano, 10
pen la pluma, 5
pencil el lápiz (pl los lápices), 5
people la gente, 11; young people los (las) jóvenes, 19
pepper (black) la pimienta, 7
perfect perfecto, −a, 9; perfectly perfectamente, 19
perhaps quizá, 4; tal vez, 11; a lo mejor, 17
permission el permiso, 13
phone call la llamada, 6
photograph la foto, 12
picnic el picnic, 23
picture el retrato, 14
piece el pedazo, 13
pill la pastilla, la píldora, 7
pineapple la piña, 23
ping-pong el ping-pong, 9

to **pitch tents** *montar las tiendas*, 15
place *el lugar*, 8; *el sitio*, 23
to **place** *colocar*, 14
plain (field) *la llanura*, 15
plan *el plan*, 6
plant *la planta*, 9
plastic *el plástico*, 13
to **play** *jugar (ue)* (game), 8; *tocar* (song, instrument), 22
pleasant *agradable*, 23
please *por favor*, 5
pleasing: to be pleasing to *gustar*, 7
pleasure *el gusto, el placer*, 13
police officer *el policía*, 20
popcorn *la palomita*, 13
port *el puerto*, 23
pound *la libra*, 19
to **practice** *practicar*, 9
to **prefer** *preferir (ie)*, 17
preparation *la preparación*, 19
to **prepare** *preparar*, 5
to **prescribe** *recetar*, 17
present *presente*, 5
pretty *bonito, –a*, 3
price *el precio*, 16
private *privado, –a*, 15
problem *el problema*, 16
professional *el profesional, la profesional*, 23
program *el programa*, 24
promise *la promesa*, 13
to **promise** *prometer*, 13
protection *la protección*, 24
Puerto Rican *puertorriqueño, –a*, 3
pulled *tirado, –a*, 22
purchase *la compra*, 14
purple *morado, –a*, 3
purse *la cartera*, 16
to **push** *empujar*, 19
to **put** *poner*, 7; **to put on** *ponerse*, 17

Q

quality *la calidad*, 24
question *la pregunta*, 4

R

racquet *la raqueta*, 9
radio *el radio*, 14
rain *la lluvia*, 19
to **rain** *llover (ue)*, 9
to **read** *leer*, 8
ready *listo, –a*, 9
really? *¿de veras?* 6
to **receive** *recibir*, 13
receiver *el receptor*, 6
recess *el recreo*, 5
recipe *la receta*, 13
record *el disco*, 8; **to play a record** *poner un disco*, 8
red *rojo, –a*, 3
referee *el árbitro*, 9
to **refresh** *refrescar*, 21
refreshments *los refrescos*, 19

regards *recuerdos*, 12
regatta *la regata*, 21
to **remember** *acordarse (ue)*, 18
to **rent** *alquilar*, 11
to **rest** *descansar*, 10
restaurant *el restaurante*, 7
to **return** *volver (ue)*, 14
rice *el arroz*, 7
ride *el paseo*, 20; **ride** (in the amusement park) *el aparato*, 22
to **ride** *montar*, 8; **to go for a ride** *montar*, 20; **to ride horseback** *montar a caballo*, 8
rider *el ciclista, la ciclista*, 20
right *la derecha*, 20; **right away** *enseguida*, 18; **to be right** *tener razón*, 7; **to the right** *a la derecha*, 20
to **ring** *sonar (ue)*, 6
river *el río*, 15
road *el camino*, 23
roll (class list) *la lista*, 5, 13
room *el cuarto*, 6; *la habitación*, 14
rope *la cuerda*, 15
round *redondo, –a*, 14; **round-trip** *de ida y vuelta*, 11
rug *la alfombra*, 14
ruler *la regla*, 5
to **run** *correr*, 9
rural *rural*, 23

S

sad *triste*, 22
sail *la vela*, 21
to **sail** *navegar*, 21
sailboat *el velero*, 21
salad *la ensalada*, 7
sale *la venta*, 14; **sales clerk** *el vendedor, –a*, 10
salt *la sal*, 7
same *mismo, –a*, 9
sand *la arena*, 21; **sand castle** *el castillo de arena*, 21
sandal *la sandalia*, 21
sandwich *el sandwich*, 7; *el bocadillo*, 11
Saturday *el sábado*, 5
saucer *el platillo*, 7
to **say good-bye** *despedirse (i)*, 19
scared: to be scared *tener miedo*, 22
schedule *el horario*, 5
school *el colegio, la escuela*, 4
scream *el grito*, 19
screen *la pantalla*, 24
sea *el mar*, 21
seated *sentado, –a*, 17
second *segundo, –a*, 18
to **see** *ver*, 7; **see you later** *hasta luego*, 5; **see you soon** *hasta pronto*, 6
to **seem: it seems** *por lo visto*, 18
to **sell** *vender*, 7
to **send** *mandar*, 12
sender *el remitente, la remitente*, 12
September *septiembre*, 12

series *la serie*, 24
serious *serio, –a*, 17
seven *siete*, 1
seventeen *diecisiete*, 1
seventy *setenta*, 5
several *varios, –as*, 18
shade *la sombra*, 21
shampoo *el champú*, 24
sharp (on the dot) *en punto*, 5
she *ella*, 1
shelter: to give shelter *dar posada*, 19
shirt *la camisa*, 3; **T-shirt** *la camiseta*, 16
shoe *el zapato*, 3
to **shoot** *tirar*, 9
shop: to go shopping *ir de compras*, 16
shore *la orilla*, 21
short *corto, –a* (length), 3; *bajo, –a* (height)
shoulder *el hombro*, 16
to **shout** *gritar*, 9
shovel *la pala*, 15
showy *llamativo, –a*, 18
sick: to get sick *enfermarse*, 17
side *el lado*, 9
sidewalk *la acera*, 20
sight *vista*, 18; **in sight** *a la vista*, 18
sign *la señal*, 20
silver *la plata*, 18
to **sing** *cantar*, 11
to **sink** *hundirse*, 21
sister *la hermana*, 2
six *seis*, 1
sixteen *dieciséis*, 1
sixty *sesenta*, 5
size *la medida, la talla*, 16
to **skate** *patinar*, 8
skin *la piel*, 24
to **skin-dive** *bucear*, 21
skirt *la falda*, 3
to **sleep** *dormir (ue)*, 10; **sleeping bag** *el saco de dormir*, 15
slowly *lentamente*, 19
small *pequeño, –a*, 4
smell *el olor*, 23
snack *la tapa*, 11; *la merienda*, 22
snake *la serpiente*, 10
snow *la nieve*, 9
so *tan*, 22; **so much, so many** *tanto, –a, –os, –as*, 11; **so-so** *regular*, 4
soap opera *la novela*, 24
soccer *el fútbol*, 9
sock *el calcetín*, 3
soft *suave*, 24; **soft drink** *el refresco*, 13
soil *la tierra*, 20
some *algún, alguno, –a, –os, –as*, 4; *unos, –as*, 8
something *algo*, 7
sometimes *a veces*, 8
somewhere else *en otro lugar*, 16
son *el hijo*, 17
song *la canción*, 11

soon *pronto*, 6
sound *el sonido*, 24
soup *la sopa*, 7
south *el sur*, 20; **southeast** *el sureste*, 20; **southwest** *el suroeste*, 20
Spanish America *Hispanoamérica*, 8
to **speak** *hablar*, 4
speed *la velocidad*, 22; **at full speed** *a toda velocidad*, 22
spirit *el ánimo*, 9
splendid *magnífico*, –a, 22
spoon *la cuchara*, 7
sports *el deporte*, 5
spring *la primavera*, 9
squirrel *la ardilla*, 10
to **stand in line** *hacer cola*, 22
step *el paso*, 24
still *todavía*, 6; *aún*, 23
stingy *tacaño*, –a, 14
stomach *el estómago*, 17; **stomachache** *el dolor de estómago*, 17
stone *la piedra*, 10
to **stop** *parar*, 20
store *la tienda*, 16
straight (ahead) *derecho*, 20
to **straighten up** *poner en orden*, 14
strawberry *la fresa*, 7
stream *el arroyo*, 23
street *la calle*, 11; (block) *la cuadra*, 20
to **stroll** *pasear*, 11
strong *fuerte*, 3
student *alumno*, –a, 4
subject *la materia*, 5
subway *el metro*, 11
suddenly *de pronto*, 13
sugar *el azúcar* , 7
suit *el traje*, 21
suitcase *la maleta*, 11
summer *el verano*, 9
sun *el sol*, 22
Sunday *el domingo*, 7
sunglasses *los espejuelos de sol*, 21
supermarket *el supermercado*, 13
to **surf** *esquiar en tabla*, 9; *surfear*, 21
surfer *el surfeador*, –a, 21
surprised *sorprendido*, –a, 22
sweater *el suéter*, 3
to **swim** *nadar*, 9
swimming pool *la piscina*, 14
symptom *el síntoma*, 17
syrup *el jarabe*, 17

T

table *la mesa*, 7
to **take** *tomar*, 6
tall *alto*, –a,
taxi *el taxi*, 11
to **teach** *enseñar*, 13; **to teach to + inf** *enseñar + a + inf* 13
teacher *el maestro*, –a, 4
team *el equipo*, 9
teaspoon *la cucharita*, 7

telephone *el teléfono*, 6; **on the telephone** *por teléfono*, 6
televised *televisado*, –a, 24
television *la televisión*, 8; *el televisor*, *la tele*, 24; **black and white television** *el televisor en blanco y negro*, 24; **color television** *el televisor en colores*, 24; **television schedule** *la teleguía*, 24
to **tell** (about) *contar (ue)*, 12
temperature *la temperatura*, 9
ten *diez*, 1
tennis *el tenis*, 9
tent *la tienda de campaña* 15
terrace *la terraza*, 14
than *que*, 20
thank you *gracias*, 4
that *que*, 7
the *el*, *la*, 1; *los*, *las*, 2
theater *el teatro*, 11
their *su(s)*, 7
them *las* (fem pl obj pron), *los* (masc pl obj pron), 16
themselves *se* (refl obj pron), 17
then *entonces*, 4
there (location) *ahí*, *allí*, 10; *allá*, 12
there: there is, there are *hay*, 10; **there's everything** *hay de todo*, 10; **there were** *había*, 22
they *ellas* (f), 3
they *ellos*, 2
thin *delgado*, –a, 3
thing *la cosa*, 7
to **think** *pensar (ie)*, 13
third *tercer*, –o, –a, –os, –as, 18
thirsty: to be thirsty *tener sed*, 7
thirteen *trece*, 1
thirty *treinta*, 5
thousand *mil*, 11
three *tres*, 1
throat *la garganta*, 17
through *por*, 5; **through there** *por allá*, 8
thus *así*, 10
ticket *el boleto*, 20; **ticket seller** *el taquillero*, –a, 20; **train ticket** *el billete de tren*, 11
tie *la corbata*, 3
tiger *el tigre*, 10
time *la hora* (hour), 5; *el tiempo*, 8; *la vez*, 12; **free time** *ratos libres*, 8
tip *la propina*, 7
tired *cansado*, –a, 6; **to get tired** *cansarse*, 17
to *a*, 1; **to the** (contraction) *al*, 5
toboggan *el tobogán*, 9
today *hoy*, 5
tomato *el tomate*, 7
tomorrow *mañana*, 6
tonight *esta noche*, 13
too (much) *demasiado*, 16
tooth *el diente*, 17
tourist *el turista*, *la turista*, 21; *turístico*, –a (adj), 23
toward *hacia*, 14
towel *la toalla*, 21

tower *la torre*, 23
town *el pueblo*, 23
traffic *el tráfico*, 20; **traffic circle** *la glorieta*, 20; **traffic light** *el semáforo*, 20
train *el tren*, 10
to **travel** *viajar*, 15
tray *la bandeja*, 18
tree *el árbol*, 9
trick *el truco*, 22
trip *el viaje*, 11
triumph *el triunfo*, 8
true *cierto*, 19
truth *la verdad*, 4
turn *el turno*, 19
turn: to make a turn *doblar*, 20; **to turn off** *apagar*, 24
turtle *la tortuga*, 10
twelve *doce*, 1
twenty *veinte*, 1
two *dos*, 1; **two-way** *de dos sentidos*, 20

U

ugly *feo*, –a, 3
unbearable *insoportable*, 17
uncle *el tío*, 2
under *debajo de*, 10
underwater *submarino*, 21
uniform *el uniforme*, 4
United States of America *Estados Unidos (EE. UU.)*, 1
university *la universidad*, 12
until *hasta*, 9
urgently *urgentemente*, 16
us *nos* (obj pron), 16
to **use** *usar*, 24
usually *de costumbre*, 18

V

vacation *las vacaciones*, 12
variety *la variedad*, 9; **variety show** *las variedades*, 24
vase *el jarrón*, 18
vegetable *el vegetal*, *la verdura*, 7
vegetation *la vegetación*, 23
very *muy*, 3
visit *la visita*, 11
to **visit** *visitar*, 11
volleyball *el vólibol*, 9
volume *el volumen*, 24

W

waist *la cintura*, 16
to **wake up** *despertarse (ie)*, 17
to **walk** *andar*, 6; *caminar*, 10
wall *la pared*, 14
to **want** *querer (ie)*, 7
to **warn** *avisar*, 18
washed: to get washed *lavarse*, 17
watch *el reloj*, 5
water *el agua* (f), 7

waterfall *la cascada,* 23
watermelon *la sandía,* 7
wave *la ola,* 21
way *el modo,* 8; *la manera,* 20
we *nosotros, −as,* 3
to wear *usar,* 4
weather *el tiempo,* 9; the weather
is bad *hace mal tiempo,* 9
week *la semana,* 5; last week *la
semana pasada,* 11
weekend *el fin de semana,* 10
well *bien,* 4; *pues,* 21
west *el oeste,* 20
what? *¿qué?* 1; *¿cómo?* 4; what
time? *¿a qué hora?* 5
when *cuando,* 5; whenever *siempre que,* 9
when? *¿cuándo?* 6
where *donde,* 7
where? *¿dónde?* 1; to where?
¿adónde? 5
which *que,* 7
which? *¿cuál?* 5; which ones?
¿cuáles? 6
while (conj) *mientras (que),* 8
while (short period of time) *el rato,*
8; in a little while *al poco rato,* 18
whip (ride) *el látigo,* 22
white *blanco, −a,* 3

who *que,* 8
who? *¿quién?, ¿quiénes?* 2
whole *entero, −a,* 12
why? *¿por qué?* 6; why not!
¡cómo no! 13
wide *ancho, −a,* 23; *de ancho,* 23
to win *ganar,* 8
wind *el viento,* 9; *el fresco,* 23; it's
windy *hace viento,* 9
window *la ventana,* 14
winter *el invierno,* 9
with *con,* 3; with me *conmigo,* 7;
with you (fam) *contigo,* 7
without *sin,* 7
wolf *el lobo,* 10
woman *la señora,* 2; *la mujer,* 18
to work *trabajar,* 10
world *el mundo,* 23; World Series
la serie mundial, 24
worried *preocupado, −a,* 22
worse *peor,* 20
wound *la herida,* 17

Y

yacht *el yate,* 23
yard *la yarda,* 16

year *el año,* 24; last year *el año
pasado,* 24; yearly *anual,* 23
yelling *la gritería,* 22
yellow *amarillo, −a,* 3
yes *sí,* 1
yesterday *ayer,* 11
yield right-of-way *cede el paso,* 20
you (fam) *tú* (subj pron), 1; (pol)
usted, Ud. (sing), *ustedes, Uds.* (pl), 4
you (fam) *te* (obj pron), 16
young *joven* (pl *jóvenes*), 4
younger *menor,* 20
your(s) (fam) *tu(s),* 4, 5; *tuyo, −a,
−os, −as,* 15
yourself (fam) *te* (refl obj pron), 17;
(pol) *se,* 17

Z

zebra *la cebra,* 10
zero *cero,* 1
zip (postal) code *la zona postal,* 12
zone *la zona,* 23
zoo *el zoológico,* 10

Grammatical Index

Abbreviations

adj	*adjective*		obj	*object*
art	*article*		part	*participle*
def	*definite*		prep	*preposition*
dir	*direct*		pres	*present*
f	*and following page*		pron	*pronoun*
indir	*indirect*		prog	*progressive*
inf	*infinitive*		sing	*singular*
masc	*masculine*			

a: when asking or telling time, 47f; contraction with def art, 53; with prepositional obj for clarity or emphasis, 67, 78, 91f, 169; personal **a** with dir obj, 117; personal **a** with **conocer,** 136; **a** before certain inf, 146

absolute superlative, 216f, 252

acabar + de + inf, 146

accent: written accents in preterit verbs, 111, 189; written accents on imperfect **−er** and **−ir** verbs, 228

adverbs: formation with **−mente,** 196f

adjectives: gender, 28; agreement with noun, 28; for position in sentence, spelling changes, and other information see descriptive adjectives, demonstrative adjectives, limiting adjectives, possessive adjectives, comparatives

...ago, 243

agreement: art with noun, 15, 16; subject and verb, 26; of adj and noun, 28; dir obj with noun, 165

al: contraction of **a + el,** 53

alphabet, 42f

aprender + a + inf, 146

articles: see definite articles, indefinite articles

bueno: spelling change before masc sing noun, 223

cardinal numbers: see numbers

comer: pres tense, 69f; other pres **−er** verbs conjugated like **comer,** 70; imperfect, and other **−er** verbs conjugated like **comer,** 228

commands: forms of **preguntar** and **contestar,** 40; regular familiar forms, 208; irregular familiar forms, 238

¿cómo? 60

comparatives: of superiority/inferiority: **más/menos...que,** 153, 206, 252f; irregular comparative adjectives, 206; of equality: **tan/tanto...como,** 241, 252f

con: special contraction with prepositional pronouns, 169

conocer: pres tense, 136; preterit, 136

contractions: **al (a + el),** 53; **del (de + el),** 100

correr: preterit, 189

¿cuál? 60

¿cuántos? 60

dar: pres tense, 145; preterit tense, 222

dates: 123

de: with **él/ella,** 2; with **¿dónde?** 3; with **¿qué?,** 4; meaning *from,* 12; meaning *of,* 12; to express possession, 12; contraction **de + el,** 100; **de** before certain infinitives, 146

decidir: preterit, 189

definite articles: forms, gender, and number, 14f; agreement with their nouns, 15; compared with indef art, 24; with time expressions, 47f; contraction of def art, 100; with dates, 123; with family names, 162

del: contraction of **de + el,** 100

demonstrative adjectives: definition, forms, and position, 137; demonstrative adj compared with demonstrative pron, 200

demonstrative pronouns: forms and uses, 199f; demonstrative adj compared with demonstrative pron, 200

descriptive adjectives: gender and number, 28; agreement with noun, 28; position of, 28, 187; spelling changes before masc sing noun, 186, 223; compared with limiting adj, 187

diminutive endings: **−ito** and **−ita,** 105

direct object: defined, 117

direct object pronoun: definition and forms, 164f, 190f; agreement with nouns, 165; position in sentence, 165; position in relation to indir obj pron, 190f

doler (o-ue): pres tense, 180; use with indir obj, 180

¿dónde? 60

empezar (e-ie) + a + inf, 146

escribir: preterit, other regular **−ir** verbs like **escribir,** 131

estar: pres tense, 50; uses, 50; **estar** vs **ser,** 50, 58; **estar + pres part** (pres prog), 102; preterit, 158

estudiar: pres tense and other verbs conjugated like **estudiar,** 40

fue (form of **ser**) 130

future tense: defined, 99; formed with **ir + a + inf,** 99, 125; pres tense to express future, 99; compared with pres and pres prog, 125

gender: of nouns, 10f; of def art, 15; of adjectives, 28

gran(de): spelling change before sing noun, 223; changing in meaning depending on position, 223

gustar: pres tense and usage, 66f, 78, 91f

hablar: pres tense and other verbs conjugated like **hablar,** 40, 61; preterit, and verbs conjugated like **hablar,** 111; imperfect, and other **−ar** verbs conjugated like **hablar,** 227

hace with expressions of time (...ago), 243

hacer: pres tense, 88; with expressions of weather, 88; preterit, 114; **hace** with expressions of time (...ago), 243

imperfect tense: defined, 227; **−ar** verbs, 227; **−er** and **−ir** verbs, 228; **ver, ir,** and **ser,** 230; uses, 232

indefinite articles: forms, 24; agreement with nouns, 24; compared with def art, 24

indirect object: defined, 143

indirect object pronoun: definition and forms, 143; position of, 143; with **doler,** 180; position in relation to dir obj pron, 190f; substitution by **se,** 191

infinitive: defined, 40; with forms of **deber** and **querer,** 73; **ir + a + inf,** 99, 125, 146; **tener + que + inf,** 105; preceded by a prep, 146;

invitar + a + inf, 146

ir: pres tense, 53; **ir + a + inf** to express future time, 99, 125, 146; preterit, 115; imperfect, 230

irregular verbs: pres tense of **tener,** 18; **ser,** 26; **estar,** 50; **ir,** 53; **querer,** 73; **hacer,** 88; **perder,** 93; **ver,** 103; **poder,** 133; **conocer,** 136; **dar,** 145;

2
3
F 4
G 5
H 6
I 7
J 8